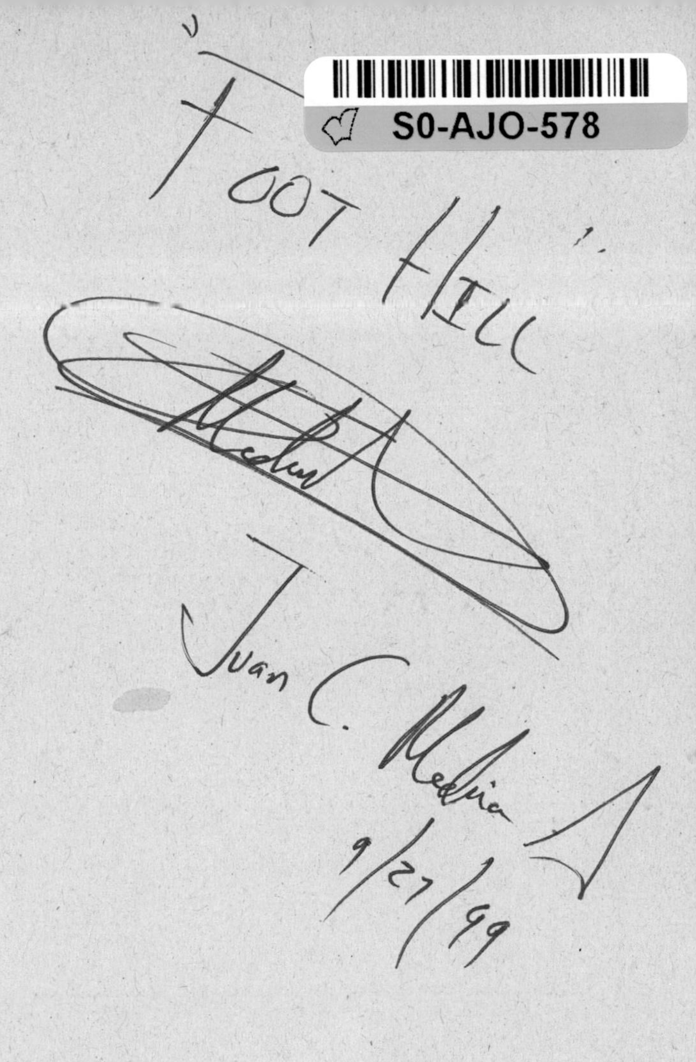

OTRA VEZ EL DIABLO

NUESTRA NATACHA

PROHIBIDO SUICIDARSE EN PRIMAVERA

LOS ÁRBOLES MUEREN DE PIE

ALEJANDRO CASONA

OTRA VEZ EL DIABLO

NUESTRA NATACHA

PROHIBIDO SUICIDARSE EN PRIMAVERA

LOS ÁRBOLES MUEREN DE PIE

PRÓLOGO
DE
ANTONIO MAGAÑA-ESQUIVEL

DECIMOQUINTA EDICIÓN

EDITORIAL PORRÚA
AV. REPÚBLICA ARGENTINA, 15
MÉXICO, 1998

Primeras ediciones, *Otra vez el diablo,* México, 1937; *Nuestra Natacha,* Madrid, 1936; *Prohibido suicidarse en primavera,* Buenos Aires, 1943, y *Los árboles mueren de pie,* Buenos Aires, 1951.

Primera edición en la Colección "Sepan cuantos...", 1973

ISBN 968-432-252-6 Rústica
ISBN 970-07-0248-0 Tela

IMPRESO EN MÉXICO
PRINTED IN MEXICO

PRÓLOGO

I

En mi prólogo al volumen 223 de esta misma Colección "Sepan Cuantos..." en el que se recogen *Flor de leyendas, La sirena varada, La dama del alba* y *La barca sin pescador*, menciono brevemente algunos rasgos de la actividad de Alejandro Casona como maestro, que culminaría cuando, en 1931, el Patronato de Misiones Pedagógicas le encomendó la dirección del Teatro Ambulante y del Teatro del Pueblo en los que él cumplió una tarea de misionero laico. Creo preciso añadir ahora lo que el propio Casona explicó en una entrevista periodística, cuando radicaba en México, hacia 1937; y es oportuno ahora, cuando se habla entre nosotros de la Compañía de Teatro Popular, de sus temporadas en diversos Teatros de la ciudad capital de México, y del proyecto de realizar giras por el interior del país para las cuales se adquirirán en Estados Unidos unas muy amplias carpas, teatros portátiles bien acondicionados. "Recorrimos los artistas, muchachos estudiantes y yo —declaró entonces Casona—, en días de fiestas, domingos y vacaciones, pueblos y aldeas próximos a la capital y a varias otras provincias". Y agregó: "Era un teatro como el que pasa en la carreta del *Quijote*: sencillo, montado casi siempre en la plaza pública, con un escenario levantado con maderas toscas por los propios muchachos artistas. Los trajes eran muy sencillos, realizados con un gasto mínimo de unas pesetas, y el carácter general de este teatro era la belleza, predominantemente lírica, aliándose con las antiguas canciones populares corales y los romances tradicionales..." Y concluyó: "Si alguna obra bella puedo enorgullecerme de haber hecho en mi vida, fue aquélla; si algo serio he aprendido sobre pueblo y teatro, fue allí donde lo aprendí. Trescientas actuaciones al frente de un cuadro estudiantil y ante públicos de sabiduría, emoción y lenguaje primitivos, son una tentadora experiencia".

La guerra civil en España puso término a esa noble actividad, en 1936. Pero ya había estrenado varias comedias: tres en Madrid, que ya he mencionado en aquel prólogo, y una que realmente ha sido casi olvidada, aun por el propio Casona, y que es *El crimen de Lord Arturo*, la primera de todas las que escribió, adaptación dramática de la novela *El crimen de Lord Arturo Savile*, de Oscar Wilde, que en 1929 estrenó en Zaragoza la Compañía Ladrón de Guevara-Rivelles. En realidad el teatro agudizó su crisis en España, a partir de esos días difíciles; el pueblo, que había comenzado a tomar un sitio en el teatro, que comenzaba a verse y reconocerse en las representaciones de ese Teatro Ambulante que dirigía Casona y en la farándula de La Barraca que por su lado Federico García Lorca llevaba a todas las provincias, de pronto se vio alejado del teatro y sin comunicación ni continuidad. Aun en 1937 funcionaba en Madrid un Consejo Central de Teatros, que presidía Antonio Machado y cuyo objetivo era coordinar las actividades teatrales y subvencionarlas en lo posible, y la Alianza de Intelectuales que encabezaban Rafael Alberti y su mujer, María Teresa León, de cuyo centro surgió una nueva sección, denominada *Nueva Escena,* que auspiciaba representaciones en algunas capitales de provincia que todavía conservaba la República y en los frentes de batalla. Un dato conviene recordar: el más joven poeta de aquella generación de Casona y García Lorca se vio sugestionado de pronto por el teatro y escribió entonces varias piezas; se trata de Miguel Hernández, que en su *Teatro en la guerra* pudo reunir sus dramas *La cola, El hombrecillo, El refugiado, Los sentados,* aparte su otra pieza, en verso, que tituló *Pastor de la muerte.*

Pero Alejandro Casona no esperó el final de la guerra civil, y se ausentó de España, al igual que otros, Jacinto Grau, Max Aub, Rafael Alberti, y algunos más. Los autores de la vieja guardia eran ejemplo de aquella crisis aguda, Benavente, Marquina, Fernández Ardavín, Pemán, y aun aquel humorista que fue Jardiel Poncela. La conciencia de nueva técnica dramática y de fantasía poética en conflicto con la realidad exterior y con la dualidad del ser, que Casona planteó en la escena desde un principio, asomaría luego en determinados dramaturgos que aparecieron después, entre ellos José López Rubio, Claudio de la Torre, Antonio Buero Vallejo. El creador de *La sirena varada,* de *Otra vez el diablo* y de *Nuestra Natacha,* para no mencionar sino aquello que el público español había conocido y aplaudido directamente, latía en humanidad y fantasía en la obra de los escritores jóvenes; y esto era otra tentadora experiencia.

II

El estreno de *Otra vez el diablo* había ocurrido en el Teatro Español, en Madrid, el 26 de abril de 1935, a la sombra de aquel sensacional triunfo de *La sirena varada* el año anterior. Casona lo califica de "cuento de miedo", dividido en tres jornadas y un amanecer. Si los milagros no requieren justificación, según el clásico, el amor en cambio sí necesita comprobación. La Infantina y el Estudiante son los personajes que encarnan ese amor romántico, sublime, que se considera a sí mismo la única esencia de la vida y la explicación del sacrificio. El Estudiante da la suprema prueba de ello al matar al Diablo, que se había apoderado de él, antes que violentar a su amada y alcanzar en ella su deseo carnal con agresividad y traición; logra salvar la trampa que le tendió el Diablo, con la ayuda de Cascabel que es el bufón de la Infantina; y cuando el Rey, el padre de ésta, llega con sus soldados a aprehender al Estudiante, a exterminarlo junto con su partida de forajidos, bandoleros-intelectuales, el Estudiante muestra el puñal ensangrentado con el que mató al Diablo y logra el final feliz casándose con la Infantina, y ésta ve satisfecho su afán de aventura y de sucesos extraordinarios que desde niña buscaba en los bosques de aquel reino.

No es difícil advertir en este "cuento de miedo" los elementos simbólicos y la alucinación que caracterizan el teatro de Alejandro Casona; sin que se pierdan ni se desvanezcan el tono realista y la acción dramática concreta. Una mujer por un poco de amor quizá pida una fortuna, un milagro; pero por todo el amor, no pide nada y lo da todo. Así la Infantina, que al principio siente desilusión cuando sabe que el Estudiante ni es un forajido sanguinario y atrevido ni es un poeta que cante al lobo o a la luna. Y por su lado, el Estudiante triunfa sobre sí mismo, al triunfar sobre el Diablo. Se antoja pensar que el dramaturgo, con un fino sentido de la ironía, pretende fundamentalmente fijar que la indecisión del espíritu, la inseguridad en sí mismo, provienen de considerar las ilusiones, los movimientos y las maldades demasiado en serio.

En *Otra vez el Diablo,* pieza en la que no ha faltado quien pretenda ver una caricatura del mito de Fausto y Margarita cuando en verdad Casona no ha hecho sino insistir en su idea de tomar una realidad inventada, mezclar fantasía y mundo real, conjugar el sueño y el latido psicológico, Margarita Xirgu encarnó al personaje masculino del Estudiante, con franco éxito según proclamó la crítica madrileña. Ello vendría a ser otro ejemplo de estilización de un estado de ánimo, y facilitaría, a los ojos de Casona mismo, la expresión de la crisis interior del personaje. Quizá pudiera vérsele como otra versión de la Margarita, joven profesora solitaria, que en *La tercera palabra* se enfrenta al espíritu indómito y complejo de Pablo; aquí las dos palabras conocidas, como auténticas motivaciones humanas, serían *muerte* y *Diablo;* y el joven Estudiante enseñará a la inquieta Infantina la misma tercera palabra: *amor,* con las implicaciones del triunfo de los fueros de la naturaleza sobre la perversidad de los instintos, y el predominio del ser propio y natural como medio para alcanzar la cuarta palabra: *felicidad.* Poesía, ingenio, intuición, vehemencia creadora, son los rasgos esenciales de este "cuento de miedo" tan sugestivo y palpitante.

III

En *Nuestra Natacha,* que podría considerarse la comedia de índole más realista en el teatro de Alejandro Casona, el dramaturgo plantea el problema de convivencia y de justicia social, referido a su aspecto de rehabilitación psicológica y moral de los adolescentes recluidos en un Reformatorio, víctimas de algún trauma. Natalia Valdés, que es la primera mujer que en España había logrado, en ese momento, el Doctorado en Ciencias Pedagógicas, acepta la dirección de aquel Reformatorio del que ella misma salió algunos años antes, redimida, y adquiere rasgos apostólicos en su labor, con el ideal de poner en práctica sus teorías acerca de los sistemas de trabajo, educación y castigo. A esta arcádica escuela-granja, a su apostolado, sacrifica su carrera, su vida, su amor al hombre que le ofrece una egoísta felicidad. Obra escrita y estrenada en momentos de gran importancia para la República Española, por sus ensayos de reforma educativa —la estrenaron en el Teatro Victoria, en Madrid, Josefina Díaz de Artigas y Manolo Collado, el 6 de febrero de 1936—, *Nuestra Natacha* mantiene un espléndido tono polémico. Casona, claro está, toma partido aprovechando sus personales experiencias en las Misiones Pedagógicas; y al salvar toda demagogia, alcanza instantes de muy humana ternura, de muy poderoso lirismo, sin rebajar cierto sentido humorístico conjugado con la crudeza dramática que transpira el tema central. Hasta cuando plantea la posibilidad, la necesidad de un fracaso, el acierto expresivo es evidente, plausible, ejemplarizante. "El fracaso —se dice en un parlamento— templa el ánimo; es un magnífico manantial de optimismo. Todo hombre inteligente debiera procurarse por lo menos un fracaso al mes..."

Cuando las celdas de aislamiento y ciertos vicios del Reformatorio se hacen ya insoportables para Natacha, y se le oponen las viejas tradiciones de castigos y la idea de que la letra con sangre entra y de que la educación de la juventud sólo se logra con represiones y penas corporales, Natacha sufre la más grande desilusión; y pide a su enamorado, a Lalo, aquella vieja finca abandonada que él tiene, improductiva, para traer a ella a sus alumnos y probar con ellos que el hombre es capaz de construir su propia vivienda y sus propios productos de sustento, alimentación y disfrute. Aquel lugar se convierte en la más admirable escuela-granja, en la más relevante institución consagrada a la re-educación moral e intelectual, social y sentimental de jóvenes desamparados. Quiero reproducir aquí lo que el propio Casona expresó a propósito de esta comedia: "Es la escenificación de la más bella de las realidades españolas últimas: la nueva generación estudiantil, palpitante de ímpetu y espumas, con sus gozos juveniles y más generosas preocupaciones sociales..." Y por ello, ha quedado *Nuestra Natacha* como una de las piezas teatrales más representativas de la clásica teoría acerca del teatro como "escuela de costumbres", y más características de este autor que sabe mezclar fantasía y realidad, sueño y mundo exterior, para producir esa especie de realismo mágico que apasiona en la escena; lo mismo en España que en México y en Argentina, y en todo el mundo de habla española, el teatro de Casona no tiene del expresionismo más que la tendencia a la exploración psicológica, a la crisis mental de un personaje determinado, y ello como punto tangencial con aquel realismo que es su base, su meollo.

IV

Propiamente en México inició Alejandro Casona su obra de dramaturgo en el exilio, precisamente con el estreno, en el Teatro Arbeu, el 12 de junio de 1937, de su comedia en tres actos *Prohibido suicidarse en primavera,* por la compañía de Josefina Díaz de Artigas y Manolo Collado. También aquí se da la fusión de elementos poéticos, fantásticos, optimistas y abstractos, en incesante conflicto con las realidades biológicas, históricas, sociales, del mundo que vivimos. La acción ocurre en el Hogar del Suicida, sanatorio de almas del Doctor Ariel, que ahora dirige un discípulo de éste, el Doctor Roda, quien en uno de sus parlamentos del primer acto, con Chole y Fernando, después que les enseña el libro maravilloso que dejó escrito el Doctor Ariel, que tituló *El suicidio considerado como una de las Bellas Artes,* les cuenta que aquel sabio murió feliz, dejó su fortuna para fundar aquel Hogar del Suicida, y les explica esta contradicción, este aparente secreto. "El

Doctor Ariel no se limitó a hacer una extravagancia —dice el Doctor Roda—. Fundó, sagazmente, un Sanatorio de Almas. Aparentemente, esta casa no es más que el club del perfecto suicida. Todo en ella está previsto para una muerte voluntaria, estética y confortable: los mejores venenos, los baños con rosas y música... Tenemos un lago de leyenda, celdas individuales y colectivas, festines Borgia y tañedores de arpa. Y el más bello paisaje del mundo". Y plantea en seguida la clave de la acción dramática: "La primera reacción del desesperado al entrar aquí —explica— es el aplazamiento. Su sentido heroico de la muerte se ve defraudado. ¡Todo se le presenta aquí tan natural! Es el efecto moral de una ducha fría. Esa noche algunos aceptan alimentos, otros llegan a dormir, e invariablemente todos rompen a llorar. Es la primera etapa".

Sí, efectivamente, es la etapa de la meditación durante la cual el enfermo comienza a sentir cierta ternura por el dolor hermano. Sigue la etapa en la que rompe su silencio, su aislamiento, su soledad, y busca compañía. "Y un día —agrega el Doctor Roda— el enfermo se sorprende a sí mismo acariciando una rosa..." Comienza entonces la tercera y última etapa, la de recuperación del porvenir, la del ansia caliente de vivir al contemplar todo aquel paisaje floreciente de vida natural. ¡Está salvado! Y así terminan Chole y Fernando, amándose, enamorados, y también Juan y Alicia, mientras se escucha como fondo musical el himno de gracias a la primavera, de Beethoven. Es la expresión de los valores humanos, en medio de contrastes y contradicciones que determinan el destino del ser; este final de *Prohibido suicidarse en primavera,* que muestra alguna concesión de tipo sentimental, no rebaja el eje psicológico de la acción ni la atmósfera poética en que se ciñen los contrastes de conciencia y el tono de sátira.

Por momentos hay cierto pesimismo, una sublimada amargura acerca de la conducta humana. Pero al cabo aparece siempre algo imprevisto en la vida, que la hace grata, que termina con su deshumanización y la sujeta de nuevo a determinadas exigencias de lealtad a sí mismo.

V

En Buenos Aires, cuando Casona estrenó *Los árboles mueren de pie* en el Teatro Ateneo, el 1º de abril de 1949, con la Compañía de Esteban Serrador, la crítica creyó ver en ella y en sus piezas más características conocidas allá ciertas corrientes nada ocultas que procedían de Eveinoff y no sólo de Pirandello. A la sorpresa de los primeros efectos misteriosos y al parecer inexplicables, sigue la música de las palabras, en las cuales el poeta colabora con el dramaturgo para que éste tienda sobre objetos, ambiente y seres humanos un leve y sutil manto de ilusión. En ello insistió la crítica de la capital argentina: en la música de las palabras. Pero hay algo más, mucho más. ¿Acaso no es fácil apreciar, particularmente en el primer acto de *Los árboles mueren de pie,* el mismo ímpetu y el mismo latido del mundo fantástico o utópico que se advierte en sus otras piezas? Ese ímpetu natural, explicó alguna vez, en México, el propio Casona, lo lleva al teatro poético, optimista y abstracto; "pero mis ojos no se cierran —añadió— a las realidades... en que vivo".

Seguramente por esto su teatro aparece a los ojos de algunos como un teatro romántico, o al menos, un teatro de atmósfera romántica, poética, y algunas veces melodramática. Pero en el caso de *Los árboles mueren de pie* no es difícil ver aquellas virtudes dramáticas que derivan del conflicto de fantasía y realidad; aquí, posiblemente con mayor fuerza que en ninguna otra de sus piezas, se rompe el equilibrio y se agudiza el choque de fantasía y realidad. Reaparece el nombre del Doctor Ariel, de quien también se habla en *Prohibido suicidarse en primavera,* ahora relacionado con otra institución generosa que busca proporcionar consuelo y cierta alegría a las gentes sobrecargadas de desesperación y desesperanza. Aquella abuelita galdosiana sufre, al igual que su marido, la maldad de un nieto que ha huído al Canadá y es ya un bandido, un malhechor despiadado; y cuando el nieto muere en un naufragio, al hundirse el barco en que viajaba de regreso a España después de anunciar a su abuela su vuelta al hogar, el abuelo ruega al director de aquella institución que se haga pasar por su nieto Mauricio; y cuando todo marchaba a la perfección y la ilusión de la abuela por su nieto, y por la supuesta esposa de éste, Marta Isabel, era ya una realidad absoluta, aparece el verdadero nieto, que se salvó del naufragio porque no pudo embarcar en aquel barco que se hundió, y que viene dispuesto a exigir una crecida cantidad para evitar un escándalo. La bondadosa abuelita lo vence finalmente y sigue aferrada a la otra realidad, la de sus fingidos nietos, de cuyo sueño amoroso ella es patrona y suprema señora; podrá estar muerta por dentro, pero de pie; como los árboles.

En el fondo hay un profundo dolor, una triste amargura, que la abuela ha superado. Lo malo, como ella dice, es la huella que todo eso deja; pero a esa pena ya también está acostumbrada. El ocultar esta su verdad a sus fingidos nietos, a los que ha tomado verdadero amor y a quienes debe los mejores días de su existencia, es otro de sus triunfos. En todo lo cual Casona confirma su preocupación por ofrecer, en sus personajes, la representación de una supuesta realidad, poderosa en su desbordamiento, cuyos puntos contradictorios acaban por dar el perfil dramático del contraste definitivo.

La enseñanza que podría obtenerse del teatro de Alejandro Casona es que así como al diablo travieso se le mata dentro de uno mismo, la indecisión y los sueños, el desengaño empírico de un amante imaginario, la maraña interior de un doctor filósofo y generoso, la paranoia creciente de un nieto endeble, se armonizan o se contradicen decididamente cuando el paisaje psicológico se enfrenta a la realidad objetiva que ni es anárquica, ni tiene imaginación, ni pretende ninguna originalidad exclusiva. De aquí que su teatro alcance universalidad y perennidad, con base en el dualiso eterno entre el ser y el querer ser, pero nunca planteado con solemnidad ni retóricos alegatos, sino con humor, con ironía, con lo que el propio Casona calificó: "esa flor de la sabiduría que se llama sonrisa".

ANTONIO MAGAÑA-ESQUIVEL

SELECCIÓN DE BIBLIOGRAFÍA DIRECTA

El peregrino de la barba florida. Mundo Latino. Madrid, 1926.
La flauta del sapo. Valle de Arán, 1930.
Flor de leyendas. Premio Nacional de Literatura. Biblioteca Nueva. Madrid, 1933.
La sirena varada. Premio "Lope de Vega" 1933. Editorial Rivadeneyra, Madrid, 1934.
Otra vez el diablo. Ediciones de la Universidad Nacional Autónoma de México. México, 1937.
Nuestra Natacha. Editorial Proveda. Madrid, 1936.
Prohibido suicidarse en primavera. Biblioteca Contemporánea. Editorial Losada. Buenos Aires, Argentina, 1943.
Las tres perfectas casadas. Biblioteca Contemporánea. Editorial Losada. Buenos Aires, 1943.
La dama del alba. Revista *Fantasía.* Madrid, 1945.
La barca sin pescador. Biblioteca Contemporánea. Editorial Losada. Buenos Aires, 1950.
Los árboles mueren de pie. Biblioteca Contemporánea. Editorial Losada. Buenos Aires, 1951.
Obras completas. Ediciones Aguilar. México y Madrid, 1954.
Obras completas. Ediciones Aguilar. 2 tomos. Prólogo y notas de Federico Carlos Sainz de Robles. México y Madrid, 1966.
Flor de Leyendas. La sirena varada. La dama del alba. La barca sin pescador. Prólogo de Antonio Magaña-Esquivel. Editorial Porrúa, "Sepan Cuantos...", núm. 223. México, 1972.

EN ANTOLOGÍAS

Teatro español 1962-1963. Prólogo, notas y apéndice por Federico Carlos Sainz de Robles. Ediciones Aguilar. Madrid, 1964.
Teatro español 1963-1964. Prólogo, notas y apéndice por Federico Carlos Sainz de Robles. Ediciones Aguilar. Madrid, 1965.
Teatro español 1964-1965. Prólogo, notas y apéndice por Federico Carlos Sainz de Robles. Ediciones Aguilar. Madrid, 1966.
Teatro español 1965-1966. Prólogo, notas y apéndice por Federico Carlos Sainz de Robles. Ediciones Aguilar. Madrid, 1967.

ALGUNAS TRADUCCIONES

Sirena arenatta. Traducción de Gilberto Beccari. Milán, 1935.
La siréne enlisée. Traducción de Jean Camp. París, 1942.
A sireia louca. Traducción de Nair Lacerda. Río de Janeiro, 1945.
Proibito suicidarsi in primavera. Traducción de Gilberto Beccari. Florencia, 1949.
La dame de l'aube. Traducción de Jean Camp. París, 1948.
The lady of the dawn. Traducción (?). Johannesburgo, 1949.

A senhora das blancas maos. Traducción de Manuel Fragoso. Lisboa, 1950.
As árvores morren de pe. Traducción de Valdemar Oliveira. Río de Janeiro, 1950.
Les arbres meurent debout. Traducción de Jean Camp. Ginebra, 1952.
Bäume sterben aufrecht. Traducción de Lore Körnell. Berlín, 1951.
Träden dör staénde. Traducción de Stig Torsslow. Suecia, 1960.
Sete gritos no mar. Traducción de Norberto Lopes. Lisboa, 1955.
La barque sans pécheur. Traducción de Jean Camp. Montecarlo, 1952.
De slop zonder visser. Traducción de Kris Betz. Atenas, 1960.
A terceira palavra. Traducción de Acurcio Pereira. Lisboa, 1955.

BIBLIOGRAFÍA INDIRECTA Y CRÍTICA

BIANCHI, Alfredo A., *El teatro de Alejandro Casona.* En la revista *Nosotros,* núm. 3. Buenos Aires, junio de 1936.
MONNER SANS, José María, *Panorama del nuevo teatro.* Editorial Losada. Buenos Aires, 1942.
SHOEMAKER, William H., *Introducción* a la edición norteamericana de *Nuestra Natacha.* Appleton-Century Krofts. Nueva York, 1947.
WILSON SERVER, Alberta, *Notes on the contemporary drama in Spain.* En la revista *Hispania,* marzo de 1959.
CASTELLANO, Juan R., *Prólogo* a la edición norteamericana de *La dama del alba.* Editorial Scribner's Sons. Nueva York, 1947.
COBOS, Pablo de A., *Algunas constantes en el teatro de Alejandro Casona.* En la revista *Ínsula.* Madrid, octubre de 1959.
MAGAÑA-ESQUIVEL, Antonio, *Los árboles mueren de pie, en el Teatro Virginia Fábregas. Revista Mexicana de Cultura,* Suplemento de *El Nacional.* México, 24 de julio de 1949.
BILBAO ARISTEGUI, Pablo, *Sentido espiritual del teatro de Casona.* En la Revista *Orbis Catholicum,* núms. 8 y 9. Editorial Herder. Barcelona, agosto y septiembre de 1961.
BALSEIRO, José A., y RIIS OWRE, J., *Introducción* a la edición norteamericana de *La barca sin pescador.* Oxford University Press. Nueva York, 1960.
MAGAÑA-ESQUIVEL, Antonio, *Alejandro Casona, dramaturgo.* En *El Nacional.* México, 20 y 21 de septiembre de 1965.
GÓMEZ SANTOS, Marino, *Alejandro Casona cuenta su vida.* En *Pueblo.* Madrid, 15, 16 y 17 de agosto de 1962.
INGBERT, Rosemarie, *Théatre d'Alejandro Casona: realité et évasion.* Tesis para la licenciatura de letras. Universidad Libre de Bruselas, 1959-60.
FARRAST, Robert, *Situation du théâtre espagnol.* En *Théâtre Populaire.* París, mayo y junio de 1955.
RODRÍGUEZ RICHART, J., *Vida y teatro de Alejandro Casona.* Instituto de Estudios Asturianos. Oviedo, 1963.
SAINZ DE ROBLES, Federico Carlos, *El humor en el teatro de Alejandro Casona.* En la Revista *Segismundo,* núm. 2. Consejo Superior de Investigaciones científicas. Madrid, 1965.
VALBUENA PRAT, Angel, *Historia de la literatura española,* tomo III. Ed. Gustavo Gili. Barcelona, 1964.
SAINZ DE ROBLES, Federico Carlos, *Alejandro Casona, el hombre y su teatro.* Prólogo a las *Obras completas.* Tomo I. Ediciones Aguilar, 1966.
VARIOS, *Diccionario de literatura española.* Edición *Revista de Occidente.* Madrid, 1953.

OTRA VEZ EL DIABLO

CUENTO DE MIEDO
EN TRES JORNADAS Y UN AMANECER

Estrenado en el Teatro Español de Madrid por la Compañía de Margarita Xirgu, la noche del 26 de abril de 1935

JORNADA PRIMERA

Encrucijada en el monte. A un lado, una cruz de camino con gradas. Sentado en ellas, el Capitán de bandoleros —barbas y antiparras— y frente a él, en rueda, los bandidos. Son bandidos por estética y, como tales, poseen mantas, trabucos y un sentido infantil del derecho.

ESCENA PRIMERA

CAPITÁN Y BANDIDOS. DESPUÉS EL ESTUDIANTE

Uno de los bandidos ronda por el fondo haciendo la guardia.

CAPITÁN.—Os ruego que lo meditéis despacio, hijos míos: no trato de reteneros a la fuerza. Podéis marcharos si queréis.

BANDIDOS.—No, no. No se trata de eso.

CAPITÁN.—¿Es que tenéis alguna queja contra mí?

FARFÁN.—Tampoco; sois un bandido perfecto y un camarada leal.

CLOTALDO. — Un verdadero padre, sí, señor.

CAPITÁN.—¿Entonces?

FARFÁN.—Es que no podemos seguir así ni un día más. Los negocios son los negocios; y el bandidaje aquí, ya se ve, no tiene porvenir.

CAPITÁN.—Nadie es profeta en su tierra. Acabamos de empezar, y una partida de bandoleros es cosa que jamás se ha visto en nuestro país. Tendremos que luchar mucho hasta hacernos un público; pero ya llegará nuestra hora...

CLOTALDO.—En resumen, capitán; lo que queríamos...

CAPITÁN.—Lo que queréis es disculpar vuestro miedo; lo he notado hace tiempo. Queréis abandonar esta vida heroica y volver al hogar, a la sociedad. ¡Qué vergüenza! Pero, ¿es que ya habéis olvidado lo que es la sociedad? Una pocilga, hijos míos; la moral y la honradez la han echado a perder.

CLOTALDO. — Conformes, capitán; pero nosotros hemos pensado...

CAPITÁN.—Ni media palabra más. El que no esté conforme en la banda que se vaya. ¡Y ahora mismo! (*Murmullos. El* Capitán *se levanta*). Los caminos están bien claros: aquí los que quieren defender la justicia y el derecho; los otros, que vuelvan a fundirse en la masa anónima. ¡Aire! Por hoy se acabó la sesión.

EL BANDIDO DE GUARDIA.—(*Acercándose*). Mi capitán...

CAPITÁN.—¿Qué hay?

EL BANDIDO.—Nuestras avanzadillas se acercan; traen un prisionero.

CAPITÁN. — ¿Un prisionero? ¿Qué aspecto tiene?

EL BANDIDO.—No debe ser gran cosa a juzar por las trazas.

CAPITÁN.—Veamos. Vosotros, quietos. (*Se acerca al fondo*). ¡Bah, un estudiante pardal! Estamos de malas. Que lo traigan.

Sale el *Bandido* de guardia y vuelve en seguida con *Valdovinos* y otro, que custodian al preso. La víctima es un estudiante español desenfadado y mozo. Tiene un prestigio de novela picaresca apenas empañado por un vaho de aulas. Trae la ropa desgarrada y un hatillo a la espalda.

ESCENA SEGUNDA

DICHOS Y ESTUDIANTE

VALDOVINOS.—Mi capitán: aquí está la presa.

CAPITÁN.—¿De quién se trata?

VALDOVINOS.—Es un estudiante español que iba de camino hacia las universidades de Alemania. Lo ha detenido una pendencia, perdió el rastro de la Tuna y ha venido a caer en nuestras manos.

CAPITÁN.—¿Opuso resistencia?

VALDOVINOS.—Al principio, sí; creyó que éramos guardias del rey. Pero en cuanto supo que se trataba de bandidos, preguntó en seguida si éramos paisanos y mostró grandes deseos de conocer al capitán.

CAPITÁN.—¡Eso ha hecho! Muchacho..., tú eres de los míos. (*Le tiende la mano*). Mis compañeros, bandidos de noviciado; un espíritu libre, estudiante y español. Amigos.

ESTUDIANTE.—Gracias, capitán. Conque bandoleros. ¡Quién me lo iba a decir! Yo suponía a este reino mucho más atrasado.

CAPITÁN.—Lo está, lo está. Hasta ahora no ha tenido más que ladrones de pega, sin romanticismo y sin paisaje. Yo, ya lo ves, he intentado darle un barniz europeo; pero como si sembrara sal.

ESTUDIANTE.—¿No se ha correspondido a vuestro esfuerzo?

CAPITÁN. — ¡Quiá! Nuestro pueblo no tiene conciencia de la literatura.

CLOTALDO.—Somos una nación sin ideales. Sin cultura estética.

CAPITÁN.—Los villanos nos odian y los señores se regocijarían de vernos un día en la horca. ¡Qué asco! En cualquier país del Sur, una institución como la nuestra tendría una subvención del Estado. Pero aquí... Vete con ideales a un pueblo de analfabetos y mercaderes.

ESTUDIANTE.—¿Y hace mucho que os dedicáis a este noble ejercicio?

CAPITÁN.—Aquí, en el centro, unos quince días. En provincias hemos estado tres meses.

ESTUDIANTE.—No es mucho.

CAPITÁN.—¿Que no es mucho? Pues ¿cuánto crees que se puede resistir así? ¿Sabes lo que llevamos perdido en ese tiempo?

CLOTALDO. — Cien escudos, señor. Cien escudos que adelanté yo para comprar los trajes y el armamento.

VALDOVINOS.—¡Y veinte más que puse yo para los gastos de propaganda!

FARFÁN. — Falta de organización. Yo ya propuse que robáramos, para empezar, los trajes y las armas. Así, de paso, quedaba hecha la propaganda.

ESTUDIANTE.—¡Qué lástima! ¿Y no hay esperanza de recuperar siquiera ese dinero?

CAPITÁN.—Es difícil. No tenemos opinión.

CLOTALDO.—La gente nos huye.

VALDOVINOS.—Atrancan sus puertas con doble barra.

FARFÁN.—Y cuando se deciden a venir al monte se dejan el dinero en casa. ¡Burgueses!

VARIOS.—¡Abajo la burguesía!

CAPITÁN.—Calma, hijos míos. Estamos de acuerdo: el proceder de la gente con nosotros es poco serio.

FARFÁN.—¡Nos están explotando!

CAPITÁN.—¡Silencio! ¡Je! (*Al Estudiante*). ¡Ah, hijo mío: tú eres español; y un paisano de Guinarda, de Hernani y de Gil Blas no puede comprender ciertas cosas! ¡Aquellos eran otros tiempos!

ESTUDIANTE.—Confieso mi asombro, capitán. Yo creí que vuestra profesión daba... para vivir decentemente.

CAPITÁN.—De ninguna manera. El

bandidaje aquí es un negocio ruinoso; éste es un país rico.

ESTUDIANTE.—¿Entonces?. . .

CAPITÁN.—A los ricos es muy difícil robarles; se defienden bien.

FARFÁN.—Yo ya he propuesto que robemos a los pobres.

CAPITÁN.—Sí, Farfán, sí. Y ya sabes que en la sesión de anoche se aprobó por mayoría.

CLOTALDO.—Yo di mi voto en contra. ¿Consta en el acta?

CAPITÁN.—Consta.

CLOTALDO.—¡Robar a los pobres!

CAPITÁN.—Sí, es un recurso muy socorrido; lo hace todo el mundo. ¿Pero qué quieres, hijo mío?

CLOTALDO.—Que tengamos la dignidad de nuestra profesión.

FARFÁN.—No le hagáis caso; éste es un sentimental.

VALDOVINOS.—Claro, como ha sido seminarista. . .

VARIOS.—¡Abajo el clero!

CAPITÁN.—Orden, señores, orden.

CLOTALDO.—¡Yo, yo un sentimental!

FARFÁN.—¡Tú!

CLOTALDO.—¡Mójame la oreja!

VARIOS.—¡Que se siente!

CAPITÁN.—¡Silencio! ¿Que tenemos que resignarnos con los pobres? Sea; pero sin estridencias de mal gusto. Por cierto, señor Estudiante, que desde que tomamos tal acuerdo eres el primero que cae en nuestras manos.

ESTUDIANTE. — Honradísimo, capitán.

CAPITÁN.—Gracias, hijo.

ESTUDIANTE.—Lo que siento es no poder entregaros más que esta miseria. (*Entrega el hatillo*).

CAPITÁN.—Por Dios. . . Ya sabemos lo que es un estudiante. ¿Traes dinero?

ESTUDIANTE.—Tres escudos de plata y un poco de vellón.

CAPITÁN.—Vaya. . . A ver: el secretario. ¿Quién está de semana?

CLOTALDO.—Presente.

CAPITÁN.—Anota eso: tres escudos de plata y algo de vellón. ¿Qué más?

ESTUDIANTE.—Dos mudas, una empanada, un rizo de mujer y un tratado de Retórica y Poética.

CAPITÁN. — Más vellón. (*Clotaldo toma nota*). ¿Queda algo?

ESTUDIANTE. — (*Sacudiéndose las manos*). No, señor; muchas gracias.

CAPITÁN.—Fecha y firma. (*Al Estudiante, dándole un recibo*). En paz. (*Un silbido*).

VALDOVINOS. — Atención, capitán. (*Los bandidos en pie*).

FARFÁN.—Son Fadrique y Honorato que llaman.

ESTUDIANTE.—¿Peligro?

CAPITÁN.—No; el peligro son tres golpes. Algún nuevo cliente.

VALDOVINOS.—Ha sido hacia el barranco.

CAPITÁN.—Preparen. Señor Estudiante, ésta es mi mano. Tal vez no volvamos a vernos. No obstante, si algún día te cansa la vida de ahí abajo y necesitas un retiro tranquilo, aquí me encontrarás. Ya procuraremos hacerte un huequecito en la banda.

ESTUDIANTE.—Gracias.

CAPITÁN.—En la hostería de "El Gallo Blanco" tienes tu casa. De corazón. (*A los suyos*). ¿Estamos?

BANDIDOS.—A la orden.

CAPITÁN.—Adiós hijo. (*Le abraza*). Marchen. (*Salen y hay un silbido contestando*).

ESTUDIANTE.—Adiós. Y buena suerte.

ESCENA TERCERA

ESTUDIANTE SOLO.
LUEGO, EL DIABLO

ESTUDIANTE.—Pues, señor; me han dejado al fresco estos bandidos. Lástima de empanada. Porque los escudos no los pasan ni a trabucazos. ¡Pobre gente! (*Se sienta en las gradas de la cruz*). Bueno: ¿y ahora? Ya estamos como en los libros de caballerías: una encrucijada y una meditación. Por allí el monte solo, sin una casa; por allá los bandidos otra vez, y por ahí el camino de la ciudad. ¿Qué hacemos, querido? Si yo tuviera un caballo, todo resuelto: se aflojan las riendas y tira por donde quieras. Pero así, solo... Es que ni siquiera puedo echar a cara o cruz.

Por detrás de la cruz sale el *Diablo*, sin tramoya, con un misterio discreto. Anda sin hacer el menor ruido, dando en todo momento una sensación de ingravidez. Es un diablo maduro, sin edad. Viste pulcramente de riguroso luto: calzón, birrete y ferreruelo, y habla con una naturalidad mundana tocada a veces de melancolía.

DIABLO.—Dios os guarde, señor Estudiante.

ESTUDIANTE.—Gracias. Igualmente.

DIABLO.—¿No soy indiscreto?

ESTUDIANTE.—De ninguna manera. (*Reparando en él*) Calla... (*Se levanta y lo mira atentamente*). Cosa más rara... Yo juraría que os conozco.

DIABLO.—No es imposible; he sido estudiante muchos años y alcancé cierta popularidad en las Tunas de España.

ESTUDIANTE. — Sí, sí, será eso... (*De pronto, cogiéndole de un brazo*). Tú eres el mismísimo Diablo; no me lo niegues.

DIABLO.—¿Negarlo? ¿Por qué? Soy el Diablo en persona. No creo que sea vergonzoso confesarlo.

ESTUDIANTE.—¡Ah, bien! (*Sentándose otra vez tranquilamente*). Pues te advierto que conmigo pierdes el tiempo. No estoy dispuesto a venderte el alma a ningún precio. Yo soy católico apostólico romano.

DIABLO.—Yo también.

ESTUDIANTE.—¡Tú!

DIABLO.—¡Te lo juro! (*Hace una cruz con el índice y el pulgar y la besa*). ¿Pues qué creías?

ESTUDIANTE.—Hombre... Yo creía que...

DIABLO.—¿Qué?

ESTUDIANTE.—No, nada; perdona. Siéntate.

DIABLO.—Con permiso.

ESTUDIANTE.—Bueno, bueno. Conque por aquí dando una vuelta, ¿eh? Me alegro. De verdad que tenía muchas ganas de conocerte.

DIABLO.—Pues ya me has conocido. Ahora, con sinceridad, ¿qué te parezco?

ESTUDIANTE.—No está mal. Yo creí que eras todavía más feo.

DIABLO.—(*Picado*). ¡Más feo! Sí, claro, te habrán contado perrerías. La gente no sabe más que fastidiar al prójimo. Además, lo reconozco, estoy algo pasado, he engordado... ¡Si me hubieras conocido en mis tiempos!

ESTUDIANTE.—En tus tiempos. Cuando asustabas a las aldeanas y firmabas contratos en las encrucijadas, ¿no?

DIABLO.—Me da pena oírte hablar así. Los hombres sois incorregibles; cuando os aferráis a una mentira la defenderíais con la vida.

ESTUDIANTE.—¿Y es mentira lo de tus contratos?

DIABLO.—El hecho, no; pero la consecuencia, sí. Vosotros lo recordáis siempre para atribuirme un espíritu de mercader.

ESTUDIANTE.—Naturalmente.

DIABLO.—Pues no; todo eso son cuentos de comadre. Yo no soy un tramposo ni un aprovechado. Es verdad que he firmado algunos pactos, pero siempre favorables al hombre. Contratos leoninos. Si yo daba el amor, la juventud o el dinero, lo daba en buenas condiciones. En cambio hay que ver lo que mis contratantes me entregaban: unas almas remendadas, llenas de lepras y de vicios. Un asco.

ESTUDIANTE. — Entonces, ¿por qué lo hacías?

DIABLO.—¿Y qué iba a hacer? Los hombres no me llamaban por otra cosa. Nadie se acordaba de mí más que cuando le estorbaba el alma.

ESTUDIANTE.—Pues a mí no me estorba. Conque si venías a eso...

DIABLO.—Calma, señor Estudiante, no desbarremos. En primer lugar, yo no puedo venir a comprar tu alma porque todavía no la tienes.

ESTUDIANTE.—¿No?

DIABLO.—No seas orgulloso. Tú eres un muchacho aún, y llegar a hacerse un alma es trabajo largo.

ESTUDIANTE.—Entonces, ¿a qué vienes?

DIABLO.—A proponerte mi amistad desinteresadamente. Vas a empezar la vida, y eso es grave; no sabes dónde te has metido.

ESTUDIANTE.—Pues muchas gracias, no me sirves. Dice un refrán de mi tierra que más vale solo que mal acompañado.

DIABLO.—No es razón. También dice otro refrán...

ESTUDIANTE.—Sí: que no sueltes al diablo cuando lo cojas por el rabo.

DIABLO.—(*Ofendido*). No iba a decir eso. Eso es una grosería.

ESTUDIANTE.—Por cierto que lo del rabo... ¿Dónde lo escondes?

DIABLO.—Pero, señor, ¿cuándo acabaréis los hombres de decir tonterías?

ESTUDIANTE.—¿También es mentira lo del rabo?

DIABLO.—Una solemne mentira. Casi todas vuestras mentiras son solemnes. Ésta la inventaron los pintores, gente, por lo general, soez y mal educada.

ESTUDIANTE.—¿Los pintores sólo? Pues también en las vidas de santos...

DIABLO.—Ya sé, ya. También los santos se han portado bastante mal conmigo. Y, sin embargo, si no hubiera sido yo, no hubieran sido ellos. ¡Lo que yo trabajé por su santidad, privándome del sueño, tentándoles sin descanso y en horas extraordinarias, a veces hasta las cuatro y las cinco de la madrugada! Pero los pobres... yo creo que ni siquiera me entendieron. No supieron comprender que en la historia del cielo ellos eran el capital y yo el trabajo. Sólo una excepción tengo que hacer: Teresa de Ávila.

ESTUDIANTE.—¡Mi paisana!

DIABLO.—Gran espíritu. ¡Y qué prosa la suya, señor Estudiante: llana como lo alto de una cordillera! A mí me compadecía, es verdad; pero con una ternura de mujer... (*Cogiéndole de un brazo*). ¿Tú has leído sus Cartas?

ESTUDIANTE.—¡Eh, eh, confianzas, no! Sé algo de tus mañas y te juro que conmigo no te van a servir. (*Levantándose*). Hemos hablado bastante, ¿no te parece?

DIABLO.—¡Oh, no; escúchame un momento aún! Yo quiero sincerarme contigo.

ESTUDIANTE.—Es inútil.

DIABLO.—Un minuto nada más.

ESTUDIANTE.—Ni medio. Es ya muy tarde y la noche se nos va a echar encima.

DIABLO.—¿Miedo?

ESTUDIANTE.—¿Quién, yo? Soy bachiller por Salamanca y muy capaz de cortarte las orejas si te propasas.

DIABLO.—Ya lo sé; los estudiantes sois muy brutos todos; no es sólo en Salamanca. Pero yo tengo que hacerte una confidencia; óyeme un momento.

ESTUDIANTE.—(*Perdonándole la vida*). Sea.

DIABLO.—Escucha. Yo tengo muy mala fama; la gente cree que no-

sirvo más que para enredar; los filósofos me consideran como una negación, y los teólogos sostienen que no podré hacer el bien aunque quiera. Y eso sí que no. Yo tengo que darle un mentís a esos charlatanes. ¿Comprendes? Tengo que hacer un bien antes de jubilarme. Pero un bien diabólico..., con intriga y tentación.

ESTUDIANTE.—Pues no comprendo para qué te hago falta yo. ¿Quieres hacer un bien? Hazlo de una vez. No creo que necesites contar con nadie.

DIABLO. — Te equivocas: necesito contar con el que ha de recibirlo. Porque no pienso hacer el bien así como se hace el mal: contra el primero que llega. Ni darlo de limosna como los ángeles y los indianos. Necesito lucha, necesito inteligencia y esfuerzo. Tú me sirves.

ESTUDIANTE.—¿Y por qué yo precisamente?

DIABLO.—Eres libre y fuerte; estás solo en un país desconocido. Además, eres español... ¡Tengo tan buenos recuerdos de España!

ESTUDIANTE. — Señor Diablo, estamos perdiendo el tiempo.

DIABLO.—Tómame como compañero, no te pesará. Yo te enseñaré a hacerte un alma templada al fuego y al hierro.

ESTUDIANTE.—No, gracias.

DIABLO.—Un alma a la medida de tu cuerpo: valiente y sana. ¿No quieres?

ESTUDIANTE.—(*Seco*). Contigo, nada.

DIABLO.—Bien está. Algún día te arrepentirás. Hoy eres joven y crees bastarte a ti mismo; pero la vida es dura, los años pasan...

ESTUDIANTE.—Por Dios, abreviemos: estas escenas de familia me afectan mucho.

DIABLO.—(*Repentinamente grave*). Buenas tardes.

Y se aleja mustio, silbando una cancioncilla y dando con el pie a la hojarasca del camino.

ESCENA CUARTA

ESTUDIANTE SOLO, LUEGO INFANTINA Y CASCABEL

ESTUDIANTE.—Adiós, querido... Y cuidado con los ladrones. (*Ríe*). Es un pobre diablo. (*Serio*). Y yo... soy un mentecato. Después de todo, quién sabe lo que puede hacer falta. En fin..., a la buena ventura si Dios te la da... (*Va a salir. Suenan risas en el monte. Se detiene*). Demonio, esto es más serio. (*Por el camino del monte sale —risas y saltos— la Infantina. Viene mirando atrás y salmodia aniñando la voz*):

Cuco, cuclillo,
rabiquín de escoba,
¿cuántos años faltan
para la mi boda? (Cascabel, *dentro, canta imitando al cuco*).

INFANTINA.—Uno..., dos..., tres ... ¡Eh, Cascabel: eso no vale! ¡No quiero; me estás haciendo trampa! Seis..., siete... ¡Ah, cruel; me estás matando! ¡Por Dios, basta, basta ya!

CASCABEL.—¡Otro, señora mía: el último! ¡Cú-cú!

INFANTINA.—Te haré azotar. (*Silencio*). ¿Me oyes? ¿Dónde te has metido?

CASCABEL.—Me he subido a un árbol para hacer el cuco.

INFANTINA.—Corre, baja en seguida: es ya muy tarde y el señor Rey nos va a regañar.

CASCABEL.—Voy.

INFANTINA.—(*A solas*). El renacuajo éste... ¿Cuántas veces hizo el cuco? ¿Cuántos años faltan para mis bodas?

ESTUDIANTE.—(*Que ha contemplado la escena embobado*). Catorce, señora; los he contado yo uno por uno.

INFANTINA.—(*Medrosa*). ¿Y quién eres tú?

ESTUDIANTE.—Vuestro esclavo, señora, desde hace dos minutos.

INFANTINA.—Tanto honor. (*Una reverencia burlesca y da pronto ríe*). Yo suelo tener mejor vestidos a mis esclavos.

ESTUDIANTE. — (*Ruborizado, fijándose en su desgarrón*). ¿Lo decís por esto? Es el recuerdo de una riña reciente.

INFANTINA.—¡Un desgarrón heroico! Y muy gracioso: ondea al viento de la tarde como una bandera. (*Ríe*).

ESTUDIANTE. — (*Inspirado*). ¿Os gusta? (*Tira de espada y lo corta*). Tomad, os lo regalo.

INFANTINA.—Gracias... (*Lo toma y no sabe qué hacer*). Perdona que me haya reído: acaso tienes una herida...

ESTUDIANTE.—Psé, un rasguño; es poco para ofrecéroslo.

Entra el Bufón. Capisayo de seda verde, collar y caperuza de cascabeles y un palo con vejigas. Voz de canción.

CASCABEL. — (*Entrando*). Ríe un momento hacia acá, señora, que no veo el camino. (*Apercibe al* Estudiante *y se coloca ante él cruzando severamente los brazos*). ¿Quién eres tú, mendigo, que estás ahí de pie?

INFANTINA.—¡Cascabel!

CASCABEL.—Ante la Infantina, cuya risa hace amanecer de emoción todos los dominios del Rey, mi señor, ¿conservas tú esa postura?

INFANTINA.—¡Cascabel!

CASCABEL.—Bien se echa de ver que eres extranjero y de ojos soeces. ¡Arrodíllate, desdichado! Y di luego por el mundo que hoy has visto un milagro de plata con cabellos de lluvia y ojos de agua salada. Que has visto a la Infantina de los poetas. Siete fadas la fadaron y le dieron ruecas de oro. ¡Para ella cantan los nidos y repican las estrellas!

INFANTINA.—¡Cascabel! ¡Cállate ya!

ESTUDIANTE.—¡No, sigue, Cascabel; sigue! Y repican las estrellas... ¿Qué más?

CASCABEL.—(*Digno, le aparta el brazo y se limpia*). ¡Quite allá el hampón! (*Deshace el ritmo de una cabriola*). ¡Cómo temblaría el panal en los hocicos del oso!

INFANTINA.—(*Al* Estudiante). No le hagas caso.

ESTUDIANTE.—Es divertido el bufón.

INFANTINA.—A ratos. Mi preceptor dice que es un poeta culterano; pero yo creo que no pasa de juglar y chocarrero.

CASCABEL.—Ah, mi señora me desprecia. Mi señora hace siempre lo mismo cuando habla con los jóvenes. (*Llanto de falsete*).

El bufón tenía un amor.
Se lo robó un leñador.
¿Para qué quieres el hacha?
¡Para matar al ladrón¡ (*Saltando junto a ellos*).

¡Toc, toc! ¡Toc, toc!

INFANTINA.—¡Calla!

CASCABEL.—Muerte a los leñadores: —que me roban la risa—, que me talan el bosque. ¡Toc, toc! ¡Toc, toc!

INFANTINA.—Vamos, Cascabel: quieto. Ven acá. (*Él se acerca como un perro y le lame las manos*). ¡Malo! (*Le acaricia y le tiene junto a sí por el collar*). Soy la Infantina, es verdad. Hoy estaba indispuesto mi preceptor y no he tenido clase de gramática. Mi preceptor padece del hígado, ¿sabes? Y cuando se le agudiza el dolor tengo permiso para salir al campo. Esto suele ocurrir un par de veces por semana.

ESTUDIANTE. — Vuestro preceptor, señora, tiene un hígado muy amable.

INFANTINA.—El caso es que esta

tarde nos hemos entretenido demasiado. Está ya oscureciendo y el señor Rey nos va a regañar. Además, el sitio es peligrioso; dicen que el monte está infestado de bandidos.

ESTUDIANTE.—En efecto: yo los he visto hace poco.

INFANTINA. — ¿Tú los has visto? ¿Dónde?

ESTUDIANTE.—Aquí mismo. Sentados en rondel junto a esa cruz.

INFANTINA.—¡Aquí! ¿Lo ves, Cascabel? ¿Ves cómo era verdad? ¡Qué desgracia! ¡Siempre llego tarde!

ESTUDIANTE.—¿Los buscabais acaso?

INFANTINA. — Naturalmente. Los bandidos tienen que ser unas personas muy interesantes. ¿Viste al capitán? Oh, dime: ¿Cómo es?

ESTUDIANTE.—Psé...

INFANTINA.—¿Psé?...

ESTUDIANTE.—Vamos..., como todos los capitanes de bandoleros: joven, guapo, ojos ardientes, capa y caballo.

INFANTINA. — ¡Lo ves, Cascabel! ¡Como yo lo soñaba! ¿Crees que si me hubiera encontrado me raptaría?

ESTUDIANTE. — (*Sonriente*). Desde luego. Es lo correcto.

INFANTINA.—¿Verdad? Y yo que estaba dispuesta a creer que todo era cuento. ¡He tenido tantos desengaños! Cuando era pequeña me ponía a veces una caperucita roja y venía al monte muerta de miedo y de esperanza. Pero nunca encontré al lobo. La culpa la tienen los poetas; nos hacen creer que la vida está llena de peligros, y luego todo es mentira. ¿Tú eres poeta?

ESTUDIANTE.—No, la verdad. Nunca se me había ocurrido.

INFANTINA.—¿Y bandido? ¿Tampoco eres bandido?

ESTUDIANTE. — (*Ruborizado*). No, tampoco... Perdón.

INFANTINA.—Entonces..., si no eres bandido ni poeta, ¿qué eres?

ESTUDIANTE.—Nada; un mísero estudiante.

INFANTINA.—Vaya, menos mal. Extranjero, ¿verdad?

ESTUDIANTE.—(*Erguido de pronto*). ¡Español! Bachiller por Salamanca.

INFANTINA.—¡Oh, español!

CASCABEL.—(*En falsete*):

¡Centinelas, alerta,
que está el lobo con la oveja!
¡A las armas, capitán,
y el moscardón en el panal!

(*Ensaya un vuelo de moscardones*).

INFANTINA.—Bueno, Cascabel, basta; ya nos vamos.

ESTUDIANTE. — ¿Permitís que os acompañe?

INFANTINA.—No, por Dios; la gente es muy maliciosa.

ESTUDIANTE.—Sin embargo, el camino es peligroso, y la hora...

INFANTINA.—Perfectamente. ¿Tú corres bien? Hagamos una apuesta: si me alcanzas, para ti. (*Corre dejando caer el pañuelo. El* Estudiante *va a seguirla y* Cascabel *le pone una zancadilla*).

CASCABEL.—(*Riendo*). ¡Bravo halcón para mariposas! (*Le da con las vejigas*).

INFANTINA.—¡Buenas noches el Bachiller! (*Huye*).

ESCENA QUINTA

ESTUDIANTE Y DIABLO

El *Estudiante* ha quedado a cuatro patas mirando hacia el camino del valle. Monte abajo rueda la risa de la *Infantina.* Pausa. Entra el *Diablo* en silencio y le da con el pie.

DIABLO.—Señor Estudiante... (*El* Estudiante *no oye*). Señor Estudiante...

ESTUDIANTE. — ¡Vete al demonio!

(*Volviéndose*). ¡Ah! Eres tú; perdona.

DIABLO.—¿No ibas a llamarme ahora? Aquí me tienes. (*Se cruza de brazos*).

ESTUDIANTE.—Puede que no te equivoques esta vez.

DIABLO.—Seguro que no.

ESTUDIANTE.—...era un canto de nidos y un repique de estrellas.

DIABLO.—Ahora mismo estabas pensando en conquistar un reino, en ganar batallas y en llenar toda tu vida con el amor de una mujer.

ESTUDIANTE. — (*Despierto, sentándose en el suelo*). ¿Cómo lo has sabido?

DIABLO.—Es lo primero que se os ocurre a todos en cuanto os ponéis a cuatro patas.

ESTUDIANTE.—(*Se levanta*). ¿Pero la has visto? ¿La has oído reír?

DIABLO.—Riendo son iguales todas. ¿Sabes tú algo más de ella?

ESTUDIANTE.—Sé... que es la Infantina del reino, que su voz hace amanecer de emoción estos contornos...

DIABLO.—Acaba ya; sabes todo lo que se le ha ocurrido decir a un miserable bufón. (*El* Estudiante *calla abismado*). Amigo mío: has sido derrotado vergonzosamente. Antes me despreciaste; tenías confianza en tus propias fuerzas. Entonces pensabas que tendrías que habértelas solamente con enemigos menores: con bandidos... o con catedráticos. Pero salió a tu encuentro una mujer y ya te sientes pequeño. Sin embargo, yo no soy rencoroso; aquí me tienes.

ESTUDIANTE. — (*De pronto*). ¿Tú puedes darme esa mujer?

DIABLO.—¿Dártela? ¡Gánala tú!

ESTUDIANTE.—Entonces puedes marcharte.

DIABLO.—Sí, ya lo sé. Poseer sin el placer de conseguir; saltar de estudiante mozo a doctor Fausto. No seas niño; el amor es un ideal mezquino. Déjame hacer el bien que te prometí. Yo quitaré de tu camino a la mujer y te mostraré lo que hay detrás; la aventura y la gloria.

ESTUDIANTE.—No me hace falta eso.

DIABLO.—El amor sólo es bueno cuando se toma como espejuelo para mayores empresas. Se quiere a una mujer y se dice: "Lucharé por ella, revolveré el mundo, la conseguiré". Y si esto último no llega ¿qué importa? Lo esencial es lo otro: luchar, revolver el mundo. ¡Yo te ayudaré a eso!

ESTUDIANTE.—Es la Infantina, amigo Diablo; está demasiado alta.

DIABLO.—Cobarde. Cuando se es joven y pobre no hay cosas altas. ¡Sube tú!

ESTUDIANTE.—Imposible. Ella está enamorada. Y enamorada de un hombre al que ni siquiera conoce: de un capitán de bandoleros.

DIABLO.—También tú puedes ser capitán de bandoleros.

ESTUDIANTE.—¡Yo!

DIABLO.—Tú. Si ella te soñó con ese traje, qué importa. Póntelo y adelante.

ESTUDIANTE.—Imposible...

DIABLO.—Yo te empujaré. Yo seré para ti la bruja de las ambiciones; la que grita a los hambrientos: "¡Macbeth, tú serás rey, tú serás rey!"

ESTUDIANTE.—Imposible... No veo el camino...

DIABLO.—El camino ya lo tienes hecho; te lo hizo ella misma y te dejó en él su pañuelo para que no te perdieras.

ESTUDIANTE.—¿Su pañuelo? (*Viéndolo*). ¡Suyo! (*Lo besa apasionadamente. El* Diablo *ríe*).

DIABLO.—¡Cobarde! ¡Ahora te estás enamorando de un pañuelo! ¡Igual besarías su risa, igual besarías su recuerdo! ¿Por qué no la besaste a ella misma?

ESTUDIANTE. — (*Enajenado*). Era

un canto de nidos y un repique de estrellas...

DIABLO. — ¡Cobarde, cobarde! Te enamoras del reflejo, te enamoras del eco...

ESTUDIANTE. — ...un milagro de plata con cabellos de lluvia y ojos de agua salada...

DIABLO.—¡Cobarde, cobarde! (*Asiéndole violentamente*). ¿Me oyes? Estás enamorado estúpidamente de las palabras de un bufón. Piensas vivir y estás soñando. Ese pañuelo lo traía para el capitán. Y ya lo traicionó contigo. Y a ti te traicionará con tu recuerdo. Y a tu recuerdo con los bigotes de un escudero.

ESTUDIANTE.—(*Pasando de la sorpresa al furor*). ¡Ah! ¿La insultas? ¡Eso sí que no! (*Tira de espada*). Defiéndete.

DIABLO.—(*Triunfante*). ¡Por fin!

ESTUDIANTE.—¡Defiéndete, digo!

DIABLO.—¡Así! Atropella, desborda, ¡vive!

ESTUDIANTE.—¡Canalla!

DIABLO.—Por ella sacaste tu espada contra el Diablo. ¡Igual la hubieras sacado contra Dios!

ESTUDIANTE.—(*Fuera de sí*). ¡Te mataré como a un perro!

DIABLO.—(*Parando la estocada con la mano*). ¡Así! ¡Así!... ¡Tú serás rey!

TELÓN

JORNADA SEGUNDA

En el palacio del señor Rey. Salón con estrado. Al fondo, amplia galería de cristales y terraza que da sobre el jardín. Es de noche. La *Infantina*, enterrada en un sillón lleno de almohadones, dormita. La *Dueña* la contempla en silencio, y creyéndola dormida va a salir a tiempo que entra *Cascabel*.

ESCENA PRIMERA

INFANTINA, DUEÑA Y CASCABEL

DUEÑA.—Silencio, Cascabel; la Infantina duerme.

CASCABEL. — ¿Y vos estabais con ella?

DUEÑA.—Hasta ahora mismo.

CASCABEL.—¡Oh!, la Infantina es valiente. Yo no sería capaz jamás de dormir a vuestro lado.

DUEÑA.—Y dale. No sé qué consigues burlándote ahora que nadie te oye. No es propio eso de un bufón.

CASCABEL.—Gran verdad. (*Serio*). Mi señora la Dueña: ¿corre peligro la salud de la Infantina?

DUEÑA.—No sé; yo soy una pobre ignorante. El señor Pedagogo, que ha estudiado concienzudamente el caso, tampoco sabe... Pero yo me quedo con la mía. La Infantina, señor Cascabel, está embrujada.

CASCABEL.—Eso me huele a chamusquina.

DUEÑA.—Embrujada, sí, señor. Yo no sé cómo habrá sido, pero así es. Tal vez aquella vieja que le regaló naranjas... Las naranjas son peligrosas...

CASCABEL.—Mucho. Y las viejas también. Las dos cosas juntas, horrible.

DUEÑA.—En esas naranjas suelen ir escondidos los bebedizos y los filtros mágicos.

CASCABEL.—¿Y no habéis pensado otra cosa? Tal vez hay escondido un sapo en la fuente. Es cosa que también se ha visto mucho.

DUEÑA.—Acaso, acaso. Es una idea.

CASCABEL.—Debéis fijaros en eso. Un sapo barrigudo, con los ojos saltones y las manos en oración, embrujando las aguas, ¿eh?

DUEÑA.—Sí, sí; ya está. Fue un sapo.

CASCABEL.—Magnífico, señora mía. Contádselo al Pedagogo; así revolverá doscientos infolios más y encontrará recetas divertidísimas. (*Misterioso*). Podéis decirle, además, que ese sapo ceñía espada y chupa de estudiante y que era bachiller por Salamanca.

DUEÑA. — ¿Cómo?... ¿Estás loco, Cascabel?

CASCABEL.—Seguramente un poquito. Todo lo loco que se puede estar a vuestro lado. Andad. (*La* Infantina *se agita en su sillón y levanta una mano, llamando*). Señora... (*La* Dueña *se santigua y sale*). Señora...

INFANTINA. — Cascabel: acércate; siéntate aquí conmigo.

CASCABEL.—(*A sus pies*). Gracias; sentía frío desde que te pusiste enferma. ¿Cómo estás hoy?

INFANTINA. — Mejor. ¿Marchó la Dueña?

CASCABEL.—Acaba de salir.

INFANTINA.—Me da miedo esa Dueña, empeñada en fabricarme ungüentos con belladona, mandrágora y uña de la Gran Bestia. Es preferible oír un soneto tuyo. Cuéntame un cuento, Cascabel.

CASCABEL. — Bien: te contaré un cuento de miedo.

INFANTINA.—No; de miedo, no.

CASCABEL.—¿Por qué? No te asustes; los cuentos de miedo son siempre farsas ingenuas y bondadosas; los han inventado las madres para que sus hijos tuvieran los ojos más grandes... ¿Lo cuento?

INFANTINA. — (*Medio dormida*). Cuéntalo.

CASCABEL.—Pues una vez... Una vez era un río, un río verde, que no tenía corazón. Además, era muy serio, y se incomodaba porque los peces que tenía dentro le hacían cosquillas. Y una noche la luna, redonda y blanca, se cayó al río. Entonces la luna parecía el corazón del río. Y los peces jugaban en ella como en una isla de hielo. Pero pasó por allí un hombre, todo de negro; vio la luna y se la comió como si fuera un queso. Se tragó la alegría blanca de los peces, se tragó el corazón del río. Aquel hombre era el Diablo.

INFANTINA.—(*Con un grito*). ¡El Diablo! ¡Eso! ¡Sí, Cascabel! ¡Era el Diablo... y se comió un corazón!

CASCABEL.—(*Asustado*). Señora...

INFANTINA.—El Diablo... Cascabel: ¿tú sabes que el Diablo está aquí?

CASCABEL.—¿Aquí?

INFANTINA.—Sí, aquí, en el reino. Yo se lo he oído contar a mis pajes. Y desde que él apareció, nuestro país marcha a la ruina; dicen que hay epidemia, que habrá una guerra, que yo estoy embrujada. Y es verdad: estoy embrujada de miedo y de tristeza.

CASCABEL. — Cálmate, señora mía. Yo te juro que el Diablo es un sujeto encantador, incapaz de esas atrocidades que le atribuyen tus pajes.

INFANTINA. — ¡Ay!, Cascabel: me parece que tú no crees en el Diablo.

CASCABEL.—Mi oficio no me permite tener una gran fe. Pero cálmate; si quieres yo veré al Diablo, y le rogaré que no meta ruido, que te duele la cabeza... ¿Pasó ya?

INFANTINA.—Ya... No ha sido nada.

ESCENA SEGUNDA

LOS MISMOS Y EL PEDAGOGO

Grandes antiparras de concha, birrete poligonal, hopalanda y un vademécum al brazo. Basta verlo para comprender que en su vida ha tocado la bandurria.

PEDAGOGO.—(*Entrando*). — Perdón, señora: ¿os he interrumpido?

INFANTINA.—No, iba a salir. ¿Me buscabais?

PEDAGOGO.—Buscaba al señor Rey. Y vos, ¿qué tal os encontráis?

INFANTINA.—Estoy mejor, gracias. El señor Rey debe de estar en sus habitaciones. Con vuestro permiso. Acompáñame, Cascabel.

Salen la *Infantina* y *Cascabel.* Entra el señor *Rey.* Es un Rey grotesco, como escapado de una baraja española. Pasea nervioso, con pasitos menudos, y dice un "¡Ah!" muy suficiente siempre que no entiende algo.

ESCENA TERCERA

SEÑOR REY Y PEDAGOGO

REY.—Hola, Pedagogo.

PEDAGOGO.—Señor, buscándoos estaba.

REY.—¿Viste hoy a mi hija?

PEDAGOGO.—En este momento nos despedíamos. Está mejor.

REY.—¿Mejor? Vaya. Y qué, ¿sabes algo de su enfermedad? ¿Has acabado ya de revolver librotes?

PEDAGOGO.—He consultado detenidamente a Paracelso.

REY.—¿A quién?

PEDAGOGO.—A Paracelso. Un médico, señor.

REY.—¡Ah! ¿Y qué te ha dicho Paracelso?

PEDAGOGO.—Nada; no sabe nada de estas cosas.

REY.—Claro. ¿Qué va a saber un médico? Los médicos no saben más que lo que les vamos enseñando los enfermos.

PEDAGOGO.—La Pedagogía, en cambio...

REY.—¿Qué dice la Pedagogía?

PEDAGOGO.—La Pedagogía y yo, señor, estamos de acuerdo en este aforismo fundamental: "Natura non facit saltus".

REY.—¡En romance, señor Pedagogo! Cien veces te he dicho que el latín me ataca al riñón.

PEDAGOGO.—La Infantina está en un período crítico del crecimiento; no se salta de niña a mujer. Eso es lo que decía.

REY.—¡Ah! No se salta... (*Pausa*). ¿Y qué tiene eso que ver aquí?

PEDAGOGO.—De una edad a otra, media una laguna extraña y peligrosa. Las mujeres suelen llenarla de suspiros y de bostezos. Sueñan, no comen, lloran sin motivo y fastidian a todo el mundo. Eso se llama amor.

REY.—(*En seco*). ¡Amor!

PEDAGOGO.—Amor de amar.

REY.—¿Amor de amar?

PEDAGOGO.—O tal vez, en este caso, amor de amor; amor de un hombre concreto. Después de todo: "Nihil volitum quin precognitum".

REY.—(*Terrible, llevándose las manos a los riñones*). ¡A ver! ¡Tradúceme eso, infame!

PEDAGOGO.—Digo que nada se quiere sin haberlo antes conocido.

REY.—¡Ah! Sin haberlo antes conocido... (*Pausa*). ¿Y eso qué quiere decir?

PEDAGOGO.—Quiero decir que probablemente la Infantina ha fijado sus ojos en algún hombre.

REY.—¿Sí? ¡Y él se habrá dejado mirar! ¡Los hay con un descaro!

PEDAGOGO.—Lo cierto es que vuestra hija salió hace unos días al monte; sin que yo lo supiera, claro: el monte está infestado de bandidos, como sabéis, y la broma era peligrosa. Afortunadamente no se tropezó con ellos, pero sí con un estudiante español y mozo. Desde aquella tarde vuestra hija ha hecho lo que os decía: soñar, no comer, llorar sin motivo...

REY.—Sí, y fastidiar a todo el mundo.

PEDAGOGO.—Exacto; ahora vos diréis.

REY.—(*Pasea agitado*). Conque estudiante y español, ¡eh! Dos recomendaciones. ¡Hum! (*Parándose*). Pero no, mi hija es incapaz de enamorarse sin mi permiso.

PEDAGOGO.—Eso... Pensad, señor, que el campo estaba abonado. Vuestra hija sentía hace tiempo ese vago amor de amar. Su risa era ya risa de novia. Por eso habréis notado que prefería su bufón a su Dueña, y las malas lecturas a las buenas. Además, había perdido su antigua afición a la Lógica —cosa muy sospechosa— y había hecho introducir en sus jardines esas fuentes barrocas donde hay angelotes que vierten agua por sitios inesperados y deshonestos.

REY.—¿Eso ha hecho? Demonio...

PEDAGOGO.—El caso es grave. Sin embargo... pudiera ser una solución. "Similia similibus curantur".

REY.—(*Rugiendo*). ¿Simili... qué?

PEDAGOGO.—La crisis actual del reino depende en gran parte de las bodas de vuestra hija. El rey Bertoldo daría dos provincias por hacerla su esposa.

REY.—¡Eso nunca!

PEDAGOGO.—En otro caso la guerra parece inevitable.

REY.—¡Otra guerrita ahora! Era lo que nos faltaba. ¡Con lo que a mí me duele el estómago!

PEDAGOGO.—Pensadlo despacio, señor. Vuestros capitanes la necesitan: hace diez meses que no ascienden. Por otra parte, el pueblo tiene hambre y peste, y se ha llegado a temer una revolución. La peste y el hambre son insoportables en tiempos de paz. Por eso sería conveniente buscar una salida purgativa a los malos humores del populacho llevándolo a la guerra.

REY.—Demonio, es verdad... Una salida purgativa. (*Pausa*). Oye: una salida purgativa ¿qué es?

PEDAGOGO.—Una canalización, señor. Una catarsis.

REY.—¡Ah!, una catarsis... En fin, qué le vamos a hacer. Prepárame un decretito de catarsis para mañana. Sin complicaciones, ¿eh?

PEDAGOGO.—Perdón, señor: me permito recordaros que me habéis otorgado licencia. No olvidéis que mi hígado corre parejas con vuestro estómago..., salvando las distancias.

REY.—Pero ¿y mi hija? ¿Y los negocios de Estado?

PEDAGOGO.—Ya he pensado en ello y me he buscado un sustituto de toda confianza. Vuestra hija tendrá desde hoy un nuevo preceptor.

REY.—¿Hombre hábil?

PEDAGOGO.—Y de talento. Anoche se me presentó y me ha cautivado completamente. Es un médico sagaz, un gran educador y doctor en Teología. Algo providencial.

REY.—Muy bien: mañana me lo presentarás.

PEDAGOGO. — Está aquí esperando vuestra venia.

REY.—¿A estas horas?

PEDAGOGO.—Es algo raro: la luz del día le molesta; ama el crepúsculo y la noche.

REY.—Que pase.

ESCENA CUARTA

LOS MISMOS Y EL DIABLO

DIABLO.—(*Presentándose a las últimas palabras del señor* Rey). A vuestras órdenes.

PEDAGOGO.—El nuevo preceptor de la Infantina.

REY.—(*Después de mirarlo largamente dando vueltas a su alrededor*). No está mal. Médico, ¿verdad?

DIABLO.—Médico, señor.

REY.—¿Y doctor en Teología?

DIABLO. — (*Modestamente*). Licenciado.

REY.—Supongo que el señor Pedagogo te habrá dado ya instrucciones. La cosa pública anda mal, ¿oyes? El pueblo tiene hambre y peste y se teme una revolución.

DIABLO.—Oh, no temáis, señor: un pueblo con hambre y peste es como un niño... con zapatos viejos.

REY.—(*Al* Pedagogo). ¿Has oído? Me gusta, me gusta. A ver, ¿dónde está la Infantina? Quiero que conozca a su nuevo preceptor hoy mismo.

PEDAGOGO.—En seguida. (*Sale*).

REY.—Eso de los zapatos viejos lo he entendido a la primera. Tú hablas con talento.

DIABLO.—Señor...

REY.—Oye: me han dicho que te molesta la luz del día.

DIABLO.—En efecto: me parece violenta y grosera. De día las cosas se presentan tal como son. La noche, en cambio, tiene fantasía, miente y retuerce. Yo odio la luz, y por eso me llamo Mefistófeles.

REY. — ¿Mefistófeles? (*Inquieto*) Eso no será latín, ¿verdad?

DIABLO.—No, señor: griego nada más.

REY.—¡Huy, huy, huy!

ESCENA QUINTA

DICHOS, PEDAGOGO, INFANTINA Y CASCABEL

PEDAGOGO.—(*Presentando*). Mi señora la Infantina del reino. El señor Mefistófeles, vuestro nuevo preceptor.

DIABLO.—Señora. (*Le besa gentilmente la mano, que retiene un momento*). Es curioso: acabo de poner un beso en vuestra mano y ahora no me explico cómo ha cabido en ella.

INFANTINA.—(*Complacida*). Gracias. ¿Has oído, papá? Es galante; no parece un pedagogo.

PEDAGOGO. — (*Bufando*). No está mal la galantería. Es una debilidad disculpable. No obstante, querido colega, debo recordaros que vuestra misión es profundamente seria. La Infantina es algo alocada y debéis enseñarle a cazar sus mariposas en los huertos del Trivium y el Quadrivium. No alimentéis su fantasía. Como advierte Silvius: "Equs currentis...

DIABLO. — (*Terminando la frase*). ...non opus calcaribus".

REY.—(*Con un alarido nefrítico*). ¡Ah, eso no, no más!

DIABLO y PEDAGOGO.—Señor...

REY.—Yo no entiendo de Pedagogía, pero tengo que hacer dos advertencias. Primera: no hay razón para que los pedagogos habléis siempre en latín. De hoy en adelante aquí se va a hablar como Dios manda. ¿Estamos?

DIABLO.—Realmente... el latín es una lengua muerta.

PEDAGOGO.—¡Es una lengua asesinada!

REY.—(*Solemne*). Da lo mismo: "Requiescat in pace". (*Le sorprende una punzada al riñón al oírse a sí mismo*). Segunda: no hay razón tampoco para que en vuestros manuales para la educación de príncipes habléis a todas horas de "el gobierno de la República, la felicidad de la República y las zarandajas de la República". Delante de la Infantina queda prohibido eso: no tengo necesidad de que mi hija oiga palabrotas. He dicho. Señor Pedagogo... (*Sale*).

PEDAGOGO.—A vuestras órdenes. (*A Cascabel*). ¡Andando, chisgarabís!

CASCABEL.—De ninguna manera: yo me quedo.

PEDAGOGO.—¿A escuchar las lecciones?

CASCABEL.—No en mis días. La Lógica no me interesa.

PEDAGOGO.—¿No?

CASCABEL.—Ni la Retórica tampoco.

PEDAGOGO.—(*Grave*). ¿Tampoco la Retórica? ¡Ah, muchacho!: tú acabarás en la horca. (*Sale*).

ESCENA SEXTA

DIABLO, INFANTINA Y CASCABEL

CASCABEL.—(*Aparte*). Siquiera estas lecciones merecerán la pena. ¡Hum! El nuevo preceptor sí que me huele a chamusquina. (*Sube al estrado, se encasqueta la corona y finge dormir, pero con sólo un ojo*).

DIABLO.—Tengo entendido, señora, que os encontrabais enferma estos días.

INFANTINA.—¡Oh!, no es nada. Una tristeza inexplicable y absurda. Tengo todo cuanto puedo desear y me entra a veces la manía de creerme desgraciada.

DIABLO.—¡Bah!, enfermedades literarias.

INFANTINA.—Parece que no lo tomáis muy en serio. Pues no vayáis a creer: la gente dice que estoy embrujada.

DIABLO.—¿Embrujada?

INFANTINA.—Sí; ¿no sabéis? Es una historia famosa. Unos dicen que me embrujó un sapo, otros que un estudiante y otros que fue el Diablo en persona.

DIABLO.—¡El Diablo! (*Ríe*).

INFANTINA.—Todo pudiera ser. ¿De qué os reís? ¿No es verdad que existe el Diablo?

DIABLO.—(*Serio*). Hija mía: me extraña mucho esa pregunta. El Diablo es una institución fundamental y necesaria.

INFANTINA.—No, si yo lo he creído siempre. Cascabel, mi bufón, es el que lo niega.

DIABLO.—Vuestro bufón, señora, es un ateo. (Cascabel *ronca*). Lo que ocurre con el Diablo es que probablemente no tiene ese poder de embrujamiento que se le atribuye. Como no lo tienen los sapos... ni los estudiantes.

INFANTINA.—¿Los estudiantes tampoco?

DIABLO.—Tampoco. A todos esos seres les ha supuesto la leyenda un veneno que no tienen.

INFANTINA.—Cuando vos lo decís... Sin embargo, a mí me ocurre algo extraño. Mi antiguo preceptor decía que yo estaba empezando a amar.

DIABLO.—Vuestro preceptor se equivocaba. Las mujeres aman siempre; sólo que a veces el amor está dentro de ellas invisible como el agua limpia en un vaso.

INFANTINA.—¿Verdad?

DIABLO.—Vuestro preceptor quiso decir que algo vino a remover de pronto el amor de que estabais llena.

INFANTINA.—¡Eso! Qué bien penetráis en mí. Ya me siento a vuestro lado como junto a un confesor. (*Risueña*). No os vayáis a asustar, ¡eh! Sólo tengo pecados veniales.

DIABLO.—(*Sincero*). Lo siento. El pecado venial es poco serio, y generalmente no tiene ningún valor educativo.

INFANTINA.—Pero es que yo no pensaba hablaros ahora más que de amor.

DIABLO.—De todos modos, en amor cabe un pecado mortal.

INFANTINA.—¿Uno sólo?

DIABLO.—Uno sólo: el primer beso.

INFANTINA.—¿Y por qué es mortal el primer beso?

DIABLO.—Porque hace inútiles todos los demás.

INFANTINA.—¡Oh!... Habláis de amor con una gran seguridad; parece que habéis amado mucho.

DIABLO.—Mucho... Una vez sola.

INFANTINA.—¡Oh!, contadme eso. Qué interesante. ¡Una vez sola!

DIABLO.—Es una historia lejana que algún día encontrará su poeta. Pero no quisiera recordarlo.

INFANTINA.—Pensad que casi me lo habéis prometido. Ea: ya os escucho.

DIABLO.—Sea. (*Después de un silencio reflexivo*). La cosa ocurrió en Alemania, cuando yo era un hombre de buen humor y me divertía con los estudiantes y los borrachos en las tabernas de Leipzig. Ella era una muchacha pobre. Se llamaba Margarita. Cantaba la canción del rey de Thulé mientras hilaba; y soñaba una casa y un huerto en la montaña. ¡Margarita!... Era melancólica y fresca a la vez como una tarde con lluvia. ¡Oh!, los que no saben cómo quise yo a aquella mujer, no podrán explicarse lo que pasó después. Ella se enamoró de un doctor Fausto, miserable y cobarde, y una noche le dijo en el jardín que me odiaba. ¡Yo se lo oí decir a ella misma, a aquellos labios queridos! ¡Y los vi besarse entre las rosas! (Cascabel *ronca fuerte. El* Diablo *se recobra*). Perdón, señora; es enfadoso esto.

INFANTINA.—De ningún modo; seguid. ¿Qué sucedió después?

DIABLO.—Lo que sucedió después —el duelo con su hermano, la muerte del niño, la acusación ante los jueces— ya no es amor. Fue una desesperación de celos.

INFANTINA.—Pero... ¿y ella? ¿Margarita?

DIABLO.—Ella me odiaba, ya os lo he dicho. Me odiaba porque me tenía miedo.

INFANTINA.—¿Se odia por miedo?

DIABLO.—Siempre. El odio es una manera de defenderse.

INFANTINA.—Acaso, acaso... (*Pausa*). Decidme: ¿creéis que yo soy capaz de odiar?

DIABLO.—¿Por qué no? Sois débil.

INFANTINA.—¿De matar quizá?

DIABLO.—Quizá.

INFANTINA.—Es horrible, ¿verdad? Pero tenéis razón: soy miedosa y...

DIABLO.—¿Y a quién odiáis?

INFANTINA. — (*Con miedo de sus propias palabras*). ¡Al Diablo!

DIABLO. — Señora... (*Recobrándose*). También Margarita le odiaba.

INFANTINA.—Y es que le tengo miedo, ¡sí! Hasta aquí, en el reino, me persigue. Lo veo en sueños con sus cuernos, y su pata de cabra, y un rabo largo, largo... (*Suena en el jardín un silbido extraño*). ¡Oh, ahí está! (*Abrazándose a él*). ¡Salvadme!

DIABLO.—(*Paternal*). Calma, hija mía.

INFANTINA.—¡Me comerá el corazón!

DIABLO.—No temáis. Si es el Diablo tentará a otro para que coma la fruta; es su costumbre.

INFANTINA. — (*Con miedo aún*). ¿Qué habrá sido eso?

DIABLO.—Nada; las cornejas.

INFANTINA. — Perdón, soy miedosa hasta lo ridículo. Y, sin embargo, el miedo mismo me sugiere a veces ideas heroicas. Si vierais lo que he estado planeando hoy todo el día.

DIABLO.—¿Qué?

INFANTINA.—¿Me ayudaríais?

DIABLO.—Con toda mi alma. ¿Qué os proponéis?

INFANTINA.—¡Matar al Diablo!

DIABLO.—(*Después de meditarlo*). Es difícil. Habréis de saber, señora, que al Diablo sólo se le puede matar con un arma: su propio puñal.

INFANTINA.—¿Y ese puñal?

DIABLO.—Es una joya de arte fabricada por él mismo. Tiene la hoja de plata y en el pomo una cruz de rubíes.

INFANTINA.—Pero ¿dónde está? Lo tiene él, claro.

DIABLO.—No: ese puñal lo tiene un estudiante español que es hoy capitán de bandoleros en vuestro reino.

INFANTINA.—¡Cómo! ¿Estudiante y español, decís?

DIABLO.—Si no me equivoco mucho, Bachiller por Salamanca.

INFANTINA.—¡Oh! ¡Era él!

DIABLO.—¿Él? ¿Quién?

INFANTINA.—No, nada; perdón. No sé lo que digo. Me arde la cabeza. (*Se oye de nuevo un silbido*). Otra vez... ¿Oís? Parece una señal.

DIABLO.—Os engaña vuestra imaginación. Acaso tenéis fiebre. Venid. (*Abre el cierre de cristales. En la terraza da la luna*). El fresco de la noche os hará bien.

INFANTINA.—Gracias. (*Sale a la terraza*). ¡Qué hermosa noche! La luna está llena y tan baja que es capaz de calentar las manos. (*Tiende los brazos a la luz*).

DIABLO. — (*Volviendo sigilosamente a escena*). ¡Pardiez, qué impaciente es el mozo! Este bergante... (*Por* Cascabel). Duerme. Bien, amigo Diablo; trabajas como siempre: el placer de tentar, para ti;

la fruta, para los demás. (*Oyendo a la Infantina*). Es el momento. (*Se desliza y sale. Durante este breve monólogo, la* Infantina *va diciendo lo que sigue y entra a escena a tiempo que el* Diablo *sale*).

INFANTINA. — ¿Pero no veis una sombra extraña allí? Parece que se mueve. Sí, viene hacia aquí. ¿No veis? (*Al darse cuenta de que está sola*). ¡Señor preceptor! ¡Oh, me ha dejado sola! ¿Quién va?... ¡Cascabel! (Cascabel *ronca. Por la terraza asoma el* Estudiante *en traje de bandolero. Trepa ágil y salta a escena. La* Infantina *ahoga un grito*).

ESCENA SÉPTIMA

INFANTINA Y ESTUDIANTE. CASCABEL DORMIDO

ESTUDIANTE.—Buenas noches, mi señora. Perdonad que me presente así. Apenas tengo tiempo para ser galante.

INFANTINA.—¡Tú!

ESTUDIANTE.—Yo, un amigo. No os asustéis.

INFANTINA. — Pero ¿qué intentas? ¿A qué vienes?

ESTUDIANTE.—A traeros una cosa que perdisteis el otro día en el monte y a buscar una que perdí yo.

INFANTINA.—¿Qué traes?

ESTUDIANTE.—Este pañuelo.

INFANTINA.—¿Y qué vienes a buscar...?

ESTUDIANTE.—Un beso.

INFANTINA.—(*Retrocediendo*). ¡Oh! ...

ESTUDIANTE.—Pronto, señora. Perdonad que os dé prisa; dispongo de muy poco tiempo.

INFANTINA.—¡Pides las cosas de un modo!

ESTUDIANTE.—No puedo hacerlo de otro. No sé si moriré mañana. Un beso.

INFANTINA.—Por Dios, déjame pensarlo siquiera un minuto.

ESTUDIANTE. — Imposible: no tengo tiempo. Tal vez me han visto entrar vuestros soldados; si es así subirán todos corriendo por la escalera, y yo debo aprovechar esa oportunidad para volver a salir por donde entré. ¡Un beso!

INFANTINA.—¿Sabes que el primero es mortal?

ESTUDIANTE.—Sería cosa de pensarlo, pero no tengo tiempo.

INFANTINA.—Señor capitán...

ESTUDIANTE. — ¿Me dejaréis marchar sin él?

INFANTINA.—¡Oh, eso de ninguna manera!

ESTUDIANTE. — (*Acercándose*). Entonces...

INFANTINA. — No, perdón... ¡No sé lo que digo!

ESTUDIANTE.—¡Un beso!

INFANTINA.—Por favor, ten compasión de mí. Estoy enferma...

ESTUDIANTE.—(*Tomándole las manos*). Es verdad...; tenéis las manos heladas... Venid, sentaos.

INFANTINA.—(*Inerte*). Gracias.

ESTUDIANTE.—Estáis temblando. Así. Así. (*La abriga*).

INFANTINA.—Gracias...

ESTUDIANTE.—El brazo, aquí. (*Le pone un almohadón*). Pobre niña... (*La besa largamente*).

INFANTINA.—Gracias... (*El* Estudiante *la contempla un momento. Se oye en el jardín el alerta de los centinelas. Sobresalto*). ¿Te vas ya?

ESTUDIANTE.—Ya.

INFANTINA.—¿Ahora?

ESTUDIANTE.—Vienen.

INFANTINA.—Es que... ¿No viste si perdí también un collar?

ESTUDIANTE.—Volveré con él.

INFANTINA.—Señor Capitán... (*Le tiende los brazos*).

ESTUDIANTE.—(*Con maliciosa ternura*). ¡No tengo tiempo...! (*Se descuelga al jardín y desaparece*).

INFANTINA. — Esos centinelas... (*Sale a la terraza*). Ya atraviesa el jardín... Ya salta... (*Despide con el pañuelo*). Ya se fue. (*Vuelve lentamente a escena mientras se repite el alerta lejos*).

ESCENA OCTAVA

INFANTINA, DIABLO Y DUEÑA. CASCABEL DORMIDO

DIABLO.—(*Entrando seguido de la Dueña*). Perdonad, señora, que os haya dejado un momento.
INFANTINA.—Dios mío...
DIABLO.—Salí a pediros un vaso de agua. Parece que no os encontrabais bien.
DUEÑA.—Podéis beber sin cuidado. Agua de lluvia.
INFANTINA. — Señor preceptor... ¡Oh, qué terrible!
DIABLO.—¿Os ocurre algo?
INFANTINA. — Señor preceptor... ¡Estoy en pecado mortal!
DIABLO.—¿Ya? Enhorabuena, hija mía. Un pecado mortal lucirá en vuestra juventud como una joya.
INFANTINA. — No os burléis de mí...; no fui yo.
DIABLO.—¿Entonces?
INFANTINA.—No sé. Necesito tranquilizar mi conciencia. Acompañadme al oratorio.
DIABLO.—(*Apurado*). Señora, yo...
INFANTINA. — No me abandonéis otra vez.
DIABLO.—Abandonaros, de ningún modo. Pero yo, al oratorio...
INFANTINA.—Os lo ruego, acompañadme. La oración me calmará.
DIABLO.—Siendo así. (*Le da el brazo*). Vamos.
INFANTINA.—¡No fui yo; os juro que no fui yo! (*Salen*).

ESCENA NOVENA

DUEÑA Y CASCABEL

DUEÑA.—(*Viéndoles ir*). El agua...
CASCABEL.—(*Levantándose resplandeciente de picardías*). Aquí; el agua, aquí. (*Bebe*). ¡Soberbio!
DUEÑA.—¿Dormías?
CASCABEL. — ¡Sí, señora, dormía! ¡Y he visto, durmiendo, cosas tan sugestivas! ¡Mañana escribiré mi sueño y lo pondré en los trastes del romance! ¡Qué linda farandola! ¡Cú-cú! ¡Cú-cú!
DUEÑA.—¿Qué dices, Cascabel?
CASCABEL.—¡El agua! (*Tira la corona y hace una pirueta*). ¡Se me ha subido a la cabeza, el agua! (*Cantarín, escandiendo el verso*):

¡Mi señora la Dueña: deja sargas y estopa;
peina el oro y la seda para un traje de novia!
¡A la boda, a la boda!
¡La Infantina tiene frío; —quince años durmiendo sola!
¡El capitán robó un beso, —la primer joya que roba!
Y el Diablo, en el campanario, —está repicando a gloria!

DUEÑA.—(*Santiguándose*). ¡Jesús!
CASCABEL.—¡A la boda, a la boda! ¡Dueña, que llegamos tarde; ensíllame la escoba!

ESCENA DÉCIMA

DICHOS Y SEÑOR REY, ENTRANDO

REY.—¿El señor Mefistófeles?
CASCABEL.—(*Transición*). Chist...; silencio.
REY.—(*Sorprendido, en voz baja*). ¿El señor Mefistófeles...?
CASCABEL. — Chist... (*Grave*). El señor Mefistófeles... está rezando.

TELÓN

JORNADA TERCERA

En la hostería de "El Gallo Blanco". Planta baja con sólido portón al camino y ventana al campo. Chimenea de campana. A un lado una escalera con puerta que conduce a las habitaciones altas. El mobiliario, de tono oscuro y patinado, sugiere la idea de un antiguo convento habilitado para mesón. Un arcón, dos sillones fraileros y varios taburetes. Es de noche.

ESCENA PRIMERA

HOSTELERO, CLOTALDO Y VALDOVINOS. LUEGO FARFÁN

Ha terminado la cena. Los bandidos suben por la escalera lateral y desaparecen. El hostelero levanta los manteles salmodiando entre dientes un "Gaudeamus" estudiantil. *Clotaldo* y *Valdovinos*, sentados al amor de la lumbre, leen sendos libros.

HOSTELERO. — "Gaudeamus igitur, iuvenes dum sumus". (*Suena un aldabonazo*). ¡Jesús!, mal genio trae el que llama.

VALDOVINOS.—Será el capitán.

HOSTELERO.—No creo; es llamada de profeta menor, a juzgar por la violencia. (*Nueva llamada*). ¡Va! (*Abre*).

FARFÁN. — (*Entra resoplándose los dedos y maldiciendo*). ¡Rayos de Dios! ¿Dónde estabas metido?

HOSTELERO.—Señor: salí en seguida.

FARFÁN.—¡Je! Buenas noches.

VALDOVINOS.—(*Volviendo a su lectura*). Buenas.

FARFÁN.—¡Cierra ya condenado! Hace un frío de mil demonios.

HOSTELERO.—Y llueve a lo que parece. Traéis la manta empapada.

FARFÁN.—Nada, es de las matas. Peor traigo el alma.

HOSTELERO.—Vamos, señor Farfán, reportaos. Nunca hay bastante motivo para jurar.

FARFÁN.—Perdón, señor sacristán.

HOSTELERO.—¡Oh!, por Dios...

FARFÁN.—¡Por el rabo de Belcebú!

HOSTELERO.—Bien, por el rabo; no os enfadéis.

FARFÁN.—¿Hay algo de comer?

HOSTELERO. — Algo hay: quedan restos de un magnífico pernil al asador; bocado de cardenal.

FARFÁN.—¡Comida vaticana!

HOSTELERO. — Podéis acompañarlo con buen queso de cabras y un vinillo torcaz, pobre, pero honrado.

FARFÁN.—Sea. (*A Valdovinos*). ¿No llegó el capitán?

VALDOVINOS.—No llegó.

FARFÁN.—Estará haciendo versos o soñando con la luna. ¿Y los compañeros?

VALDOVINOS.—Arriba; están borrachos.

FARFÁN.—¡Burgueses! Y luego quieren tener prestigio. Estamos podridos. (*Al* Hostelero, *que le sirve*). ¿Me oyes?

HOSTELERO.—Perdón. ¿Decíais?

FARFÁN.—Digo que estamos podridos.

HOSTELERO.—¡Ah, sí! Completamente podridos... Pernil asado.

FARFÁN.—Hay que definirse de una vez: o somos bandoleros o intelectuales.

HOSTELERO. — Claro, claro... El queso.

FARFÁN.—Y si somos bandidos conscientes, ¿qué esperamos? Hay que volver por los fueros gremiales.

HOSTELERO.—Desde luego: hay que volver... El vino.

FARFÁN.—Formar una maestría, corregir el Código y arreglar cuanto antes esa desdichada economía política. He ahí el programa.

HOSTELERO.—Soberbio. Y el pernil ¿qué tal?

FARFÁN.—Frío y duro. Yo, amigo mío, tengo mis opiniones sobre la economía política. Por ejemplo: el sistema monetario actual es un absurdo. Tenemos que hacernos monometalistas.

HOSTELERO.—¿Monometalistas?

FARFÁN.—Monometalistas oro, sin remedio: es vergonzosa la cantidad de calderilla que estamos cosechando.

HOSTELERO. — Verdad, verdad. ¿Y el vinillo?

FARFÁN.—Sabe a corambre como un demonio. (*Restalla la lengua y se limpia con la mano*). Me parece, querido, que nos estás robando.

HOSTELERO.—¡Por Dios, qué bromista!

FARFÁN.—No, si me parece bien; que un hostelero robe en pequeño es natural. ¡Pero nosotros! Hay cosas que un bandido serio no puede ver sin ruborizarse. ¿Sabes lo que han hecho ayer dos de mis camaradas?

HOSTELERO.—¿Qué?

FARFÁN.—¡Robar una gallina! Burgueses...

HOSTELERO.—Vamos, señor Farfán: no estáis de muy buen humor esta noche.

FARFÁN.—¿Y cómo voy a estarlo? Un bandolero no debe ponerse a la altura de una raposa. Por supuesto, aquí todos son igual. Mira ésos. ¿Es esto una escuela parroquial?

HOSTELERO.—¿Qué van a hacer los pobres?

FARFÁN.—Que jueguen al rentoy, qué diablo. Y si al menos leyeran algo útil. Pero qué, si tienen gustos de doncella. Verás. Oye, tú, Clotaldo: ¿qué estás leyendo?

CLOTALDO.—La Gramática de Nebrija, novela española.

FARFÁN—¿Lo ves? ¿Y tú, Valdovinos?

VALDOVINOS.—Nada, el Derecho Penal. (*Deja el libro sobre la chimenea y va a reunirse con ellos*). Estaba repasando el capítulo de la horca: una gaita. (*Bebe. El* Hostelero *recoge los restos de la cena y limpia*). ¿Estuviste hoy en la ciudad?

FARFÁN.—De allá vengo.

VALDOVINOS.—¿Y qué? ¿Hay algo de nuevo? ¿Se habla de nosotros?

FARFÁN.—¡Ca! Ahora la gente tiene otras cosas de qué ocuparse. ¿No sabes la última noticia?

VALDOVINOS.—Nada.

FARFÁN.—Es algo curioso: el pueblo y la corte tienen el corazón metido en un puño. Dicen que por nuestro reino anda suelto el Diablo.

HOSTELERO.—Por los cuatro evangelistas; ¿el Diablo decís?

FARFÁN.—El Diablo en persona. Y le achacan toda clase de calamidades: el hambre, la proximidad de una guerra, el embrujamiento de la Infantina; qué sé yo.

HOSTELERO. — ¡Dulce Jesús mío! (*Se santigua*).

VALDOVINOS.—Oye: es interesante. ¿Pero hay algo de cierto en eso?

FARFÁN.—Habrá. Por mi parte, no creo en el Diablo. Que la Infantina esté embrujada, no me extraña; está soltera. El hambre... es una etapa de la producción. Y en cuanto a la probable guerra, el rey viudo es demasiado viejo para que le respeten sus vecinos.

VALDOVINOS. — Para nosotros una oportunidad preciosa. A río revuelto...

FARFÁN.—Sí, sí; con el nuevo capitán no pasaremos de robar gallinas.

VALDOVINOS.—Y el señor Rey, ¿qué

dice a todo eso? ¿Hay preparativos?

FARFÁN.—No faltaba más. El señor Rey ha visto la cosa seria y se está buscando una retirada honrosa. ¿Qué dirás que se le ha ocurrido?

VALDOVINOS.—¿Qué?

FARFÁN. — Nuestro amadísimo Rey ofrece la corona y la mano de su hija, ¡al que mate al Diablo! Hoy lo han pregonado los heraldos a toque de trompeta. ¿Qué te parece?

VALDOVINOS.—Matar al Diablo..., pardiez, no debe de ser nada fácil.

FARFÁN.—Ahí tienes una brava empresa, querido. Tú, que crees en esas zarandajas, puedes hacerlo.

VALDOVINOS.—¿Yo?

FARFÁN.—Muy sencillo: sales a una encrucijada, lo invocas ritualmente y cuando asome le sueltas un trabucazo. Negocio redondo. Aquí tienes la fórmula (*Haciendo lo que dice*). Se traza un círculo en el suelo, se entra en él con el pie izquierdo y se dice de corazón: "Satán, Satán, señor de la Vida y de la Tierra... ¡Satán!" (*Suena un aldabonazo enérgico*). ¡Sapristi!

HOSTELERO.—¡Vaaa!... (*Se le anuda la voz*). Señor Farfán: ahí lo tenéis.

FARFÁN.—Abre. (Valdovinos *empuña el trabuco*).

HOSTELERO. — ¿Yo? ¡Un cuerno! (*Rezando nervioso y pueril*). Cuatro patitas tiene mi cama, cuatro angelitos me la acompañan...

FARFÁN.—Adelante. (*Abre y aparece el* Estudiante). A la orden, mi capitán.

ESCENA SEGUNDA

LOS MISMOS Y EL ESTUDIANTE

ESTUDIANTE.—Salud, muchachos.

CLOTALDO.—A la orden.

VALDOVINOS.—A la orden.

ESTUDIANTE. — ¿Hay alguna novedad?

CLOTALDO.—Ninguna.

ESTUDIANTE.—¿Los otros?

VALDOVINOS.—Están arriba.

ESTUDIANTE. — Perfectamente. Podéis vosotros retiraros también.

CLOTALDO.—Perdón, capitán; estamos de guardia.

ESTUDIANTE.—No hace falta; me quedo yo. Largo.

LOS TRES.—A la orden. (*Salen*).

HOSTELERO.—¿Queréis cenar algo?

ESTUDIANTE.—Gracias; quiero estar solo.

HOSTELERO.—Buenas noches. (*Sale el* Hostelero. *El* Estudiante *se despoja de capa y armas hablando entre dientes*).

ESCENA TERCERA

EL ESTUDIANTE Y EL DIABLO

DIABLO.—(*Entrando por la chimenea*). ¡A la paz de Dios, señor capitán!

ESTUDIANTE.—¡Eh, tú! Dichosos los ojos. ¿Por dónde entraste?

DIABLO.—Por la chimenea.

ESTUDIANTE. — Hombre, bien; me parece que podías hacerlo más cómodamente por la puerta.

DIABLO. — Sin duda. Pero, ¿qué quieres? Es una pequeña vanidad de Diablo.

ESTUDIANTE.—Bien, creía que no volvía a verte más.

DIABLO.—Hijo mío, el cargo de pedagogo áulico exige muchas atenciones. Además hay, en el fondo, un poco de egoísmo por mi parte: en el palacio se vive bien.

ESTUDIANTE.—Lo creo.

DIABLO.—¡Si vieras qué atentos son todos! Me tratan como de la familia.

ESTUDIANTE. — Pero, ¿qué es de ella, di? ¿Cómo está? ¿Qué dice?

DIABLO.—¿Quién?

ESTUDIANTE.—¡La Infantina!

DIABLO.—¡Ah, muy bien! Ya domina la tercera declinación y el "Bárbara Celarent...".

ESTUDIANTE.—Vete al infierno.

DIABLO.—Ya iré, no hay prisa. Por ahora estoy muy a gusto en la Tierra. (*Se sienta a la lumbre*). ¡Ay, amigo mío! Estos días que he pasado en palacio me han devuelto el humor y la juventud. Bullir, trafagar, enredar madejas, complicar lo estúpidamente sencillo: he ahí mis placeres. Y todo esto se hace a las mil maravillas en palacio. (*El* Estudiante *pasea amoscado*). Decididamente, no hay nada como la corte para mi vida de Diablo. La monarquía y yo tenemos la misma estética; somos barrocos.

ESTUDIANTE.—Espero que no habrás venido a contarme chascarrillos.

DIABLO.—Todo se andará. Ahora déjame reposar; he venido a pie desde la ciudad y, sobre todo, hace un frío espantoso. Yo estoy acostumbrado a otro clima. (*Se acerca más al fuego*). Aquí se está bien.

ESTUDIANTE.—¿Llegaste sin tropiezos?

DIABLO.—No creas; hasta que no vi en el dintel la muestra de "El Gallo Blanco" pensé que me había extraviado. Esto tiene por fuera el aspecto de un convento con su campanario y todo.

ESTUDIANTE.—Lo que ha sido. Hace algunos años se disolvió la comunidad y uno de los antiguos hermanos se quedó con esto y lo transformó en mesón. Es el hostelero actual.

DIABLO.—Y ese hostelero, ¿no tendrá en la bodega algo decente que se te ocurra ofrecerme?

ESTUDIANTE.—(*Llamando*). ¡Hola, señor húesped!

HOSTELERO.—(*Dentro*). ¡Va!

ESTUDIANTE.—Una jarra del mejor. ¡Volando! (*Al* Diablo). ¿No habrá inconveniente en que te vean aquí?

DIABLO.—Ninguno; en este reino no me conoce nadie.

ESTUDIANTE. — Sin embargo, estos días estás de actualidad, y te advierto que tienes una pinta inconfundible.

DIABLO.—No lo creas. Tú me conociste en seguida; pero es porque eres español; en tu tierra soy casi una asignatura.

ESCENA CUARTA

DICHOS Y HOSTELERO

HOSTELERO.—(*Entrando*). Añejo y sin mancha, señor; vino de amigos.

ESTUDIANTE.— (*Presentando*). El más ladrón y el más seráfico de los hosteleros. Este hombre, aquí donde lo ves, es una paradoja viva: ha sido fraile antes que cocinero.

DIABLO.—(*Levantándose respetuosamente*). ¿Este señor ha sido fraile? Tanto gusto.

HOSTELERO. — Gracias, señor. (*Le mira con inquietud y sale santiguándose disimuladamente*).

DIABLO.—(*Ríe*). Menos mal; todavía hay alguien que me recuerda. (*Levantando su copa*). Por el nuevo capitán de bandoleros.

ESTUDIANTE. — No; brindemos por el antiguo. Era un apóstol (*Beben*). A estas horas es ya todo un hombre honrado.

DIABLO.—El pobre no ha tenido mucha suerte.

ESTUDIANTE.—La verdad es que le jugamos una mala pasada. Nunca creí que me fuera tan fácil usurpar su puesto; los muchachos le admiraban sinceramente, pero el oro de tu bolsa hace milagros.

DIABLO.—A cualquier cosa llamas tú milagro. Siempre es agradable cambiar de amo; da una sensación de libertad... (*Sirve de nuevo el* Estudiante *y beben*).

ESTUDIANTE.—Bien; y ahora, ¿quieres decirme ya qué pasa en palacio?

DIABLO.—Ahora, sí. En palacio, señor Estudiante, hay un pánico grande. Realmente la situación es penosa: hay peste, hay hambre y el Rey Bertoldo se dispone a formalizar una declaración de guerra. El pueblo me achaca todos esos males. Es decir... al Diablo; yo estoy allí de incógnito.

ESTUDIANTE.—Bien; pero tú...

DIABLO.—Ya comprenderás que yo no he hecho nada de eso; pero aprovecho la ocasión, ya que se presenta favorable. Por lo pronto, ya he conseguido con mis industrias hacer llegar al pueblo la esperanzas de un rey joven, batallador y enamorado. En cuanto a mi señora la Infantina...

ESTUDIANTE.—¿Qué? Di.

DIABLO.—En cuanto a mi señora la Infantina, parece que está decidida a casarse.

ESTUDIANTE.—¿A casarse?... ¡Con quién!

DIABLO.—¡Ah! No sé. Probablemente contigo.

ESTUDIANTE. — (*Grave*). Hablemos en serio, amigo Diablo.

DIABLO.—En serio. ¿No has oído el bando que hoy ha hecho publicar el señor Rey?

ESTUDIANTE.—Sí, lo he oído pregonar a los heraldos.

DIABLO.—¿Entonces? En él ofrece la corona y la mano de su hija al que mate al Diablo.

ESTUDIANTE.—Supongo que ese bando se lo habrás inspirado tú.

DIABLO.—Te equivocas. Ese bando lo ha dictado la Infantina misma.

ESTUDIANTE.—¡Ella!

DIABLO.—Ella. Y pensando en ti. La Infantina padece ataques de literatura; el último le ha sugerido la extraña idea de sacrificarse por la salvación de su reino. Y como la perdición del reino —el hambre, la peste y la guerra— dicen que soy yo, la Infantina ofrece su mano al que me mate. La cosa es clara. (*Pausa*). Oye, ¿tú serías capaz de matarme?

ESTUDIANTE.—No juguemos.

DIABLO.—Si eso te diera el reino, si eso te diera la mano de la Infantina, ¿serías capaz de matarme?

ESTUDIANTE.—Déjame.

DIABLO.—Si ella te lo pidiera, ¿serías capaz...?

ESTUDIANTE.—(*Resuelto*). ¡Si ella me lo pidiera, sí!

DIABLO.—¿De verdad?

ESTUDIANTE.—¡Te lo juro por la salvación de mi alma!

DIABLO.—Basta; te creo. Y como ella es muy probable que te lo pida... (*Sacando su puñal*). En fin, por si el caso llegara quiero regalarte esta joya. La Infantina cree que es el único puñal que puede matarme: el mío. (*Con orgullo*). ¡Una obra de arte, señor Bachiller! Lo hice yo mismo, y te juro que no hubiera puesto más esmero en tentar a una novicia. (*Mostrándolo a la luz*).

ESTUDIANTE.—Linda joya.

DIABLO.—Tómalo. La Infantina, el señor Rey y el Pedagogo tienen de él una descripción exacta.

ESTUDIANTE.—(*Dejándolo sobre la mesa*). Señor Diablo, tengamos la fiesta en paz. ¿Quieres decirme qué significa este cuento del puñal?

DIABLO.—¿Recuerdas que una tarde sacaste tu espada contra mí?

ESTUDIANTE.—Fue un momento de arrebato. Pero bien comprendo que a ti no se te mata con el hierro.

DIABLO.—Desde luego; no esperaba menos de ti. Al Diablo no se le mata ni con éste ni con ningún puñal. Al Diablo se le ahoga, se lo ahoga dentro. ¿Comprendes?

ESTUDIANTE.—A medias.

DIABLO.—No importa; si eres fuerte mañana, me habrás comprendido del todo. Guarda, guarda ese puñal.

ESTUDIANTE.—¿Para qué, si no me ha de servir para matarte?

DIABLO.—Pero te servirá para saber que me has matado, porque ese día se teñirá de sangre.

ESTUDIANTE.—¿Ah, es un símbolo?

DIABLO.—Un símbolo necesario; los hombres no sabéis vivir sin la plástica; no comprendéis de verdad más que lo que entra por los ojos. Y como de algún modo hemos de entendernos... (*Se descalza un guante para servir. Bebe.*) ¿Qué miras?

ESTUDIANTE. — Es curioso. ¿Una amatista?

DIABLO.—La amatista donde guardo mis filtros mágicos.

ESTUDIANTE.—También es una linda joya.

DIABLO.—Otro símbolo. Yo podría embrujar con la sola voluntad; sin embargo, entre los hombres lo hago siempre con narcóticos y bebedizos que llevo en mis sortijas como un envenenador. ¿No bebes?

ESTUDIANTE.—No.

DIABLO.—Te noto preocupado.

ESTUDIANTE.—No sé por qué me imagino que esa sortija la has empleado ya en palacio.

DIABLO.—¿Por qué lo sospechas?

ESTUDIANTE.—Dicen que la Infantina está embrujada. ¿Fuiste tú?

DIABLO.—¿Yo? Dios me libre; fuiste tú mismo. (*Ríe*). Ya os advertí que el primer beso es mortal.

ESTUDIANTE.—¡Aquel beso! ¡Cómo me quema en el recuerdo! Porque no lo conseguí yo, no lo gané yo. Lo debo a tus malas artes. (*Esconde la cabeza entre los brazos*).

DIABLO.—¿Y qué importa cómo lo has conseguido, si lo tienes?

ESTUDIANTE.—Lo tengo, sí; pero no lo gané.

DIABLO.—No pensabas así el primer día.

ESTUDIANTE.—Entonces no la quería aún.

DIABLO.—Muchacho, te veo en el mal camino. Tu orgullo de hombre se despierta. De todos modos te he prometido hacer un bien y no pararé hasta conseguirlo. Óyeme un último consejo: la aventura y la gloria te esperan; si una mujer se te atraviesa en el camino, no pierdas el tiempo: tómala y adelante.

ESTUDIANTE.—¿Qué quieres decir?

DIABLO.—Acuérdate: cuando la Infantina era niña venía al monte, con una caperucita roja, muerta de miedo y de esperanza. Y tenía que volverse a palacio, triste y sola, porque no había lobos. ¿Me entiendes?

ESTUDIANTE.—No sé...

DIABLO.—Cuando la encontraste por primera vez venía a dejarse raptar por un capitán de bandoleros... ¡Y tú aquella tarde no te atreviste a serlo!

ESTUDIANTE.—Calla, déjame...

DIABLO.—Pudiera ser que algún día volvieras a encontrarla en el monte y a solas... Quizá esta misma noche...

ESTUDIANTE.—No, déjame...

DIABLO.—(*Con voz de culebra*). ¡Si comes de esa fruta serás tanto como Dios!

ESTUDIANTE. — (*Violento, levantándose*). ¡Calla!

DIABLO. — Cobarde... (*Suena una aldaba*).

ESTUDIANTE.—¿Quién va?

INFANTINA.—(*Dentro*). ¡Dos caminantes, señor capitán!

ESTUDIANTE.—¡Esa voz!... ¿Has oído?

DIABLO.—Abre. (*Mientras el* Estudiante *va a descorrer la barra*). Ahora. (*Vacía el contenido de su sortija en la copa del* Estudiante *y vuelca la otra*). ¡Tú comerás del Árbol de la Vida! (*Sale por la chimenea*).

ESCENA QUINTA

ESTUDIANTE, INFANTINA Y CASCABEL

La *Infantina* trae a la cabeza una caperuza roja y aparece en la puerta cogida medrosamente al bufón.

CASCABEL.—En efecto, señora; esta es la hostería de "El Gallo Blanco"—¡kikirikí!

ESTUDIANTE.—¡Vos, señora! (*Vuelve ansioso la cabeza, y al ver que no está el Diablo respira*). ¡Pasad!

INFANTINA.—Señor capitán... Tenéis que perdonarme. He venido confiada en vuestra hidalguía de bandido y de español.

ESTUDIANTE.—En nombre del bandidaje y de España, gracias, señora. Pero entrad: hace un frío espantoso. (*Va a cerrar*).

CASCABEL. — Un momento; llueve bastante y los caballos están ahí fuera.

ESTUDIANTE.—Ah, sí, los caballos... Que pasen.

CASCABEL.—No tanto. ¿Habrá alguna cuadra disponible?

ESTUDIANTE. — Sí, es verdad; ahí, debajo del corredor.

CASCABEL.—(*Malicioso*). Podéis cerrar; a lo mejor tardo. (*Aparte*). Adivinanza, adivina; —¿qué pretende la Infantina? (*Al salir*). Me sigue oliendo a chamusquina.

ESCENA SEXTA

INFANTINA Y ESTUDIANTE

ESTUDIANTE. — Perdonadme... la sorpresa. Traéis la ropa mojada.

INFANTINA.—Apenas; secará en seguida. Tenéis aquí un fuego delicioso.

ESTUDIANTE.—¿Verdad? (*Sentándose al fuego con ella*). Ahora sobre todo.

INFANTINA.—¿Qué pensaréis de mí?

ESTUDIANTE.—Oh, por Dios...

INFANTINA.—Ha sido una audacia que nadie sospecha en palacio. He salido como empujada, sin pensar bien lo que hacía, y más de una vez creí morir de miedo en el camino.

ESTUDIANTE.—Realmente la noche está imposible.

INFANTINA.—La luna les pone ojos y brazos a los árboles y los árboles al camino. Afortunadamente, Cascabel tiene un excelente humor y ha venido contando cuentos de miedo para tranquilizarme.

ESTUDIANTE.—Es una idea.

INFANTINA.—Famosa. Hay que desenmascarar al miedo, me decía. Y al fin consiguió hacerme reír con sus disparates. Pero no, no quiero que me toméis por una cabeza loca. Nunca pensé que pudiera atreverme a dar este paso, y, sin embargo..., ya lo veis; hasta me he vestido como cuando era niña y buscaba en el monte emociones de cuento.

ESTUDIANTE.—La ocurrencia ha sido feliz; estáis sencillamente encantadora.

INFANTINA.—Fue el sayal de los suplicantes lo que debí ponerme. Porque yo, señor capitán, vengo a suplicaros con toda el alma por la salvación de mi pueblo.

ESTUDIANTE.—Y yo seré dichoso en serviros.

INFANTINA. — ¿Conocéis el pregón que hoy ha hecho publicar mi padre?

ESTUDIANTE.—Lo conozco.

INFANTINA.—El Diablo ha desencadenado sobre nosotros todas las desgracias. ¡Hay que salvar al reino!

ESTUDIANTE.—¿Y pensáis que todo desaparecerá matando al Diablo?

INFANTINA.—Sí, lo creo. Lo dice todo el mundo.

ESTUDIANTE.—Y el premio, vuestra mano, ¿lo ofrece el señor Rey o vos?

INFANTINA.—Yo no tengo más voluntad que la de mi padre.

ESTUDIANTE.—Lealmente, señora Infantina. Pensad que se decidiera a intentar la empresa un hombre enamorado.

INFANTINA. — Pues bien, capitán, lealmente: el premio lo ofrezco yo: y os lo ofrezco a vos, porque nadie más que vos puede matar al Diablo.

ESTUDIANTE.—Gracias, señora. (*Le besa las manos*). ¿Pero por qué nadie más que yo?

INFANTINA.—Mi preceptor lo ha dicho. ¿No tienes tú un puñal?...

ESTUDIANTE.—(*Mostrándolo*). ¿Éste?

INFANTINA.—¡Oh, sí!: la hoja de plata y en el pomo una cruz de rubíes. ¡Éste es! ¿Tendrás valor?

ESTUDIANTE.—Señora, cuando se camina hacia vos el Diablo es un obstáculo pequeño.

INFANTINA.—Por mi amor, capitán. ¡Mátalo!

ESTUDIANTE. — Por vuestro amor, Infantina, ¡el Diablo morirá! (*Levantando su copa*). ¡Que Dios le perdone! (*Bebe*). Y ahora debéis retiraros antes que llegue el alba y os descubran. Yo os acompañaré. (*Con un desfallecimiento repentino deja la copa sobre la mesa y se pasa una mano por la frente*).

INFANTINA.—¿Qué es eso? ¿Qué te pasa?

ESTUDIANTE.—No sé..., nada; hace frío...

INFANTINA.—Por Dios, ¿qué tienes?

ESTUDIANTE.—Nada...

INFANTINA.—No me asustes. (*Le pone una mano en la frente*). Te arden las sienes.

ESTUDIANTE.—Hace frío... (*La coge de los brazos violentamente*). ¡Y tú eres divinamente hermosa, querida mía!

INFANTINA.—Me das miedo... (*Retrocede*). Tienes algo extraño en los ojos... ¡Suelta!

ESTUDIANTE.—Niña, niña...; ¡por fin vas a encontrar al lobo!

INFANTINA. — Por Dios, suelta... (*Llamando*). ¡Cascabel!

ESTUDIANTE.—No llames; ¡la noche se asomará a las ventanas y se reirá de ti!

INFANTINA. — ¡Déjame!... ¡Cascabel!

ESTUDIANTE.—Robé el primero. Robaré los otros. Te robaré entera.

INFANTINA.—(*Con voz débil*). ¡Cascabel! (*Va a caer. Él la sostiene y la mira ávidamente*).

ESTUDIANTE. — Así, dormida, dormida de miedo. (*La deja en un asiento*). Ni la luna lo sabrá. ¡Tendré tus cabellos de lluvia y tus ojos de agua salada, querida mía! (*La mira largamente, y en un esfuerzo súbito reacciona un momento*). ¡No..., no! (*Contemplando la copa*). ¡Ah, el canalla! (*Vuelve a su lado y ríe torpemente*). ¡Y qué bien trabaja el condenado! ¡Gracias, señor Diablo! (*Le coge las manos*). Duerme, niña mía. ¡Ni la luna lo sabrá! (*De pronto, a gritos*). ¡No, no! (*Abre el portón*). ¡Cascabel! ¡Corre, Cascabel! (*Coge la copa y la tira con rabia*).

CASCABEL.—(*Entrando*). ¡Señor capitán!... ¡Mi señora!...

ESTUDIANTE.—No preguntes nada. Coge mi caballo, el negro; es ligero como el viento. Vete, y avisa al señor Rey... No, espera; no vayas aún. Toma: átame las manos.

CASCABEL.—¿Bromeáis, señor capitán?

ESTUDIANTE. — No preguntes nada. Átame las manos; bien fuerte. Más. ¡Así! (Cascabel *lo hace*). Y ahora corre; coge el caballo negro, y avisa en palacio que estoy preso, que la Infantina está en peligro. ¡Corre, Cascabel! ¡Ven antes que el alba! (*Sale* Cascabel). ¡El caballo negro! ¡Reviéntalo, Cascabel! (*Forcejeando como si luchara con alguien invisible*). ¡No! ¡Déjame! ¡Reniégote, Satanás! ¡Reniégote! ¡Reniégote!

Se apagan todas las luces y la oscuridad absoluta se prolonga unos momentos. Luego dos focos, rojo y blanco, alumbran el rostro en lucha del *Estudiante* y el sueño de la *Infantina*. Fuera silba el viento. Ha pasado toda la noche. Lentamente se insinúa la luz del amanecer. Una flauta pastoral toca, lejos, las primeras notas de "La mañana", de Grieg. De pronto rasga el aire un alegrón de campanas al vuelo.

AMANECER

INFANTINA. — (*Sobresaltada*). ¡Cascabel!

ESTUDIANTE.—Señora...

INFANTINA.—¿Tú? ¿Pero qué es esto? ¿Qué significan esas campanas?

ESTUDIANTE.—(*Radiante*). No sé. Parece un repique de gloria.

INFANTINA.—¿Y esa luz?

ESTUDIANTE.—Está amaneciendo. (*Callan las campanas*).

INFANTINA.—¡Amaneciendo! (*Recuerda*). La hora de la verdad... ¿Por qué me mirabas anoche de aquel modo?

ESTUDIANTE.—¡No era yo!

INFANTINA.—(*De rodillas ante él*). ¡Dime que soñé anoche! ¡Dime que todo fue mentira.

ESTUDIANTE. — ¡Soñaste, sí! ¡Fue mentira todo!

INFANTINA.—¡Repítelo, repítelo!

ESTUDIANTE.—No te dé miedo la luz de la mañana. ¡Que lo barra todo, que lo lave todo! (*Se oye un galope de caballos*). Ya llegan.

INFANTINA.—¿Quiénes?

ESTUDIANTE. — Corre, ábreles la puerta.

INFANTINA.—(*Corriendo a la ventana*). ¡Es el señor Rey! ¡Sálvate! Vienen soldados con él. (*Corre el cerrojo y vuelve a su lado*). ¡Huye!

ESTUDIANTE.—No.

INFANTINA.—¡Pero tienes las manos atadas! ¿Estás herido? ¿Qué ha pasado aquí?

ESTUDIANTE.—Nada. Ábreles.

INFANTINA.—No, no entrarán hasta que estés lejos. (*Se pone a desatarle*). ¡Huye, por Dios!

ESTUDIANTE.—Es la hora de la verdad, tú lo dijiste.

INFANTINA.—No necesito saber nada. ¡Te quiero! ¡Sálvate!

ESTUDIANTE.—Debo quedar.

INFANTINA.—¡Te quiero! ¡Te quiero! (*Golpean la puerta de la escalera. Con un grito*). ¡Sálvate!

ESTUDIANTE.—(*Con las manos ya libres*). Son mis hombres. Abre.

INFANTINA.—Por Dios...

ESTUDIANTE.—(*Imperativo*). ¡Abre!

Al mismo tiempo la *Infantina* abre el portón y el *Estudiante* la puerta de la escalera. Por ésta salen en tropel el hostelero y los bandidos. En aquél, y casi al mismo tiempo, aparecen el señor *Rey*, el *Pedagogo* y *Cascabel:* tras ellos se ven picas y lanzas de soldados.

FARFÁN.—¡Mi capitán!

CLOTALDO.—¡Son los soldados del Rey!

HOSTELERO.—¡Mi posada!... ¡Estoy perdido!

ESTUDIANTE.—Quietos; no temáis nada.

REY.—(*Entrando*). ¿Es éste el mozo? Hola, soldados; ¡prendedle!

INFANTINA.—(*Con un grito*). ¡No!

REY.—¡Señora Infantina!

ESTUDIANTE.—Os ruego que me escuchéis un momento, señor...

REY.—¿Acostumbras a hacer tus súplicas rodeado de trabucos?

ESTUDIANTE.—Estos hombres, señor, son vuestros servidores. ¡Fuera esas armas! (*Caen los trabucos con un golpe de alabardas*).

REY. — (*Complacido*). Bueno, eso está bien. (*Al* Pedagogo). ¿No te parece? Ya te escucho.

ESTUDIANTE. — Perdonad, ante todo, que os hable sin poner la voz de rodillas. No voy a pediros nada que no me debáis.

REY.—¡Hum!

ESTUDIANTE.—Yo, señor, he dado probablemente algunos pasos hacia la horca.

REY.—Sí, algunos. Pero no te apures; tú llegarás.

PEDAGOGO.—"Finis coronat opus".

REY.—(*Que no se ha enterado*). Ya lo oyes.

ESTUDIANTE. — Sin embargo, no quiero llegar a tan altos destinos sin daros hidalgamente la ocasión de pagarme lo que me debéis.

REY.—Muy bien. ¿Y qué te debo?

ESTUDIANTE.—¡El reino!

REY.—¡Pardiez, poca cosa!

ESTUDIANTE.—No olvidéis que me lo habéis prometido.

REY.—De remate. ¡Hola, soldados!

ESTUDIANTE.—¡Quietos! ¡Aún hay mendigos que llevan perlas en el zurrón, señor el Rey! ¡Aún hay quien mata a los dragones por amor, señor el Rey!

REY.—¡Patatín, patatán! Como una chiva.

INFANTINA.—Calla, escúchale todavía.

ESTUDIANTE.—¿Recordáis el bando que hicisteis pregonar ayer?

REY.—Sí, muy bien; y en él ofrecía mi reino...

ESTUDIANTE.—¡A mí!

REY.—Lo ofrecía...

ESTUDIANTE.—¡A mí, a mí! ¡Yo he matado al Diablo! (*Murmullos*).

REY.—¡Tú!

INFANTINA.—¡Tú!

ESTUDIANTE.—¡Yo! Esta noche, y aquí mismo. Se enroscaba a mi carne como una serpiente; luchamos hasta el amanecer. ¡Pude yo más!

REY.—(*Desfallecido*). ¿Tú oyes esto, Pedagogo?

PEDAGOGO.—Calma, señor.

ESTUDIANTE.—¡Pude yo más! ¡Le desarmé!

PEDAGOGO.—Calma, calma.

ESTUDIANTE.—¡Le até las manos!

PEDAGOGO.—¿Tenéis alguna prueba de lo que decís?

INFANTINA.—¡Sí, la tiene! ¿Conocéis este puñal? (*Dejándolo caer horrorizada*). ¡Sangre!

ESTUDIANTE.—(*Fuera de sí*). ¡Pude yo más, pude yo más!

PEDAGOGO.—En efecto, señor; éste es el propio puñal del Diablo. Y lleno de sangre. Hay que rendirse a la evidencia: "nihil est intellectus quod prius non fuerit in sensu". El Diablo ha muerto.

ESTUDIANTE.—Yo lo ahogué. (*Apretándose el pecho*). Lo ahogué aquí dentro. (*A la Infantina*). ¿Comprendes ahora?

INFANTINA.—Gracias, capitán. (*Le besa las manos, que él retiene. Suenan de nuevo las campanas*).

REY.—(*Con un respingo*). ¡Demonio! ¡Otra vez! ¿Quién toca esas campanas?

CASCABEL. — (*Corriendo escaleras arriba*). ¡A la boda, a la boda! ¡La campana madrina se ha vuelto loca!

PEDAGOGO.—Es extraño; suenan aquí mismo.

HOSTELERO.—Son las nuestras, ya sonaron antes.

CLOTALDO.—¡Y arriba no hay nadie!

HOSTELERO. — ¡Milagro, milagro! (*De rodillas*).

REY.—Acabaréis por volverme loco entre todos. (*Al* Estudiante). ¿Quieres explicarme qué significa esto, capitán?

ESTUDIANTE.—No lo entiendo, señor. (*A* Cascabel *que aparece en lo alto de la escalera*). ¿Qué es eso, Cascabel? ¿Quién está arriba?

CASCABEL.—¡Nadie! ¡Son las campanas de Dios que están repicando a gloria! (*Sale el sol*).

TELÓN FINAL

NUESTRA NATACHA

COMEDIA EN TRES ACTOS
EL SEGUNDO DIVIDIDO EN TRES CUADROS

Estrenada en el Teatro Victoria de Madrid por la Compañía de Josefina Díaz y Manuel Collado la noche del 6 de febrero de 1936

A Pepita Díaz y
Manolo Collado.

ACTO PRIMERO

En una Residencia de estudiantes. Salita de tertulia. Sobria decoración, de líneas rectas. Un retrato de Cajal; algún mapa antiguo, fotografías de arte. En grato desorden, alternando con los libros, raquetas de tenis y copas deportivas. Al fondo, puerta sobre el jardín y ventanas horizontales, bajas, veladas con cortinas blancas.

EN ESCENA, AGUILAR Y SOMOLINOS. LUEGO FLORA

SOMOLINOS (*Dictando. Aguilar copia en una pequeña máquina de viaje*). "Por ello, esta Federación de Estudiantes, exclusivamente profesional, declara ser en todo ajena a los sucesos desarrollados ayer en San Carlos y Ciudad Universitaria..." (*Entra* Flora.)

FLORA.—Perdón; un momento. ¿Sabéis si ha vuelto Mario?

AGUILAR.—Todavía no. Estará, como siempre, a la caza de insectos.

FLORA.—¿Me haréis el favor de darle esto de mi parte cuando llegue?

AGUILAR.—¿Insectos también?

FLORA.—Un buen ejemplar para su colección. (*Le entrega una cajita.*)

AGUILAR.—Se le dará.

FLORA.—Gracias. (*Sale.*)

SOMOLINOS.—¿Dónde íbamos?

AGUILAR.— "...sucesos desarrollados ayer en San Carlos y Ciudad Universitaria..."

SOMOLINOS.—"Y eleva a ese rectorado su respetuosa y enérgica protesta por las sanciones gubernativas que se anuncian con este motivo, en contra de nuestras organizaciones, del fuero universitario y de nuestras clases de cultura popular. Madrid, etc., etc."

AGUILAR.—Hecho.

SOMOLINOS.—Yo mismo lo llevaré al señor Rector. Y si el rectorado no nos escucha, a la Prensa. (*Firma.*)

DICHOS Y RIVERA

RIVERA.—(*Entrando*) ¿Qué, habéis terminado ya?

AGUILAR.—Ya.

RIVERA.—Protesta respetuosa y enérgica, ¿verdad? Como siempre.

AGUILAR.—¿Qué vamos a hacer? Nosotros no podemos cargar con más responsabilidades que las nuestras.

SOMOLINOS.—Lo que debierais hacer todos es ser menos incautos. Os estáis dejando arrastrar a una guerra civil estúpida y estéril. Los únicos que salen ganando con todo esto son los enemigos de la Universidad.

RIVERA.—No lo dirás por mí.

SOMOLINOS.—Por muchos de los nuestros. Lalo estaba ayer en la revuelta de San Carlos. Han dado su nombre en la Dirección de Seguridad.

AGUILAR.—Cómo iba a faltar ése.

RIVERA.—Me han dicho que le han abierto la cabeza con una porra.

SOMOLINOS.—No será tanto. Lalo tiene una sangre demasiado escandalosa. Yo sentiré que la cosa sea grave, pero no le está mal. Cuando aspiramos a que nuestra voz se escuche en la reforma universitaria, cuando acabamos de poner en marcha una Federación seriamente preocupada por los problemas escolares y estamos organizando nuestras clases para obreros, no se puede comprometer todo eso con algaradas estúpidas. Lo de ayer no tenía pies ni cabeza.

AGUILAR.—Atención: aquí llega nuestro herido.

LOS MISMOS Y LALO

(*Lalo trae una larga venda arrollada a la frente.*)

RIVERA.—Querido Lalo...

AGUILAR.—Pero, ¿qué ha sido eso, hombre de Dios?

LALO.—Reincidencia. Es la tercera vez que me abren la cabeza en San Carlos. No sé qué empeño tienen esos bárbaros en averiguar lo que llevo dentro. ¿No tenéis por aquí un botiquín?

RIVERA.—En seguida.

LALO.—¿Gasa...? ¿Iodo...?

RIVERA.—También

LALO.—¿Tijeras...? ¿Pinzas...?

RIVERA.—De todo: estáte tranquilo.

LALO.—Con cuidado, eh.

RIVERA.—Tú siéntate y calla. (*Prepara sobre una mesita sus cosas para hacer una cura.*)

SOMOLINOS.—Pero, ¿quieres decirme qué diablos ibas tú a buscar allá?

LALO.—Psé, afición. Llamaron a la Residencia por teléfono: avisen a Lalo que hay ensalada en la Facultad. Me imaginé la escena: hurras, desbandadas, los tranvías de Atocha volcados, los guardias... ¿Qué iba yo a hacer? Era una tentación.

AGUILAR.—¿Pero sabías de qué se trataba?

LALO.—No hacía falta. Yo acudo siempre a estas cosas desinteresadamente.

SOMOLINOS.—¿Pensaste siquiera de parte de quién ibas a ponerte?

LALO.—Tampoco: mi deber era ponerme donde hubiera menos.

SOMOLINOS.—Ya. Romanticismo puro.

LALO.—Llegué en un taxi. Me acerqué a uno para preguntarle. Tenía un aspecto entre estudiante y obrero; estaba mirando desde lejos, en silencio y con un gran aire filosófico, como si la cosa no fuera con él. Le dije: camarada. Entonces se volvió, sacó la porra y zas. Un admirable ejemplo de laconismo. Cuando desperté estaba dentro de la Facultad, en brazos de esa muchachita rubia de Preparatorio, que me miraba llena de lágrimas. ¡Oh, es el gran momento de los heridos!

RIVERA.—(*Que al fin ha acabado de quitarle las vendas*). A ver, quieto. (*Le limpia con alcohol*). Pero, oye tú, ¿para esto te has puesto una venda de seis metros?

AGUILAR.—¿Qué es?

RIVERA.—Si no tiene nada.

LALO.—¿No?

RIVERA.—Nada; un rasguño.

LALO.—¡Demonio!... Oye, ¿y no se podría abrir un poco más?

RIVERA.—Vamos, hombre...

LALO.—Entonces, la venda...

RIVERA.—Al cesto. (*Recoge sus cosas.*)

LALO.—¡Qué lástima! La rubita había dicho "pobre Lalo" con una ternura tan maternal... Se va a llevar una desilusión.

SOMOLINOS.—Muy gracioso. Tú te diviertes, y yo a responder en nombre de la Federación. A oírnos acusar una vez más de agitadores y revoltosos sin sentido. Bien está. (*Recoge sus documentos*). Por mi parte, no volveré a hacerte caso hasta que no te abran la cabeza... pero de verdad. Buenas tardes. (*Sale.*)

LALO.—Adiós..., santa Isabel de Hungría. Es intratable ese hombre. Se toma todas las cosas con una gravedad...

AGUILAR.—No me negarás que esta vez tiene razón.

LALO.—¿Pero qué razón? ¿Qué culpa tengo yo de no haber recibido un estacazo más eficaz? Además, que lo de ayer tarde no ha tenido ninguna importancia. Lo grave fue por la mañana.

RIVERA.—¿Qué ocurrió por la mañana?

LALO.—Los exámenes. Se calcula un setenta por ciento de bajas. La mía entre ellas.

AGUILAR.—Muy bonito.

LALO.—Ah, ¿pero tú también? No, amigos, no. Os estáis poniendo todos en un plan de seriedad irritante. Aquí no puede haber una falta a clase, ni una juerga, ni un suspenso. Mucha disciplina, mucho laboratorio, y de haber algún herido, que sea grave. Pero, ¿qué casta de estudiantes sois vosotros?

RIVERA.—Quizá Somolinos exagera un poco. Pero, también tú...

LALO.—Yo lo que quiero es beberme hasta el último trago mi juventud. Estudiar no basta; hay que vivir. ¿Y qué vivís vosotros? Libros, conferencias, traducir revistas profesionales. Hala, de prisa, a terminar la carrera. Sólo veis el mundo por esa ventana. Pero la vida es más ancha; si le volvéis la espalda ahora, ¡pobre juventud la vuestra!

AGUILAR.—Pobre, ¿por qué? Lo que pasa es que a ti y a nosotros no nos divierten las mismas cosas.

LALO.—Sí, ya; también tenéis vuestras piscinas de invierno, vuestro tenis. Y los domingos, al campo, a hacer salud.

RIVERA.—Y las compañeras.

LALO.—Unas compañeras con las que no hacéis más que estudiar asignaturas, y algún beso suelto. Poca cosa. Cuando os encontréis de lleno en la vida, veréis para qué os ha servido tanto libro.

AGUILAR.—Por lo menos para desempeñar a conciencia una profesión útil.

LALO.—¿Útil? Vamos a ver. Tú eres agrónomo; habrás estudiado a fondo todas las leyes mendelianas de la herencia en el guisante, ¿verdad? Muy bien. Pero... ¿tú sabes en qué época del año se siembran los guisantes?

AGUILAR.—¿Los guisantes?... Los guisantes...

LALO.—¿Lo ves? Pues has perdido el tiempo. Y tú, cuando seas ingeniero y andes por esos montes haciendo el replanteo de carreteras, ¿sabes encender el fuego delante de tu tienda y hacerte unas sopas de ajo?

RIVERA.—Bueno, Lalo, pero eso es una broma.

LALO.—¡Qué ha de ser broma! Yo tengo treinta años. Hace catorce que empecé a estudiar Medicina; tres generaciones han pasado sobre mi cadáver, y yo aquí, firme en mi puesto. Si la suerte me ayuda un poco, no terminaré en otros catorce. ¿Y qué? ¿Creéis que he perdido el tiempo?

RIVERA.—No has terminado porque no quieres. Tú eres rico. Te gusta esta vida y puedes pagarte el lujo de estudiar eternamente.

LALO.—Eso, por un lado, no lo niego. Las carreras no son para aprobarlas; son para disfrutarlas. Pero es que además he aprendido todo un repertorio de cosas útiles por mi cuenta. El primer año me suspendieron en Disección, pero aprendí carpintería, el segundo me colgaron en Fisiología, pero aprendí a cultivar el maíz; el tercero caí en Patología y Terapéutica, pero aprendí la cría del conejo y a fabricar cestos de mimbre. Y si hoy naufragara en una isla desierta, yo os juro que sabría vivir solo y a mis anchas, mejor que el primer Robinsón.

AGUILAR.—Muy pintoresco. Lo malo es que no hay islas desiertas.

LALO.—¿No? Yo tengo una.

RIVERA.—¿Una isla?

LALO.—Algo parecido. Es una alquería deshabitada desde mis abuelos. Tiene de todo: agua, monte, buena tierra, una casa de labor en ruinas y un molino. Todo abandonado desde hace cuarenta años. Pues bien: yo, Lalo Figueras, estudiantón inútil de la vieja escuela, a vosotros, supercivilizados de hoy, os hago un desafío.

RIVERA.—¡Venga!

LALO.—Os regalo esa finca. ¿A que no sois capaces entre todos —peritos agrícolas, ingenieros, arquitectos—, a que no sois capaces de poner todo aquello en valor, de levantar allí una granja modelo, una fábrica?

AGUILAR.—¿Nosotros solos?

LALO.—Solos.

AGUILAR.—No, gracias. Demasiadas cabezas y pocas manos.

LALO.—Ah, tú lo has dicho: demasiadas cabezas.

Entra *Mario*. Es un joven naturalista ingenuo y abstraído, de ceño hecho a la contemplación minuciosa y manos de gesto delicadísimo. Sonrisa infantil, grandes gafas, sandalias y manga de cazar mariposas.

RIVERA.—Ilustre Mario, hijo predilecto de Linneo: salud.

MARIO.—Salud, amigos.

RIVERA.—¿Qué tal? ¿Ha sido provechosa hoy la caza?

MARIO.—Oh, nada; mariposas vulgares, un grillotalpa... Lo de siempre. No tengo suerte.

AGUILAR.—A ver si te espera aquí la sorpresa del día. (*Le entrega la cajita*).

MARIO.—¿Qué es esto?

AGUILAR.—Al parecer, un hermoso ejemplar para tu colección. De parte de Flora.

MARIO.—¡Flora! Gran muchacha. Es la primera mujer guapa que veo interesarse por las Ciencias Naturales. Perdón, voy a dejar todo esto en mi cuarto. En seguida vuelvo. Perdón. (*Sale*).

LALO.—(*Le mira ir moviendo reflexivamente la cabeza*). Pues mira el vegetariano éste: veinticinco años, y es ya todo un sabio. ¡Qué vergüenza! Porque Mario es un sabio de verdad, ¿eh?: se deja los grifos abiertos, se va andando al Pardo a cazar grillos... El otro día, creyendo que era un diccionario lo que tenía en la mano, se pasó media hora buscando una palabra alemana en una tabla de logaritmos.

AGUILAR.—Tú tómalo a broma, pero Mario irá muy lejos. Es un naturalista de primer orden.

LALO.—Sí, eso no lo dudo.

AGUILAR.—Y en cuanto a sus animalejos, ¡si vieras qué maravillas en esas vidas tan pequeñas! Ahora está escribiendo una Memoria interesantísima sobre "Las costumbres nupciales de los insectos".

LALO.—¿Lo veis? A eso voy yo. Las costumbres nupciales de los insectos. Pero si ese chico no ha tenido una novia en su vida. Él será muy capaz de sorprender con su lupa el amor de una libélula. En cambio, todavía no se ha dado cuenta de que Flora está loca por él.

RIVERA.—¿Flora?...

LALO. — Ah, ¿vosotros tampoco? ¿De dónde le viene a Flora, estudiante de Filosofía y Letras, esa ternura por los saltamontes? ¿Qué significa ese traerle de todas las excursiones algún bicho para su colección?

RIVERA.—Pues, ¿sabes que es verdad?

LALO.—Naturalmente. Lo está sobornando con escarabajos. (*Vuelve Mario emocionado, mostrando en alto su tesoro*).

MARIO.—¡Quietos! ¡Aquí está! Miradlo todos. ¡Miradlo!

LALO.—(*Sobresaltado*). ¿Qué pasa?

MARIO.—¡Maravilloso!

LALO.—Pero, ¿qué es?

MARIO.—(*Solemne*). ¡Un "Cérceris tuberculata"!

LALO. — Acabáramos. (*Acercándose más tranquilo*). ¿Conque este bicho es un "cérceris tuberculata"? Nadie lo diría, ¿eh?; tan pequeño...

MARIO. — Un ejemplar maravilloso... Es el más terrible cazador del mundo animal. Tiene en el aguijón un veneno misterioso que deja a sus víctimas vivas, pero inmóviles, como hipnotizadas. Y así las va almacenando en su cueva, para que sus hijos tengan toda la temporada carne indefensa y fresca.

LALO.—Buen padre de familia.

MARIO.—Madre: es un cérceris hembra. Los machos son la mitad más pequeños y menos interesantes. No cazan ni construyen; se limitan a fecundar a las hembras y no toman parte en ningún otro trabajo.

LALO.—¿Ves tú? Eso no está bien. Las cosas, como son.

MARIO.—Es una reina de leyenda. Mirad qué maravillosa armadura: la coraza anillada de verde acero; los guanteletes de los artejos; los élitros, de cobre y oro; los ojos como dos poliedros de cristal...

LALO.—(*Interesado*). A ver, a ver. (*Toma el insecto y lo mira en todas direcciones. Lo devuelve defraudado*). Hijo mío, será todo lo reina de leyenda que tú quieras, pero yo no veo ahí más que un coleóptero indecente.

MARIO.—¡Un coleóptero! ¿Has dicho un coleóptero? Por Dios, Lalo; el cérceris es un himenóptero.

LALO.—Ah, es un himenóptero. Pues da lo mismo: es un himenóptero indecente.

MARIO.—(*Compasivo*). Pobres, no sabéis ver. Os pasmáis como papanatas delante de los elefantes y las catedrales. En cambio, estas cosas minúsculas... No sabéis ver, no sabéis ver... (*Sale lentamente denegando con el dedo*).

LALO, RIVERA, AGUILAR Y FLORA, QUE ENTRA CON UN PERIÓDICO ILUSTRADO

FLORA.—¿Habéis visto los periódicos de hoy?

LALO.—¿Traen lo de San Carlos?

FLORA.—Lo que traen es un magnífico retrato de Natacha, con motivo de su doctorado.

RIVERA.—A ver. (*Abre el periódico. Los demás a su alrededor. Lee*). "Natalia Valdés, alumna becaria de la Universidad Central y primera mujer que alcanza en España el doctorado en Ciencias Educativas".

AGUILAR.—¡Bravo, Natacha! ¡Y qué guapa está!

RIVERA.—Esto hay que celebrarlo.

AGUILAR.—Y que va a ser esta misma tarde. Lalo pagará el champán, ¿verdad?

RIVERA.—¿Y las flores?

LALO.—También; todo lo que queráis. (*Aparte a* Flora). Mario está en su laboratorio.

FLORA.—¿Sí?

LALO.—Y emocionadísimo con su regalo. Creo que es un caso de "tuberculata" que hace llorar; una reina de leyenda, con guanteletes y poliedros y el demonio. Vaya, vaya usted allá. (*Le hace un gesto de inteligencia.* Flora *sonríe y le estrecha la mano*).

FLORA.—Gracias. (*Sale*).

AGUILAR.—¿Has visto? Un verdadero triunfo para nuestro Club.

LALO.—Un triunfo, sí. Pero otra compañera que termina, que se nos va. ¿Habéis pensado en eso?

AGUILAR.—La mejor compañera.

RIVERA.—El alma del grupo.

LALO.—Vuestra Natacha..., de la cual estáis todos vagamente enamorados. ¿Verdad? (Rivera *baja la cabeza*). ¿Verdad? (*Baja la cabeza* Aguilar).

RIVERA.—¿Y tú, no?

LALO.—(*Con el mismo gesto*). Yo también.

RIVERA.—Ah, eso no lo habías confesado nunca.

LALO.—Esperaba que alguno de vosotros se decidiera. Pero en vista de que ninguno se lanza, y antes de que se nos vaya, yo cumpliré mi deber.

RIVERA.—¿Qué quieres decir? ¿Es que piensas hablarle?

LALO.—Esta misma tarde.

AGUILAR.—Pues no te auguro el menor éxito. Natacha es demasiado seria, entregada a su trabajo. No creo que le divierta pensar en otra cosa.

LALO.—No importa. En amor, como en todo, ¡es tan hermoso fracasar!

AGUILAR.—Ah, siendo así...

LALO.—El fracaso templa el ánimo; es un magnífico manantial de optimismo. Todo hombre inteligente debiera procurarse por lo menos un fracaso al mes.

RIVERA.—Pues no creo que sea nada difícil.

LALO.—Para los tontos, no; pero ésos no cuentan. Tan bello como es el papel de víctima, cuando se sabe llevar. El herido, el desterrado, el amante sin esperanza... ¿Que emprendes un viaje a Palestina? Conseguir que el barco naufrague en las Baleares. ¿Que le pides relaciones a una compañera? Conseguir que te diga que no... ¡Y dices tú que no es difícil!

RIVERA. — Eres admirable, Lalo; porque ahora estoy seguro de que hablas con toda tu alma.

LALO.—Ahí está mi hoja de estudios para demostrarlo... ¿Tu viste ayer mi examen de Medicina legal?

RIVERA.—Sí, no lo recuerdes. Fue espantoso.

LALO.—¿Verdad? Pero ¿qué iba yo a hacer? Era mi última asignatura; había que cuidarla. El profesor me miró al empezar ¡con unas ganas de aprobarme! Pero yo me defendí como un león. El hombre sudaba, se ponía pálido. Qué mal rato pasó el pobre. En fin, ya está: un año más de estudiante, y ya veremos luego. Ah, los que no sentís esta emoción del fracaso, no comprenderéis nunca la esencia del romanticismo.

DICHOS,
NATACHA Y DON SANTIAGO

Natacha viste con una gran sencillez, llena de elegancia. Tiene, hasta cuando ríe, una tristeza lejana y preocupada.

RIVERA.—¡Natacha!

AGUILAR. — Querida doctora... ¡Don Santiago!...

LALO.—Enhorabuena, señor Rector.

DON SANTIAGO.—Gracias. A ella, a ella...

RIVERA.—¿Cómo no nos habías dicho nada?

NATACHA.—Me parecía una cosa tan natural. ¿Y vosotros?

RIVERA.—Todavía no se sabe. Somolinos traerá las notas.

NATACHA.—¿Buen ánimo?

RIVERA.—No falta.

NATACHA.—¿Usted, Lalo?

LALO.—¿Yo? Bien también; grandes esperanzas.

NATACHA.—Es el nuevo compañero, tío Santiago. Le conocimos en la Universidad de Verano de Santander; y se ha unido a nuestro grupo para organizar el Teatro ambulante. Lalo Figueras.

DON SANTIAGO.—Lalo Figueras... ¿Usted es el herido de ayer?

LALO.—Ya no.

DON SANTIAGO.—Vaya, menos mal. Pero, cuidado con esa sangre, muchacho.

LALO.—Le juro a usted que yo estaba en el público.

DICHOS, FLORA Y MARIO

MARIO.—¡Señor Rector! (*Se saludan cordialmente.* Flora *abraza a* Natacha). Con toda el alma, Natacha.

NATACHA.—Gracias, Mario.

DON SANTIAGO.—Otra que termina. Ya son ustedes dos.

MARIO.—Oh, no; yo estoy empezando siempre.

DON SATIAGO.—¿Qué tal va esa tesis nupcial?

MARIO.—Despacio; faltan materiales.

RIVERA.—Mario descansará ahora una temporada. Dejará en paz a sus insectos y formará parte de nuestro Teatro.

DON SANTIAGO.—Teatro trashumante; de pueblo en pueblo...

LALO.—Y para las cárceles, para los asilos. Llevaremos romances y canciones, farsas poéticas, teatro de Lope y Calderón.

DON SANTIAGO.—Y sobre todo, vuestra alegría, que será lo mejor del repertorio.

AGUILAR.—Este verano mismo haremos la primera salida.

LALO.—Iremos al Reformatorio de las Damas Azules.

NATACHA.—(*Sobrecogida*). ¿Al Reformatorio de las Damas Azules? ¡No!

LALO.—(*Sorprendido de la extraña reacción*). ¿Por qué no?

FLORA.—¿Te ocurre algo?

NATACHA. — (*Rehaciéndose*). No, nada... No sé qué estaba pensando.

DON SANTIAGO.—Un poco de nervios. Anoche no ha dormido.

FLORA.—¿Tú impresionada, Natacha? Vamos, vamos...

RIVERA.—A ver, sonríete un poquito... Así, gracias.

AGUILAR.—¿Nos aceptarás un pequeño homenaje?

RIVERA.—Aquí mismo. Verás qué pronto se te pasa eso.

LALO.—Unas flores, un poco de espuma...

AGUILAR. — En seguida volvemos. (*Sale delante con* Rivera).

LALO.—Todos; tú también, molusco. Y usted, Flora. (*Salen* Mario *y* Flora. Lalo *detrás*). La Flora y la fauna...

NATACHA Y DON SANTIAGO

Ella se sienta pensativa. Don Santiago acude a su lado cuando han salido todos.

DON SANTIAGO.—¡Natacha!

NATACHA.—Nada, tío Santiago. Ha sido un mal recuerdo.

DON SANTIAGO.—Ese muchacho no podía sospechar siquiera...

NATACHA.—Después de todo, ¿por qué callar siempre? ¿Por qué ocultarlo como una vergüenza?

DON SANTIAGO.—No lo hago yo por eso. Pero sé que te duele recordarlo.

NATACHA.—¡El Reformatorio de las Damas Azules! Mis últimos años de niña...

DON SANTIAGO.—Ea, no pienses en ello.

NATACHA.—No se me borraban de la imaginación mientras escribía la tesis de mi doctorado. Era aquello lo que pintaba, lo que combatía con toda mi alma.

DON SANTIAGO.—Todos los Reformatorios son tristes.

NATACHA.—¿Y por qué? Convierten en cárceles lo que debieran ser hogares de educación. Y allí van a enterrarse, en una disciplina de rejas y de silencio, los rebeldes, los pequeños delincuentes. Los que más necesitan, para redimirse, un amor y una casa.

DON SANTIAGO.—Un mal sueño. Olvídalo.

NATACHA.—No puedo. He podido acostumbrarme a no hablar de ello. Pero olvidarlo... Es un resquemor de injusticia que queda para siempre. ¿Qué delito había cometido yo para que me encerraran allí? El estar sola en el mundo, el ser una "peligrosa rebelde", como decían, y el haberme escapado de casa de unos tutores desaprensivos, que no veían en mí más que un estorbo.

DON SANTIAGO. — No les guardes rencor. Ellos tenían de la educación una idea equivocada, pero seguramente sincera.

NATACHA.—Decían que allí me meterían en cintura. Y para esa hazaña de meter en cintura a un niño, mezclaban mis catorce años locos de ilusiones con pequeñas ladronas, con desequilibradas y morbosas sexuales. Y así tres años inacabables: rigidez, silencio, castigos de aislamiento absoluto por las faltas más pueriles... Hasta el día en que se le ocurrió a usted visitar aquella casa. (*Cogiéndole las manos*). Cuánto le debo, Don Santiago.

DON SANTIAGO.—Yo a ti, Natacha. Vivía demasiado solo. Darte una vida nueva, hacer de aquella jovenzuela alocada toda una mujer, fue para mí la emoción de padre que no había sentido hasta entonces.

NATACHA.—Nunca se lo pagaré bastante.

DON SANTIAGO.—¿Pagar? Ni siquiera en lo material me debes nada; has sido mi ayudante, mi traductora, hasta mi enfermera. Seguramente en nuestra vida hay un buen saldo a tu favor. Lo que sí quiero pedirte es que, ahora que ya puedes volar libremente... no vueles muy lejos de mí. Y sobre todo, no me niegues nunca ese título familiar, que me recuerda tantas horas tuyas...

NATACHA.—(*Abrazándole*). ¡Tío Santiago!...

DON SANTIAGO.—Así: tío Santiago... (*Transición*). Vienen... Tienes lágrimas, Natacha. Que no te vean así. (*Sale* Natacha *al jardín. Entran* Mario *y* Lalo, *con flores y champán*).

DON SANTIAGO, LALO Y MARIO

DON SANTIAGO.—¿Ya de regreso?

MARIO.—¿Salía usted?

DON SANTIAGO.—Un momento, a Secretaría. Cuando estén los demás volveré por aquí. Tengo una buena noticia para todos.

LALO.—¿Del viaje de estudios?

DON SANTIAGO.—Acaso... No desvelemos todavía el secreto. Hasta luego. (*Sale*).

LALO.—(*Mientras van dejando sus cosas*). Gran hombre don Santiago.

MARIO.—Un compañero más. Si no fuera por los años, nunca se hubiera sabido en nuestras excursiones quién era el Rector y quiénes los alumnos.

LALO.—Ah, un buen profesor debe parecerse lo más posible a un mal estudiante. ¿Has visto? La idea de nuestro Teatro parece que le ha gustado.

MARIO.—¡También a mí! Es muy interesante.

LALO.—Tú podrías ayudarme en eso. Estoy componiendo, para la presentación, una farsa animalista.

MARIO.—¿Una fábula? No me gusta; las fábulas de animales nunca se ajustan a la verdad. Desde el punto de vista científico, todo La Fontaine es un disparate.

LALO.—Pero es que el punto de vista científico es muy aburrido, Mario. Verás: lo mío es una escenificación de una balada de Heine. Ocurre en Roncesvalles, y hay un oso que canta una canción triste.

MARIO.—Pero, Lalo, ¿un plantígrado cantando?

LALO.—Sí, señor, un plantígrado. Y si no fuera porque la cosa ocurre en Roncesvalles ponía un cocodrilo. ¿Qué pasa?

MARIO.—No, no, nada... ¿Y qué es lo que puedo hacer yo?

LALO.—Pues eso, que me falta la canción. Tú, que eres un hombre triste, ¿no conoces alguna?

MARIO.—Huy, canciones...

LALO.—Alguna cosa sentimental, de pandero...

MARIO.—No sé... Yo cantaba, de pequeño, algunos trozos de Parsifal.

LALO.—No, por Dios. Algo popular.

MARIO.—Popular, popular... Espera, también tengo una. Me la enseñaron en la Sierra los de Filosofía y Letras. Pero es muy triste.

LALO.—Mejor.

MARIO.—Además, creo que no canto nada bien.

LALO.—No importa; adelante.

MARIO.—Es una cosa de amores contrariados...

LALO.—Venga.

MARIO.—Dice así: (*Canta con una profunda seriedad desvencijada*):

"Amaba yo
a una niña de quince años,
bella flor,
pero la infiel
se burlaba ¡pumba!
de mi amor;
¡zas!"

¿Te gusta?

LALO.—Mario. (*Aterrado*). ¡Mario!

MARIO.—Muy triste, ¿verdad? Y sigue:

"Yo cuando vi
que su amor era mentira
y falsedad
la desprecié
y no la he vuelto ¡pumba!
a mirar más;
¡zas!"

LALO.—¡Mario de mi alma!

MARIO.—A dos voces suena mejor.

LALO.—(*Abrazándole*). ¡Pero eso es magnífico!

MARIO.—¿Verdad?

LALO.—Un verdadero hallazgo. ¡Es la cosa más estúpida que he oído en mi vida!

MARIO.—¿Estúpida? (Lalo *ríe con toda su alma*). Bien está. (*Inicia el mutis. Se detiene*). Ya sé yo que no canto bien; por eso no me ofendo. Ya ves: tú te ríes, y yo te perdono... Pero como pongas un cocodrilo, no trabajo. (*Sale*).

LALO.—(*Ríe de nuevo y trata de retener la canción*):

"Amaba yo
a una niña de quince años,
bella flor..."

Pasa *Natacha* que va a salir en la dirección de *Mario*. *Lalo* corta su canción.

NATACHA Y LALO

LALO.—¿Tiene usted algo que hacer ahora, Natacha?

NATACHA.—No muy importante.

LALO.—¿Está usted sola?

NATACHA.—Sola con usted. ¿Por qué?

LALO.—Si no le estorbo mucho... tengo algo que decirle.

NATACHA.—Diga.

LALO. — (*Vacila*). ¿Quiere usted sentarse?

NATACHA.—¿Es muy necesario?

LALO.—Por lo menos puede ser útil.

NATACHA.—Siendo así... (*Se sienta*). Usted dirá.

LALO.—(*Vacila nuevamente*). Hace una temperatura deliciosa, ¿verdad?

NATACHA.—(*Seria*). Veintidós grados a la sombra.

LALO.—¿Veintidós? ¡Hola! (*Pausa*).

NATACHA.—¿Eso era todo?

LALO.—Espere, no se levante... ¡Natacha!...

NATACHA.—¿Le ocurre algo, Lalo?

LALO.—Es que... ¡No sé qué rodeo buscar para decirle a usted que la quiero con toda mi alma! (*Respira*). Ya está.

NATACHA. — (*Le mira fijamente. Sonríe*). Lo esperaba.

LALO.—¿Sí?

NATACHA.—De usted puede esperarse siempre cualquier disparate.

LALO.—Yo le juro a usted...

NATACHA.—No, no, no jure nada. (*Amigablemente*). ¿Por qué es usted así, Lalo?

LALO.—¿Así?... ¿Cómo?...

NATACHA.—Así: irreflexivo, volcado siempre hacia fuera como un chiquillo, y con una intrépida frivolidad. Usted siente el deber varonil de hacer el amor a sus compañeras. Y me ha preparado esta escena con la esperanza de que yo no le haría mucho caso, pero en el fondo se lo agradecería. ¿Es así?

LALO. — (*Buscando otro frente*). Calma, calma, va usted demasiado de prisa. Lo que yo quería decirle es mucho más sencillo; y sobre todo, más concreto. ¿Me permite usted volver a empezar?

NATACHA.—Empiece.

LALO.—¡Natacha!

NATACHA.—...la quiero a usted con toda mi alma.

LALO.—No. (*Le mira ella sorprendida*). Confieso que antes me he excedido. ¿Me deja usted seguir solo? Natacha: yo sospecho que estoy empezando a interesarme por usted seriamente. Usted me mira con cierta curiosidad, pero en el fondo me desprecia. No ha visto en mí más que el tipo de estudiantón viejo estilo: divertido, generoso de sí mismo, inteligente muchas veces, a pesar de los libros de texto, pero irremediablemente inútil. Y yo vengo a decirle: quizá no me conoce usted bien. ¿Quiere usted conocerme, Natacha?

NATACHA.—Ah, eso es mucho más razonable.

LALO.—Yo prometo no mentirle en nada. No trataré de ocultarle ni uno solo de los defectos ni de las virtudes que me conozco.

NATACHA.—(*Despistada*). Pero, ¿está usted hablando en serio?

LALO.—Perfectamente en serio. Veamos, primero, el aspecto físico de la cuestión. Datos concretos: he aquí mi ficha. (*Saca una cartulina del bolsillo y lee*). "Lalo Figueras. Estudiante de Medicina. Treinta años. Herido tres veces en San Carlos. Talla: uno setenta. Perímetro torácico: noventa y ocho. Campeón de esquí en Peñalara. Reacción Wassermann, negativa. No ha tenido ninguna enfermedad fuera de la infancia, ni acusa el menor antecedente morboso. Metabolismo normal. Temperamento sanguíneo. No habla alemán". ¿Qué tal?

NATACHA.—Interesante. ¿Eso de no hablar alemán, es también una virtud?

LALO.—En mí, sí. He tenido una novia alemana. Era guapísima, pero completamente tonta. Y para conservar la ilusión juré no aprender jamás ese idioma.

NATACHA.—Muy delicado por su parte. De todos modos... en una declaración de amor podía haberse ahorrado ese dato.

LALO.—No podía. Le he prometido antes que lo mismo que mis virtudes, le confesaría mis defectos. Lo confieso: he tenido una novia alemana. No lo haré más.

NATACHA.—Bien. ¿Ha terminado ya?

LALO.—En el aspecto animal, sí. Reconozca usted que, por lo menos desde el punto de vista eugenésico, no estoy del todo mal. En cuanto al espíritu... soy un romántico.

NATACHA.—No me gusta nada el romanticismo. Es la tristeza organizada como espectáculo público: llantos desmelenados, venenos, adulterios y músicos tuberculosos. No me gusta.

LALO.—Qué le vamos a hacer; me

falló esa rueda. En cuanto a lo social, soy individualista y robinsoniano. Puedo bastarme a mí mismo en una isla desierta.

NATACHA.—Tampoco me gusta. Es una idea educativa de la Revolución francesa. Ya está mandada retirar esa teoría.

LALO.—Ah, pero es que en mí no es una teoría: es un hecho. Yo, aparte un poco de Medicina, sé cazar y pescar, cultivar el maíz, fabricar cestos de mimbre...

NATACHA.—Enhorabuena; con muy poco más sería usted un salvaje perfecto. (*Se levanta*). ¿Y quiere que nos dejemos ya de ingeniosidades? Hablemos lealmente. Usted no siente por mí el amor que se imagina. Yo por usted, tampoco; la verdad, ante todo. De quien está usted verdaderamente enamorado es de sí mismo. Pero se equivoca mucho si piensa que le desprecio. Usted podrá ser una fuerza desorientada; pero es una fuerza. ¿Por qué no le busca un cauce social a esa alegría, a esa fe en la vida que le desborda siempre? ¡Podría hacer tanto bien! Usted sería un magnífico profesor de optimismo.

LALO.—(*Ante una revelación*). ¿Profesor de óptimismo? ¡Gran idea! Pero, ¿cómo no se me había ocurrido a mí eso?

NATACHA.—Renuncie usted a su carrera. ¿Qué ganaría el mundo con tener un mal médico más? Aprenda en cambio, si todavía no sabe, a tocar la guitarra, a contar cuentos y sueños. Vaya a buscar a los pobres, a los enfermos, a los trabajadores que se nos mueren de tristeza en las eras de Castilla. Y repártase entre ellos generosamente. Llévele esa alegría, enséñeles a reír, a cantar contra el viento y contra el sol. Y entonces sí, entonces será usted el mejor de mis amigos. (*Estrechándole la mano*). ¡Con toda el alma! Adiós, Lalo. (*Sale*).

LALO.—(*La mira ir. Le desborda una alegría sincera, llena de admiración*). ¡Qué mujer! Las eras de Castilla..., cantar contra el viento y contra el sol... ¡Qué mujer! (*Entra* Sandoval, *médico viejo, encogido y pulcro. Cartera de documentos al brazo*).

SANDOVAL.—Perdone... ¿La señorita Natalia Valdés?

LALO.—¿Natacha?

SANDOVAL.—No sé, quizá.

LALO.—¡Extraordinaria mujer! Hablemos de ella, querido, hablemos de ella.

SANDOVAL.—Permítame que me presente: Félix Sandoval, médico y secretario del Reformatorio de las Damas Azules.

LALO.—Mucho gusto. Lalo Figueras, estudiante de Medicina; profesor de optimismo de la casa.

SANDOVAL.—¿Profesor de optimismo?

LALO. — Acaban de nombrarme. Veintiuno de junio. Día de plenitud. Señalémoslo con piedra blanca, mi querido don Félix. (*Se pone una flor en el ojal*). ¡Mire qué hermosa luz de poniente! ¡A estas horas se habrá firmado ya mi suspenso en Medicina Legal!

SANDOVAL.—Usted perdone... ¿Es en la Residencia de Estudiantes donde estoy?

LALO.—En la Residencia es. El día del solsticio de estío; con veintidós grados a la sombra, en una habitación llena de flores... ¿Le pongo una? (*Lo hace mientras sigue hablando*). ¡Y para hablarme de Natacha! ¡Oh, Natacha es la mujer más encantadora de la tierra! ¡Si viera usted qué calabazas acaba de darme!

SANDOVAL.—(*Inquieto*). ¿Sí?... Je, je...

LALO.—¡Y con qué sinceridad! ¡Con qué compañerismo! ¡Ah! Ella me ha abierto los ojos; yo no sabía que la gente se estaba muriendo a montones en las eras de Castilla. Hay que evitar eso a todo trance... ¿Usted sabe tocar la guitarra?

SANDOVAL.—(*Francamente amedrentado*). ¿La guitarra?... No... Todavía no... Pero aprenderé, aprenderé... Buenas tardes. (*Sale*).

LALO.—Adiós, don Félix. Simpático don Félix. Adiós. (*Canta*):

"Pero la infiel
se burlaba ¡pumba!
de mi amor;
¡zas!"

(*Entran* Flora, Rivera *y* Aguilar. *En seguida,* don Santiago. *Traen más chucherías, flores y botellas*).

LALO, FLORA, RIVERA, AGUILAR, DON SANTIAGO. LUEGO NATACHA Y MARIO

LALO.—Pase Nuestra Señora de los Ramos Verdes. Pasen los esclavos nubios con los cántaros de hidromiel. ¿Don Santiago?...

FLORA.—Ahí viene también.

LALO. — (*Llama*). ¡Natacha!... ¡Mario!...

AGUILAR.—(*A* Rivera). ¿Qué le pasa a éste?

RIVERA.—O ha recibido ya el suspenso, o le ha dado calabazas Natacha. (*Entran* Natacha *y* Mario. Don Santiago *por el lado opuesto*).

LALO.—El señor Rector nos tiene prometida una buena noticia. Helo ahí.

DON SANTIAGO. — En efecto: una gran noticia para todos vosotros, y para la Universidad (*Expectación*). Nuestro viaje de estudios por el Mediterráneo ha sido acordado ya. Dentro de ocho días zarparemos en el "Ciudad de Cádiz".

VOCES.—¡Hurra don Santiago!

RIVERA.—¿Quiénes van por fin?

DON SANTIAGO.—Irán representaciones de las distintas Facultades. Por lo que se refiere a vuestro grupo, vais todos. (*Exclamaciones de alegría. Empiezan a descorcharse las botellas*).

FLORA.—Un crucero de dos meses. ¡Juntos!

LALO.—El barco es magnífico. A lo mejor, hasta naufragamos.

FLORA.—¡Tocaremos en Atenas!

RIVERA.—¡Llegaremos al Mar Rojo!

LALO.—Y veremos Egipto, Mario. Para mí, las pirámides; para ti, el escarabajo sagrado.

AGUILAR.—Brindemos, don Santiago.

DON SANTIAGO.—Vosotros, vosotros. Yo no puedo ya beber nada. Ni quiero enturbiar vuestra alegría con mis años.

MARIO.—(*Levanta su copa*). Estudiantes: por nuestro Rector..., el más viejo y el más querido de nuestros compañeros.

DON SANTIAGO.—Gracias, gracias. (*Sale mientras brinda* Lalo).

LALO.—Por nuestro Rector, que ha organizado este maravilloso crucero; que ha elegido un espléndido barco, lo embreó bien de ilusiones por dentro y por fuera y metió dentro un par de estudiantes de cada especie. (*Risas*).

RIVERA.—Brindemos por la compañera que hoy se nos va. ¡Que la doctora Natalia Valdés siga siendo siempre nuestra Natacha!

TODOS.—¡Nuestra Natacha!

NATACHA.—Por la nueva estudiantina española; por esa alegría fecunda, que es el mejor tesoro de nuestra Universidad.

LALO.—¡Muy bien! ¡Que hable Mario!

MARIO.—Yo no sé hablar.

LALO.—No importa; que hable.

TODOS.—¡Que hable, que hable! (*Le obligan a subir a una silla*).

MARIO. — Compañeros. (*Silencio*). Yo no soy orador...

VOCES.—Muy bien, muy bien.

MARIO.—Gracias. No soy orador, ni poeta...

VOCES.—¡Muy bien!

MARIO.—Pero, ¿quién no se siente poeta y orador ante ese viejo mar que nos aguarda? Saludemos en el mar latino el primer camino de nuestra civilización. Recordemos que por ese mar, cuando éramos un simple país de conejos y de iberos desnudos, vinieron los fenicios, que nos trajeron el alfabeto, que nos trajeron la moneda...

LALO.—Y que les enseñaron a los ingleses a explotar nuestras minas.

TODOS.—¡Muy bien! ¡Bravo!

MARIO.—Yo te saludo, con toda la emoción y la gracia de mi raza: mar azul de Afrodita, mar aventurero de Ulises, "Mare Nostrum".

LALO.—Amén. (*Aplausos*). Compañeros: un poliestornudo en honor del mar latino. (*Señalando tres grupos*). ¡Austria! ¡Rusia! ¡Prusia! (*Dice cada grupo uno de estos nombres, de modo que se oiga una especie de estornudo colectivo*).

RIVERA.—Y ahora, entonemos nuestro Gaudeamus estudiantil. (*Cantan a coro levantando las copas*):

"Gaudeamus igitur
iúvenes dum sumus..."

DICHOS Y SOMOLINOS, QUE APARECE EN LA PUERTA

SOMOLINOS.—¡Alto! ¡Alto ahí! (*Se hace el silencio*). ¡Las notas! (*Expectación. Voces*).

VOCES.—¡Di pronto! ¿Están las mías? ¡Dame!

SOMOLINOS.—Calma; no os echéis encima. ¡Todos bien! (*Repartiéndolas*). Flora Durán: enhorabuena. Miguel Rivera: arriba siempre. Luis Aguilar: bravo, Luis...

AGUILAR.—¿Y tú?

SOMOLINOS.—¡Como nunca! (*Hay los abrazos y exclamaciones consiguientes*).

LALO.—(*Que ha quedado aparte en silencio*). ¿Y para mí? ¿No traes noticias?...

SOMOLINOS.—Para ti... malas.

LALO.—(*Adoptando su bello papel de víctima*). Di, sin miedo. Soy fuerte. Suspenso, ¿verdad? (Somolinos *deniega con la cabeza tristemente*). ¿No?

SOMOLINOS.—Aprobado también.

LALO.—¡Imposible! (*Coge su papeleta con un gesto trágico. Lee sin dar crédito a sus ojos*). Lalo Figueras... Medicina legal... a-pro-ba-do. (*Amargo*). ¡Así se hace justicia en España!

MARIO.—(*Se lleva un dedo a los labios*). Respetemos su dolor.

RIVERA.—Resignación, Lalo.

Flora y *Aguilar* le dan la mano con una leve caricatura de duelo y desfilan todos de puntillas. *Lalo* se deja caer anonadado en un asiento, rumiando su nota. Pausa. Vuelve *Sandoval.*

LALO Y SANDOVAL

SANDOVAL.—¿Se puede?

LALO.—(*Con voz desmayada*). Adelante.

SANDOVAL.—Perdón. La señorita Natalia... (*Se detiene al reconocerle*).

LALO.—La señorita Natalia Valdés. Le pasaré recado en seguida. ¿Tiene la amabilidad de sentarse un momento, señor Sandoval? (*Se quita, deshojándola, su flor*).

SANDOVAL.—Usted perdone... ¿Es usted el mismo muchacho que estaba aquí hace un momento?

LALO.—El mismo.

SANDOVAL.—Entonces... no comprendo.

LALO.—¡Ay! Hace un momento yo era un estudiante. ¡Un estudiante, señor! Ahora soy un animal jurídico responsable. (*Muestra su papeleta*). Usted es médico también, ¿no?

SANDOVAL.—También.

LALO.—(*Le estrecha la mano en silencio compasivo y le quita también su flor*). Entorne usted así los ojos. Mire al porvenir: clavículas rotas, fiebres tercianas, partos atroces... Y yo por esos caminos, en una mula, con un paraguas rojo... (*Cierra los ojos*). ¿Quiere usted beber conmigo la última copa? (*Le sirve y levanta la suya lúgubremente*). Vanidad de vanidades y todo vanidad... (*Rompe su copa y sale*).

SANDOVAL.—(*Sinceramente aturdido*). ¡Profesor de optimismo! (*Bebe y se sienta a esperar. Entra* Natacha).

NATACHA Y SANDOVAL

SANDOVAL.—¿Señorita Natalia Valdés? Félix Sandoval, secretario de las Damas Azules.

NATACHA.—¿Del Reformatorio? Mucho gusto.

SANDOVAL. — Ante todo, mi más cumplida enhorabuena. Ha sido el suyo un triunfo rotundo y justísimo.

NATACHA.—Gracias, señor Sandoval.

SANDOVAL.—Su tesis sobre "Los Tribunales de menores y la educación en las Casas de Reforma", nos ha causado una profunda impresión. Nosotros quisiéramos que nuestro Reformatorio para pequeños delincuentes y rebeldes, fuera una institución modelo, como las que usted sueña.

NATACHA.—Usted me dirá en qué puedo ayudarles.

SANDOVAL.—Pronto está dicho. Nuestro Reformatorio viene viviendo en un régimen de interinidad; con la mejor voluntad por parte de todos, pero sin el personal técnico que los tiempos imponen. Y el Patronato ha pensado en usted.

NATACHA.—¿En mí?

SANDOVAL.—¿Nos haría usted el honor de aceptar la dirección del Reformatorio?

NATACHA.—¡Yo! ¿Pero el Patronato me conoce? ¿Saben que yo?...

SANDOVAL.—El Patronato sabe solamente que es usted la primera doctora en Educación de nuestro país. Conoce sus trabajos sobre la materia. Y la Universidad nos ha facilitado las mejores referencias.

NATACHA.—No es posible esto...

SANDOVAL.—¿Conoce usted el Reformatorio?

NATACHA.—Sí..., hace años. Demasiado triste.

SANDOVAL.—Ha mejorado mucho desde entonces. Se ha levantado un nuevo pabellón, hemos abierto un campo de juegos...

NATACHA.—¿Qué condiciones me ofrece el Patronato?

SANDOVAL.—Las que usted señale. Aquí traigo una hoja a su nombre. El sueldo está en blanco.

NATACHA.—No se trata de eso. Pongamos el mínimo que hayan tenido las directoras anteriores. Lo que yo necesitaría es contar con una plena libertad de iniciativa en cuanto al régimen interior. Nunca aceptaría dar un solo paso en contra de mis convicciones.

SANDOVAL.—Desde luego; usted tendría íntegramente la dirección técnica de la Casa. El Patronato se reserva solamente la representación legal y la tutela administrativa... En fin; usted se toma el tiempo que necesite para reflexionar.

NATACHA.—No es preciso. Aceptado, señor Sandoval.

SANDOVAL.—Gracias, señorita Valdés. Esté segura de que el Patronato acogerá su decisión con la más sincera alegría. ¿Quiere usted firmar? Aquí. (*Firma* Natacha). ¿Desde cuándo podemos contar con usted?

NATACHA.—Desde mañana mismo.

SANDOVAL. — Perfectamente. Pasaré a recogerla con la señora Presidenta. Gracias, siempre.

NATACHA. — Hasta mañana. (*Sale* Sandoval Natacha, *sola, apenas puede dominar su emoción*). ¡Al Reformatorio otra vez! Pero ahora, ¡a derribar las rejas, a inundarlo de luz y de vida! (*Llama*). ¡Flora! ¡Lalo! ¡Mario! (*Van entrando todos*).

NATACHA Y LOS ESTUDIANTES

NATACHA.—¡Ahora sí que puedo brindar y reír con vosotros! Al fin voy a trabajar, a ser útil. Pero no me abandonéis. Ahora, más que nunca, necesito esa alegría vuestra. Hay toda una juventud, enferma y triste, a la que nosotros podemos redimir. ¡Arriba ese corazón! Lalo, maestro de alegría. Vivir es trabajar para el mundo. ¿Qué importa lo que queda atrás? ¡La vida empieza todos los días!

LALO.—(*Contagiado de su entusiasmo*). ¡Sí, Natacha! ¡Vivir! ¿Quién dijo ideas negras? Brindemos, amigos: a trabajar, a ser útiles al mundo. (*Levanta su copa*). ¡Mañana mismo me matriculo en Filosofía y Letras!

TELÓN

ACTO SEGUNDO

CUADRO PRIMERO

En el Reformatorio de las Damas Azules. Vestíbulo con acceso del exterior a un lado, y al otro comunicación con el resto del edificio. Al fondo, en terraza escalonada, más alta que el resto de la escena, una pérgola de rosal o enredadera. La terraza dará salidas laterales al jardín. Tendrá tres arcos, más amplio el del centro, el cual, cerrado después con unas cortinas, servirá en el cuadro tercero para la representación de la "Balada de Atta Troll".

En la escena, una mesa y ficheros de trabajo. En la terraza, una pizarra escolar de trípode, barnizada de verde mate.

En escena la profesora Srta. Crespo; Fina, Encarna, María *y varias educandas más de quince a dieciocho años.*

Visten tristes uniformes oscuros o color ceniza, largos, muy cerrados, y cinturón azul; el pelo, recogido, sin el menor adorno. La profesora, seca, rígida, autoritaria, pero de ningún modo ridícula. Están ensayando una pequeña ceremonia de recepción.

SEÑORITA CRESPO.—No, no, así no. Usted debe adelantarse, humilde y sonriente. El ramo en la izquierda; la falda, recogida un poco con la derecha. Se hace la reverencia. Primero a la Presidenta. ¡Señora Marquesa! Y luego a ella: ¡Señora Directora! Etcétera, etcétera. A ver; sin el ramo. (Encarna *se adelanta, hace con gran desparpajo los movimientos indicados y contiene una carcajada*). ¡Silencio! ¿A qué viene esa risa estúpida?

ENCARNA.—Si son ellas las que empiezan.

SEÑORITA CRESPO.—No quiero oír una risa más. (*Mira secamente a todas*). A ver.

ENCARNA.—¡Señora Marquesa! Señora Directora. Aceptad estas pobres flores que han regado nuestras manos. Que ellas os digan lo que nuestra emoción... (*Nueva risa*).

SEÑORITA CRESPO.—¡Señorita Méndez!

ENCARNA.—(*Conteniéndose a duras penas*). Lo que nuestra emoción en día tan feliz para el Reformatorio, no nos permite expresar con palabras.

SEÑORITA CRESPO.—En fin..., puede pasar. Luego se entrega el ramo, y se besa la mano, cogiéndola así. (*Coge la de* Encarna *y la mira con espanto*). ¡Cómo! ¿Se ha pintado usted las uñas? ¡Qué vergüenza! ¿Y pensaba usted entregar el ramo así? Retírese a la fila. Manos atrás. (*Aparece un momento el* Conserje *para avisar oficiosamente*).

CONSERJE. — Prevenida, señorita Crespo. Ya llegan. (*Sale de nuevo*).

SEÑORITA CRESPO. — ¿Hay alguna otra que lo sepa? ¡Pronto!

FINA.—(*Levantando la mano*). Si usted quiere...

SEÑORITA CRESPO.—¿Usted? Vaya, a última hora, la más torpe. En fin... (*Le da el ramo y se pone delante*). Quítele el papel... Diga: sí, señora Directora; no, señora Directora... Al besar la mano se dobla la rodilla... ¡Fila!...

Dichas, Señora Marquesa, Natacha y Sandoval, *que entran precedidos del* Conserje.

MARQUESA.—...y éste, que es el nuevo pabellón; ocupado por las educandas más antiguas. (*Presenta*). La Profesora, señorita Crespo. Doña Natalia Valdés, la nueva Directora.

SEÑORITA CRESPO. — Mis respetos, señora Directora.

NATACHA.—Gracias.

SEÑORITA CRESPO.—Las educandas desean hacerle presente su saludo. (*Hace una indicación a* Fina, *que se adelanta en la forma ensayada. Habla de corrido, con un tonillo nervioso y triste*).

FINA.—Señora Marquesa, señora Directora, aceptad estas pobres flores que han regado nuestras manos. Que ellas os digan lo que nuestra emoción... nuestra emoción... nuestra emoción... (*Risa contenida de* Encarna).

NATACHA.—(*Cortando cariñosamente la vacilación*). Gracias, pequeña. Gracias a todas. (*Al ver que hace ademán de besarle la mano*): ¿Qué vas a hacer? ¡Niña! La mano se estrecha: así. ¿Quieres una flor?

FINA.—(*Indecisa, mirando a la profesora*). ¿La cojo?

NATACHA.—Si te gusta, ¿por qué no? Toma. Estás muy nerviosa, pequeña. Vuelve, vuelve a tu sitio.

MARQUESA.—(*Al grupo*). ¿Qué dicen mis educandas? ¿Estáis contentas aquí?

TODAS.—(*A coro*). Sí, señora Marquesa.

MARQUESA.—Cuando os veáis otra vez en el mundo, ¿tendréis la energía necesaria para no caer nuevamente en el delito?

CORO.—Sí, señora Marquesa.

MARQUESA.—(*A* Natacha). Estas mayorcitas son muy juiciosas. Nunca tenemos la menor queja de este pabellón.

SANDOVAL.—Son tres años de permanencia. El buen espíritu de estas muchachas es el mejor elogio de su profesorado.

SEÑORITA CRESPO.—Gracias, señor Secretario.

MARQUESA.—Vuestra nueva Directora quiere ser para vosotras una madre y una compañera más. Ayudadla con vuestro cariño y con vuestra obediencia.

CORO.—Así lo prometemos.

MARQUESA.—Señorita Valdés: ha tomado usted posesión de su cargo. En nombre del Patronato, bienvenida a nuestra casa. (*Le estrecha la mano*). Adiós, muchachas; hasta pronto.

CORO.—Adiós, señora Marquesa.

MARQUESA. — (*Excusando que la acompañe*). Oh, no se moleste.

NATACHA.—¡No faltaba más!

Salen *Marquesa, Natacha* y *Sandoval.* Delante el *Conserje.* La señorita *Crespo*, hasta la puerta. Las educandas aprovechan el momento para trabar su corro de comentarios.

ENCARNA.—¡Qué joven es!

FINA.—¡Y qué guapa!

ENCARNA.—Pero tiene una muela de oro, ¿no os habéis fijado? Y lleva las uñas pintadas. (*Con orgullo*). ¡Como yo! (*Risas*).

SEÑORITA CRESPO. — (*Volviendo*). ¡Silencio!

ENCARNA.—¿Ha visto usted? También la Directora se pinta las uñas.

SEÑORITA CRESPO.—Silencio he dicho. La Directora es la Directora. Allá cada cual con su conciencia. ¡Fila! (*Vuelve* Natacha).

PROFESORA, EDUCANDAS Y NATACHA

NATACHA.—Y bien: ya estamos juntas, amigas. ¿Por qué estáis tan serias, en fila? Vamos, acercaos acá. ¿Cómo te llamas tú?

FINA.—Josefina López Piñero, servidora.

NATACHA.—Pero no lo digas con ese tonillo, mujer. Josefina López. ¿Pepita?

FINA.—Me llaman Fina.

NATACHA.—¿Y qué te gustaría a ti ser, Fina?

FINA.—¿A mí...?

NATACHA.—Si fueras completamente libre, si pudieras hacer lo que quisieras, ¿qué harías?

FINA.—(*Después de una vacilación sonriente*). Cuidar gallinas y conejos. (Encarna *contiene su risa*).

SEÑORITA CRESPO.—¡Señorita Méndez!

FINA.—Las conejas paren siete crías todos los meses. ¡Ochenta y cuatro hijos al año, señorita!

SEÑORITA CRESPO.—¡Señorita López! ¿Qué lenguaje es ése?

NATACHA.—(*Suave*). Déjela. ¿Qué mal hay en ello? Si se dice así... Muy bien, Fina; tú cuidarás conejos. Pero ¿de qué te viene esa afición?

FINA.—No sé... ¡Como en mi casa éramos once hermanos!... A los cinco más pequeños los crié yo. (*Nueva risa contenida de* Encarna).

NATACHA.—¿Qué te pasa a ti? Siempre estás ahí, conteniendo la risa a escondidas. Vamos, ven acá.

ENCARNA.—Yo me llamo Encarna.

NATACHA.—Y tú, Encarna, ¿nunca te has reído con toda tu alma delante de la gente? ¿Quieres reírte ahora? A ver, que te oigamos. (Encarna *empieza conteniendo la risa. Luego estalla en una larga carcajada. Al fin para sin aliento*). Así. ¿Estás más descansada ya?

ENCARNA. — (*Respirando aliviada*). Ay, sí, señorita; muchas gracias.

NATACHA.—¿Y tú? ¿Cómo estás tan callada, con esos ojos tan tristes? ¿Cómo te llamas tú? (*La educanda baja la cabeza*). Vamos, levanta esa frente; sin miedo. ¿Cómo te llamas?

MARIA.—María Expósito.

NATACHA.—(*La mira en silencio. se acerca a ella y le da un beso en la frente*). María es un bonito nombre. Me da el corazón que vamos a ser muy buenas compañeras. Hoy voy yo a empezar pidiéndoos un favor a todas: no me llaméis nunca "señora Directora". No me suena bien... y me parece que hace vieja. ¿Queréis? Me llamo Natalia Valdés. Entre compañeras, Natacha. ¿Os gusta así?

ENCARNA.—¡Sí, así!

FINA.—¡Señorita Natacha!

NATACHA.—Así. Gracias. Vosotras, en cambio, me vais a pedir otra cosa. Algo que yo os pueda dar; y para todas. Siempre hay algo que se echa de menos, que no nos atrevemos a pedir y que a lo mejor es tan sencillo... ¿Queréis pensarlo? ¿Me hace el favor un momento, señorita Crespo? (*La lleva a la mesa, le entrega el ramo para disponer las flores en un cacharro. Se quita el sombrero, etc., con la naturalidad del que toma posesión de su casa. Las educandas, aparte, discuten vivamente en voz baja*). ¿Cuánto tiempo lleva usted en el Reformatorio?

SEÑORITA CRESPO.—Cuatro años.

NATACHA.—¿Y está usted contenta?

SEÑORITA CRESPO.—Creo que cumplo mi deber.

NATACHA.—Bien. Pero ¿está usted contenta?

SEÑORITA CRESPO. — Cuando se cumple el deber se está contenta siempre.

NATACHA.—Oh. La felicito.

ENCARNA.—Señorita Natacha.

NATACHA.—¿Ya está? Di.

ENCARNA. — (*Volviéndose a sus compañeras*). ¿Lo digo?

TODAS.—Dilo, dilo...

ENCARNA. — Señorita Natacha..., Si a usted no le parece mal, nosotras quisiéramos ¡no tener nunca más clase de matemáticas!

NATACHA.—Ah... no os gusta la clase de matemáticas. (*Reflexiona un momento mirando a la profe-*

sora). Perfectamente: no la tendréis nunca más. (*Alegría entre las educandas*).

ENCARNA.—Gracias, señorita.

NATACHA.—Ahora he de hablar un momento con vuestra profesora. ¿Queréis salir entretanto al campo de juegos?

FINA.—¿Solas?

NATACHA.—¿Es que os da miedo?

ENCARNA. — Al contrario. ¡Solas! (*Salen alegremente*).

NATACHA Y SEÑORITA CRESPO

SEÑORITA CRESPO. — Permítame la señora Directora. ¿Es que de verdad piensa usted suprimir en el Reformatorio las matemáticas?

NATACHA.—Las matemáticas, no; las clases.

SEÑORITA CRESPO. — No comprendo...

NATACHA.—Lo comprenderá usted en seguida. Es muy sencillo. (*Pausa*). Parecen muy buenas muchachas todas ellas.

SEÑORITA CRESPO.—Hum. Ya las irá usted conociendo.

NATACHA.—He contado veintinueve en los dos pabellones. ¿Es el total?

SEÑORITA CRESPO. — El total son treinta.

NATACHA.—Entonces... ¿hay alguna enferma?

SEÑORITA CRESPO.—Enferma, precisamente, no. Se trata de la señorita Viñal. Una indomable; el caso más peligroso del grupo. Está en la celda de reflexión.

NATACHA.—(*Dolorosamente sorprendida*). Pero, ¿existe todavía... "eso" que ustedes llaman la celda de reflexión?

SEÑORITA CRESPO.—Sólo en casos extremos. Y por un máximo de cuarenta y ocho horas. Es un castigo previsto en el Reglamento.

NATACHA. — (*Dominándose*). ¿Por qué está aquí esa muchacha?

SEÑORITA CRESPO.—Rebelde y vagabunda. Es incapaz de someterse a ninguna disciplina. Sólo le gusta andar, andar... de día o de noche, sin rumbo.

NATACHA.—¿Y qué falta grave ha cometido ahora?

SEÑORITA CRESPO.—Se ha fugado la otra noche, descolgándose por la ventana con las sábanas. Han tenido que traerla los agentes. Es ya la tercera vez que intenta la fuga, en menos de un año.

NATACHA.—Está bien... Hágala venir.

SEÑORITA CRESPO.—Si la señora Directora lo ordena. (Natacha *afirma con la cabeza. Sale la señorita* Crespo).

NATACHA.—(*Ensimismada*). La celda de reflexión... (*Se tapa los ojos queriendo alejar una imagen cruel. Entra el* Conserje, *espantado y orondo dentro de su magnífico uniforme*).

NATACHA Y CONSERJE

CONSERJE.—Señora Directora. Esas educandas andan sueltas por el jardín. No respetan nada. La señorita Méndez se ha descalzado y se ha puesto a saltar sobre el césped. ¡Un césped como terciopelo! Quince años sin que nadie se atreviera a tocarlo... (*Viendo que no le contesta*). ¿Qué hacemos, señora Directora?

NATACHA.—Estaba pensando lo feliz que será la señorita Méndez, descalza, por ese césped de terciopelo; ¿lo cuidaba usted?

CONSERJE.—A ver; no tenemos jardinero.

NATACHA.—Muy bien. Desde mañana lo cuidará la señorita Méndez. Seguramente para ella será una gran alegría, y un trabajo útil. Una cosa quería pedirle. Tiene usted un uniforme... demasiado espectacular.

CONSERJE.—(*Halagado*). ¿Le gusta).

NATACHA.—No está mal. Las muchachas, en cambio, tienen unos uniformes tan pobres, tan tristes...

CONSERJE.—Es que yo, señora Directora... ¡yo soy el Conserje!

NATACHA.—(*Con imperceptible ironía*). De todos modos. ¿Le sería muy violento descender un poco de categoría¿ ¿Vestirse, sencillamente, de americana?

CONSERJE.—Imposible. ¿Cree usted que de americana me iban a respetar?

NATACHA.—¿Quién sabe? Inténtelo.

CONSERJE. — (*Aterrado*). Pero... señora Directora... Yo he sido cochero de casino; después, lacayo con la señora Marquesa. Y llevo aquí quince años de Conserje... ¡Yo he sentido siempre la dignidad del uniforme!

Entra la señorita *Crespo*. Trae cogida de las manos a *Marga*. Ésta, despeinada, hinchados los ojos de llanto, lucha como una pequeña furia por desasirse.

SEÑORITA CRESPO.—¡Señorita Viñal!

MARGA.—Suelte..., suelte... (*Se desprende violentamente*). ¡Que no me toque nadie! ¡Que no me miren! ¡No quiero ver a nadie! Ya podéis azotarme hasta que os duelan los brazos. Ya podéis atarme. No me dominaréis, cobardes. Me escaparé siempre, me romperé la cabeza contra las paredes..., me morderé las muñecas hasta que me desangre... Vivir aquí, no. ¡Cobardes, cobardes! (*Cae desfallecida en un asiento, en una crisis de hipo y de llanto*).

NATACHA. — (*Serenamente*). ¿Quieren dejarnos solas?

SEÑORITA CRESPO. — Como la señora Directora ordene. (*Sale con el* Conserje).

NATACHA Y MARGA

MARGA.—¿La Directora? Ah, ¿es usted la Directora nueva? Pues ya lo sabe: que me encierren, que me aten. Yo me reiré de vosotras desde los caminos.

NATACHA.—Vamos, pequeña, serénate.

MARGA.—No me toque.- ¿Por qué me encierran? Yo no he hecho mal a nadie. Yo sólo quiero andar, andar... ¿A quién hago daño con eso? ¡Cobardes¡ Cuarenta horas sin sol, entre unas paredes que se tocan con las manos... ¿Y por qué dejan jugar a las otras en el patio? No se puede jugar cuando uno se está pudriendo contra el suelo... oyéndolas reír y viendo volar las golondrinas.

NATACHA.—Calma, muchacha. No llores más. No volverá a ocurrir.

MARGA.—Sí, mimos de gata ahora. Ya conozco eso. Todas las Directoras nuevas dicen lo mismo.

NATACHA.—Ea, tranquilízate. Seamos amigas. ¿A ti te gusta andar? A mí también. Nos iremos juntas por el monte; traeremos a la noche hojas y ramos verdes. Hemos de ser grandes amigas, te lo juro. ¿Cómo te llamas?

MARGA.—Marga.

NATACHA.—¿Margarita?

MARGA.—¡Marga! Mírelo en la celda: lo he escrito por todas las paredes para que no se olvide. ¡Marga, Marga, Marga! En la celda es lo único que se puede hacer. Allí hay otros nombres. Uno, grande, clavado con las uñas en la pared. ¡Natacha!

NATACHA.—(*Cierra los ojos un momento*). Los borraremos. Esta misma mañana vamos a hacer tú y yo un cubo de cal; blanquearemos bien esas paredes; que no quede rastro. Luego, cerraremos la puerta y tiraremos la llave al estanque. Yo te prometo que esa celda no volverá a abrirse más.

Ven, Marga... (Marga *se aparta, esquiva aún*). No aprietes así la boca... Tan bonita como eres. Recógete ese pelo; lávate las lágrimas. Esta tarde saldremos juntas; andaremos cantando hasta que no podamos más. (*Llevándola suavemente de la cintura*). Verás qué bien sabe después volver a casa. Y dormir en la cama fresca, con las ventanas abiertas, mirando las estrellas... (*La lleva así hasta la puerta. Sale* Marga. Natacha *se vuelve para recibir a las otras educandas que entran en tropel por el lado opuesto*).

ENCARNA.—¡Señorita Natacha!

NATACHA.—Qué, ¿os habéis cansado ya? Luego, en la mesa, tendremos que hablar. Se me está ocurriendo una cosa.

FINA.—¿Qué, señorita?

NATACHA.—No me gustan esos uniformes negros, tan tristes. Si no resultara muy caro, podríamos tener otros. Iríamos mañana a Madrid, por la tela. Si cada una se comprometiera a hacerse el suyo... (*Sale*).

EDUCANDAS, DESPUÉS, MARGA

ENCARNA.—¡Vestidos nuevos!

FINA.—Pero yo no sé cortar.

ENCARNA.—Yo te ayudo. ¿Cómo los queréis?

MARÍA.—Azules.

FINA.—¡Blancos, blancos, que es como se ve si están limpios!

MARÍA.—¿Qué podrá costar?

ENCARNA.—Somos treinta..., a tres metros. Un buen percal puede encontrarse a una sesenta y cinco... Espera.

Hacen grupo en torno a la mesa rodeando a *Encarna*, que prepara lápiz y papel. Vuelve *Marga*.

FINA.—(*Corriendo a ella*). ¡Marga! ¡Por fin!... ¿Has visto a la nueva Directora? Es más guapa..., más buena... Me ha prometido que me dejará criar conejos y gallinas. Además, ¿sabes? ¡Nunca más tendremos clase de matemáticas!

MARGA.—¿De verdad?

FINA.—¡Nunca más!... ¡Y vamos a tener vestidos nuevos..., blancos...! ¡Mañana iremos a Madrid a comprar la tela!...

Marga se ilumina feliz. Corre a la pizarra y escribe en letras grandes: ¡Abajo las matemáticas! Entretanto, las demás hacen su trabajo.

ENCARNA.—Noventa, a una sesenta y cinco. Nueve por cinco, cuarenta y cinco.

FINA.—(*Corriendo allá*). Y llevo cuatro. Nueve por seis, cincuenta y cuatro...

MARÍA.—Y cuatro, cincuenta y ocho...

Natacha, desde la puerta, sonríe contemplando la escena.

TELÓN DE CUADRO

CUADRO SEGUNDO

En el mismo lugar, algún tiempo después. Ha desaparecido la pizarra. Las educandas, a partir de este cuadro, visten sencillas batas blancas, alegradas con algún discreto adorno; con ligeras diferencias, pero sin uniformidad. Lo mismo en zapatos y peinados.

En escena la señorita *Crespo* como en el cuadro anterior y el *Conserje*, dentro de su soberbio uniforme. Pasa *Fina* hacia el jardín.

CRESPO, CONSERJE Y FINA. LUEGO ENCARNA

SEÑORITA CRESPO.—¿Qué lleva usted ahí, señorita López? ¡Más arroz! ¿A quién ha pedido usted permiso?

FINA.—Es para los pollitos, ¿no los ha visto usted? Catorce, señorita, han salido del cascarón esta mañana.

SEÑORITA CRESPO.—Pero, ¿a quién

ha pedido usted permiso para coger ese arroz?

FINA.—No era para mí.

SEÑORITA CRESPO.—No era para usted. Pero, ¿a quién ha pedido permiso?

FINA.—(*Confusa*). A nadie.

SEÑORITA CRESPO. — Muy bonito. Usted creerá que no tiene importancia. Pero no me da buena espina sorprenderle otra vez esas mañas. Recuerde usted por qué la han traído al Reformatorio.

FINA.—Perdón...

SEÑORITA CRESPO.—Que no vuelva a ocurrir.

FINA.—Los pollitos son preciosos..., tan pequeños... ¿Quiere usted venir a verlos?

SEÑORITA CRESPO.—No tengo tiempo para ocuparme de gallinas. (*Entra* Encarna *con una regadera. La deja un momento para arreglarse el pelo ante un espejo que saca del pecho*). ¿Y usted, señorita Méndez? Le he ordenado copiar cien veces el verbo "obedecer". ¿Lo ha hecho?

ENCARNA.—No he tenido tiempo aún. A la tarde lo haré. Ahora tengo que regar mi césped. ¿Cuántos han salido, Fina?

FINA. — Catorce, ¡tan menuditos, tan amarillos! Verás. (*Salen juntas sin oír a la profesora*).

SEÑORITA CRESPO.—¡Señorita Méndez! ¡Señorita Méndez!... (*Se vuelve consternada al* Conserje). ¿Ha visto usted, Francisco? ¡Esto se hunde! No hay disciplina, no hay respeto al profesorado.

CONSERJE.—Dígamelo usted a mí. Yo ya no me atrevo a mandar nada. ¿Para qué? Y como la señora Directora se empeñe en vestirme de americana, tendré que marcharme. ¡Qué sería de mí, sin uniforme, entre estos bárbaros!

SEÑORITA CRESPO.—Aquí no hace cada uno más que lo que le gusta. Si las cosas siguen así, esto, más que un Reformatorio, va a parecer una colonia de vacaciones. Y desde que las comidas y los recreos se hacen en común con los muchachos, peor. Esos chicos son unos salvajes. Acabarán por quitar a nuestras educandas la poca delicadeza de mujer que les quedaba.

Se oyen gritos y llanto fuera. Entra *Fina*, seguida de *Juan*, un muchachote de dieciocho años, violento y sano: en seguida, *Natacha*.

CRESPO,
CONSERJE, FINA, JUAN Y NATACHA

SEÑORITA CRESPO.—¿Qué gritos son ésos?

FINA.—Me ha pegado..., me ha tirado al suelo. Mírele qué valiente.

NATACHA.—¿Qué ha sido eso, Juan?

JUAN.—No la he pegado; la he empujado nada más. Yo pasaba por mi sitio.

FINA.—Pero estaban los pollitos; los hubiera aplastado el muy bárbaro.

JUAN.—Los pollos estaban estorbando; el camino es para pasar. Y esta tonta se me pone delante, hecha una furia, sacando las uñas... ¡Como si fuera ella la gallina! Entones le di un empujón, y pasé. Eso es todo.

NATACHA.—Déjanos, Fina. No ha sido nada, ¿verdad? Vuelve a tus pollitos. (*Sale* Fina. Natacha *se dirige a* Juan. *Le pone familiarmente una mano en el hombro*). ¡Le has pegado! ¿Y no te da un poco de rubor, Juan? Tú, tan fuerte, pegar a una muchacha...

JUAN.—Tiene usted razón; nunca se debe pegar a una muchacha... Pero... ¡es que no había ningún chico por allí cerca!

NATACHA.—Ni a los chicos tampoco. ¿Es que necesitas sin remedio pegar a alguien?

JUAN.—A veces, sí. No sé lo que

me pasa. Tengo tanta sangre, que no sé qué hacer con ella.

NATACHA.—Lo que podías hacer es un gallinero. Realmente esos pollos no están bien en el jardín. ¿Tú sabes clavar, serrar madera?...

JUAN.—¡Ya lo creo! Es muy fácil.

NATACHA.—En el almacén hay tablas y tela metálica. ¿Quieres hacerlo? Es la mejor satisfacción que puedes dar a Fina.

JUAN.—(*Ilusionado*). ¿Hacer un gallinero? Ahora mismo.

NATACHA.—Ábrale el almacén, Francisco. Y si quiere usted ayudarle...

CONSERJE.—¿Yo, señora Directora?

NATACHA.—A su gusto.

CONSERJE.—(*Con un gesto de cómica resignación*). Andando. (*Salen*).

NATACHA Y SEÑORITA CRESPO

SEÑORITA CRESPO. — Ese muchacho nos dará un disgusto serio. Es el matón de la casa; no hay un solo compañero que no tenga cardenales suyos.

NATACHA.—Por eso está aquí. Pero no es caso perdido. Juan acabará siendo un hombre útil. Lo que le sucede, acaba él de decirlo a su manera: "tiene tanta sangre, que no sabe qué hacer con ella". Procuremos tenerlo siempre ocupado en algún trabajo. Lo único que necesita ese muchacho es fatigarse. (*Pausa*). ¿Qué iba usted a hacer ahora?

SEÑORITA CRESPO.—He de dar mis clases.

NATACHA.—Deje las clases; ya llegaremos a eso. Las educandas están ocupadas en la huerta. ¿Por qué no va usted allá? Hable con ellas, interésese por sus cosas...

SEÑORITA CRESPO.—Como la señora Directora ordene.

NATACHA.—Siempre la señora Directora. Así no haremos nada. Yo le pido a usted colaboración, y usted sólo me da obediencia.

SEÑORITA CRESPO.—Yo no discuto nunca a mis superiores. Lo que sí tengo el deber de advertirle es que la disciplina de la casa está gravemente quebrantada. Aquí son los muchachos los que se toman toda iniciativa.

NATACHA.—Es la servidumbre de nuestra profesión. Hoy la educación no admite más esclavos que los maestros.

SEÑORITA CRESPO.—Si ellos supieran regirse, bien. Pero las clases están abandonadas. Sólo trabajan en lo que les gusta.

NATACHA.—Pero trabajan todos. ¿Y no ha observado usted que, con tan poca cosa, son felices? Pues siendo así, tranquilícese. La obra de reforma moral que esperamos, vendrá por ese camino. (*Acompañándola hasta la puerta*). Vaya con ellos. Si les oye reír, alégrese usted también. Y créame, señorita Crespo: sin un poco de felicidad, o se es un santo, o no se puede ser bueno. (*Sale la señorita* Crespo. Natacha *va a la mesa; toma del fichero una carpeta, repasa varias fichas y queda contemplando una*: *es la suya. Lee como para sí*). "Natalia Valdés..., carácter melancólico y huraño..., rebelde peligrosa...". (*Vuelve el* Conserje).

NATACHA Y CONSERJE

CONSERJE.—Ya está ese muchacho trabajando. No quiere que le ayude nadie.

NATACHA. — Acérquese, Francisco. Le he rogado varias veces que prescinda usted de ese uniforme. ¿Por qué no quiere hacerme caso?

CONSERJE.—Es que, señora Directora..., hay que conocer un poco a estos chicos. Por ejemplo: arman un escándalo en el patio;

yo me acerco, y me pongo así. (*Un gesto de gallarda autoridad*). Esto, de americana, no resulta.

NATACHA.—Perfectamente. No se ponga usted así.

CONSERJE.—¡Ah! Y si yo no me pusiera así, ¿qué sería del Reformatorio?

NATACHA.—Vamos a ver si nos entendemos. ¿Quiere usted que le cuente una vieja historia de esta casa?

CONSERJE. — ¿Una historia? Muy bien.

NATACHA.—Hace años vivía aquí una muchacha... melancólica y huraña. En el jardín había entonces un césped de terciopelo, que no se podía tocar. Lo custodiaba una especie de dragón fabuloso: un conserje multicolor, con un magnífico uniforme. Era un tirano: cuando aquel uniforme tosía en el patio, temblaba todo el Reformatorio. Una vez, la muchacha no pudo resistir la tentación. Era de noche; bajó descalza y se puso, a la luna, a bailar encima del césped. Pero la vio el conserje, y para asustarla, azuzó contra ella el mastín de la huerta.

CONSERJE.—(*Nervioso*). ¿El mastín? Je, Je... ¿Qué bárbaro, eh?

NATACHA.—Mucho. El mastín no mordía; eso ya lo sabía el conserje, claro; pero la muchacha, no. Y al verlo abalanzarse sobre ella, la impresión fue peor que una dentellada. Tuvieron que llevarla desmayada a su cuarto. Durante mucho tiempo la pobre tuvo pesadillas atroces; se despertaba sobresaltada, gritando; soñaba que la destrozaba a mordiscos un enorme mastín con gorra de conserje. La cosa no pasó de ahí. Pero a aquella muchacha le quedó para siempre un invencible horror hacia el césped que no se puede tocar, y hacia los grandes uniformes. (*Mostrándole la ficha*). ¿La recuerda usted?

CONSERJE. — Señorita Natacha... ¡Perdón!

NATACHA.—Oh, ya pasó, Francisco, ya pasó. Esté usted seguro de que la pobre Natacha no volverá a recordar esto nunca más. Pero... ¿se quitará usted el uniforme?

CONSERJE.—Sí, señorita, sí. Mañana mismo me verá usted sin él. (*Inicia el mutis*). Y no tenga miedo: el mastín ya murió el año pasado.

Sale. *Natacha* hace unas indicaciones en las fichas. Entra *Don Santiago*.

NATACHA Y DON SANTIAGO

DON SANTIAGO.—¿Qué dice mi pequeña doctora?

NATACHA. — (*Corriendo hacia él*). ¡Tío Santiago! (*Se abrazan*). ¿Solo?

DON SANTIAGO.—¿No han llegado aún tus compañeros? Pues no tardarán. Esperaba encontrarlos aquí.

NATACHA.—Tres meses separados. ¿Qué tal ese crucero por el Mediterráneo?

DON SANTIAGO.—Magnífico; ya te contarán, ya te contarán.

NATACHA.—¡Cuánto les he echado de menos!

DON SANTIAGO.—Y cuánto te hemos recordado nosotros. En todos los puertos... "Si Natacha estuviera aquí... Natacha hubiera dicho... ¿Qué será de Natacha?"... ¡Siempre nuestra Natacha!

NATACHA.—¿Flora?...

DON SANTIAGO.—Feliz; es una chiquilla con la vida en la mano.

NATACHA.—¿Mario?...

DON SANTIAGO.—Tan serio siempre, dentro de sí mismo.

NATACHA.—¿Y Lalo?

DON SANTIAGO.—Lalo... (*La mira sonriente*). Lalo es un gran muchacho. Un torrente. El alma del viaje. Dime, Natacha...; ¿qué hay entre Lalo y tú?

NATACHA.—¿Por qué?

DON SANTIAGO.—¡Te recordaba tanto! Sus palabras siempre venían a caer aquí. Cuando decía "Natacha", parecía una caricia. ¿Qué hay entre vosotros?

NATACHA.—Oh, nada... Lalo cree que está enamorado de mí. Pero seguramente se engaña. Está enamorado de la vida entera, y acaricia lo que tiene más cerca. ¿Viene él también?

DON SANTIAGO.—¡Cómo iba a faltar él! Y con una promesa cumplida. ¿Recuerdas su idea del Teatro estudiantil? Ya está en marcha. En las horas de alta mar lo han ultimado y ensayado todo. El domingo os darán aquí su primera fiesta.

NATACHA.—¡Aquí! ¡Qué alegría para estos muchachos!

DON SANTIAGO. — Así lo espero. ¿Qué, y de tu vida? ¿No me cuentas nada?

NATACHA.—Ahora. También de eso tenemos mucho que hablar. Estoy llena de dudas, de vacilaciones.

DON SANTIAGO.—¿Tú?

NATACHA.—Al principio todo me parecía sencillo. Veo claramente adónde quiero ir. Pero los medios..., este pequeño problema de cada día... Venga conmigo; vea los talleres, la huerta. Ahora están todos trabajando. Véalos vivir...

Han salido con estas palabras. La escena sola un momento. Entra *Marga*. Toma una silla y abre sobre sus rodillas un atlas en el que va siguiendo con el dedo viajes imaginarios. Aparece *Juan*, en mangas de camisa, con una sierra en la mano.

MARGA Y JUAN

JUAN.—Señorita Natacha... ¡Marga!

MARGA.—Buenos días, Juan. ¿Trabajando?

JUAN.—Nada, una chapuza. ¿Qué haces tú ahí sola?

MARGA.—Viajo.

JUAN—¿Viajas?

MARGA.—Por este atlas; me lo dio la señorita Natacha para eso. ¿Ves? Aquí está el mundo entero. Mira. (Juan *se arrodilla a su lado, en el suelo*). Ésta es España; y esto azul, el mar. Lee ahí: "Mar Mediterráneo". ¿No sabes leer?

JUAN—(*Avergonzado*). No. (*Reacciona*). No sé porque no quiero; no creas que soy tonto. Si yo quisiera... Bah, leer sabe todo el mundo.

MARGA.—¿No fuiste nunca a la escuela?

JUAN.—De pequeño... una tarde.

MARGA. — ¿Una tarde sólo? Poca cosa habrás podido hacer en una tarde.

JUAN.—Poca cosa, sí; rompí dos cristales. (*Contemplando un dibujo del atlas*). Oye, ¿qué bicho es éste que hay aquí pintado?

MARGA.—Un hipopótamo... ¿De qué te ríes?

JUAN.—Me estaba fijando en que se parece al conserje.

MARGA.—Sí se parece, sí. (*Ríe también*). Mira; los hipopótamos viven aquí, en el agua. Y a la derecha de los hipopótamos empieza Asia. ¿Ves esto rojo? Hay ríos muy grandes, serpientes venenosas y casas de bambú. Es la India.

JUAN.—(*Va repitiendo casi imperceptiblemente*). La India...

MARGA.—Después, la China. Todo el suelo está sembrado de arroz. Los chinos andan descalzos, con túnicas amarillas, y van todos tirando de un cochecito con un inglés dentro.

JUAN.—La China...

MARGA.—Y luego el Japón. Aquí. Unas islas llenas de crisantemos blancos. Las mujeres llevan un lazo atrás y sombrillas de colores. Los hombres no hablan casi nunca; y cuando se ponen tristes, se abren la barriga con un sable. Eso se llama el "harakiri".

JUAN—¿El qué?

MARGA.—El "harakiri". Una cosa romántica.

JUAN. — (*Sinceramente admirado*). ¡Cuántas cosas sabes, Marga! (*Le coge una mano con emocionada ternura*). Y qué bonita eres..., qué bonita eres... (*Aparece el* Conserje).

DICHOS Y CONSERJE

CONSERJE.—¡Preciosa escena!

JUAN.—(!El hipopótamo!).

CONSERJE.—Es eso todo lo que trabajas?

JUAN.—Voy. (*Se acerca a él, achulado y burlón*). Salud, maestro. ¡Qué espléndida barriga para hacerse el "harakiri"!

CONSERJE.—¿El qué?

JUAN.—El "harakiri"... ¡Rrrsss! ¿Qué sabe usted de romanticismos?...

Sale con su herramienta. El *Conserje* detrás. *Marga*, a solas con su atlas. Pausa. Se pasa una mano por la frente. Se reclina hacia atrás, cerrando los ojos. Se le cae el atlas. Llama, fuera, *Natacha.*

NATACHA Y MARGA

NATACHA.—Marga, Marga. (*Entra y acude a ella, sorprendida*). ¿Qué es eso, Marga? ¿Qué te ocurre?

MARGA.—(*Vuelve en sí*). ¿Me he dormido?

NATACHA.—¿Estás mal? Tienes frías las manos... ¿Qué es esto, Marga?

MARGA.—(*Con miedo repentino*). Señorita Natacha... ¡Yo no quiero morir! ¡No quiero morir!

NATACHA.—(*Inquieta*). Pero, ¿qué tienes?

MARGA.—¡Tan hermoso como es el mundo! No deje usted que me muera, señorita.

NATACHA.—Tranquilízate, niña. ¿Quién habla de muerte? Ha sido un desvanecimiento sin importancia. Estás débil, no comes apenas. ¿Qué te pasa?

MARGA.—No puedo; no resisto las comidas. Me dan mareos todos los días.

NATACHA.—¿Cómo no me habías dicho nada?

MARGA.—Creí que pasaría... Pero tengo miedo; me faltan las fuerzas.

NATACHA.—¿Desde cuándo te sientes así?

MARGA.—Hace tiempo ya. Empecé poco después de volver al Reformatorio.

NATACHA.—¿Cuándo yo llegué? Recuerda eso, Marga. Dime todo lo que ocurrió entonces. ¿Por qué te escapaste? ¿A dónde fuiste? No me ocultes nada.

MARGA.—Me escapé porque quería andar, andar... Quería volver a la ciudad; ver las luces y los escaparates. Era más de medianoche. Cogí flores en un jardín y seguí andando con mis flores. Detrás de unos cristales había hombres y mujeres cenando. Me llamaron. —¿Cuánto valen esas flores? —No las vendo; las robé para mí. Se rieron. —¿Quieres sentarte con nosotros? Ellas iban muy pintadas; ellos tenían trajes negros, con solapas de seda. Me senté. Bebimos champán. Yo no lo había bebido nunca; se tiene en un cubo de hielo y se coge con una servilleta. Era gente muy simpática. El champán pica en las narices, pero hace reír. Luego, me llevaron en un auto. Yo iba detrás, con el más guapo, y una muy rubia, casi blanca. Creí que eran novios; pero no, él no quería más que besarme a mí. Yo me reía siempre; pero me dolía la cabeza; todo me daba vueltas. ¡Hacía tanto calor! Me preguntó él. —¿Cuántos años tienes? —Diecisiete. Entonces ella decía por lo bajo: —Cuidado, Enrique, cuidado. Después, ya no sé. Cuando me desperté, me habían dejado sola, entre la yerba, en un pinar de Guadarrama. Me dolía todo el cuerpo... Apenas podía andar... Fue cuando me trajeron los agentes. (*Desfallece de nuevo*). Otra vez el mareo...

NATACHA.—(*Le sostiene la frente. Pronuncia apenas entre dientes*). Canallas... Canallas...

TELÓN DE CUADRO

CUADRO TERCERO

En el mismo lugar. Hay preparativos de fiesta. *Juan* y otro par de muchachos acaban de colocar una cortina que cierra en cuadro la pérgola, transformándola en tabladillo hábil para representación de una farsa. Delante de la cortina, quedará un espacio para la actuación del prólogo.

El *Conserje*, sin uniforme, trae sillas, que *María* y *Encarna* van colocando delante del pequeño escenario, de espaldas al público. *Natacha* y la señorita *Crespo* dirigen la instalación, atendiendo a todos.

JUAN.—Esto ya está.

NATACHA.—¿Corre bien? (Juan *hace jugar la cortina*). Así, muy bien. Esas sillas, aquí. Trae más, Encarna; del comedor.

Entran corriendo *Marga* y *Fina*.

MARGA.—¡Ya están ahí los estudiantes!

FINA.—Son los títeres, señorita. ¡Traen un oso!

MARGA. — Vienen cantando en un carromato. Mírelos, señorita; van a entrar en el jardín.

NATACHA.—Avisa a todos, María. (*La llevan de las manos*).

SEÑORITA CRESPO.—(*Al* Conserje). Los títeres... Era lo que nos faltaba.

CONSERJE. — Resignación, señorita Crespo. Los estudiantes llegan. Dentro de poco, no quedará en esta casa piedra sobre piedra.

Entra *Lalo*. Viste de poeta romántico, chalina desbocada, fraque verde, chistera de terciopelo.

CONSERJE, SRITA. CRESPO Y LALO. LUEGO, NATACHA

LALO.—Nadie en el jardín, nadie en el umbral... Ah, de la hostería. (*Entra*).

SEÑORITA CRESPO.—¿Qué voces son ésas? ¿Quién es usted?

LALO.—Capitán de mar y tierra de la poesía estudiantil. Abajo está mi retablo; son los osos románticos, los húngaros trashumantes, los lobos y los zorros fabulistas... ¿Puedo soltarlos aquí, hermosa dama?

SEÑORITA CRESPO. — (*Intentando una sonrisa*). Je...

LALO.—No, si no le ha hecho gracia no se ría; es lo mismo. (*Al* Conserje). ¡Oh, ilustre cancerbero! ¿Qué decadencia es ésa? El otro día tenía usted un caparazón más decorativo.

CONSERJE.—(*Con el mismo gesto de la señorita* Crespo). ¡Je!...

LALO.—(*Viendo llegar a* Natacha). ¡Natacha! A mis brazos...

NATACHA.—Gracias, Lalo. Ya me parecía que tardabais. (*Van entrando muchachos y muchachas*).

LALO.—¿Está todo dispuesto?

NATACHA. — El tablado, sí. Mira. ¿Está bien así?

LALO.—Pluscuamperfecto.

NATACHA.—¿Necesitáis algo más? Pinturas, vestuario...

LALO.—Nada; todo está resuelto en nuestro carromato. Podemos empezar cuando queráis.

NATACHA.—¿Ya?... Que vengan todos.

LALO.—Sentaos, muchachos. Y que silbe el que quiera, que salte al tablado el que quiera; se admiten improvisaciones. No os pedimos ni perdón ni silencio. Alegría, sí. (*Levanta la mano anunciando*). Atención: el Teatro estudiantil va a representar la "Balada de Atta Troll". Un momento. (*Sale*).

Han ido entrando todos los educandos y se sientan comentando en voz baja. *Natacha* entre ellos. La señorita *Crespo* y el *Conserje*, en pie, un poco aparte. Se apagan las luces del escenario y se ilumina el tabladillo de la pérgola. En la balada, *Lalo* es el "Poeta"; *Flora*, "Mumma", y *Mario*, "Atta Troll". *Rivera*, *Aguilar* y *Somolinos* hacen el resto de los papeles a juicio del director de escena.

BALADA DE ATTA TROLL

Suena dentro una música —dulzaina y tamboril— de títeres de gitanos. El *Poeta* salta al tabladillo por delante de la cortina.

POETA.—Alegría, muchachos,
que llegan los gitanos,
a la una, a las dos y a las tres.
A la una:
que llegan los gitanos de cobre y aceituna.
A las dos:
que traen el pandero y el oso y la canción.
A las tres:
que llegan los gitanos y marchan otra vez.
¡Que llegan los gitanos!
¡Que se van otra vez!
Alegría, muchachos;
¡a la una, a las dos y a las tres!

Corre la cortina. Plaza en una aldea del Pirineo francés. En escena, el *Húngaro* con pendientes y anillos: Atta Troll, oso rubio, con cadena al cinto, y la osa Mumma detrás de su pandero redondo. Realista el disfraz de Atta; graciosamente estilizados los demás. Pintados en las ventanas caras risueñas, geranios y banderolas.

HÚNGARO.—Ruede el pandero, grite la gaita;
¿quién no da dos cuartos
por ver esta danza?
Hombres, mujeres, mocitas en flor;
¿quién no da dos cuartos
por ver a Atta Troll?

He aquí a Atta Troll en persona, y a Mumma, su compañera. Atta Troll es un oso alemán educado en España. Gran bailarín, marido fiel y serio como un senador. No tiene más defecto que su sangre, romántica y judía. Por eso le gustan las canciones tristes, la cerveza y la luna. Toque el que quiera; no muerde. ¡Hombres, mujeres, mocitas en flor; a la salud de todos! ¡Baila, Atta Troll! (Atta *baila al palo.* Mumma *canta golpeando el pandero*).

MUMMA.—La luna de Roncesvalles
lava el pañuelo en la fuente;
lo lava en el agua clara,
lo tiende en la rama verde.
Ay, la-la-la. Ay, la-la-la.
Ay, la-la-la. Ay, la-lá.

POETA.—(*Desde fuera, acercándose al tabladillo*).

Atta Troll, ¿eres tú?
Tú, el rey de las montañas,
galán de Roncesvalles,
señor de nieves altas.
¿Tú, risa de las ferias,
danzarín de barraca?
Rompe el hierro, Atta Troll...
¡El oso, en la montaña!...

HÚNGARO.—Atta Troll es único en su arte. Los hombres le admiran; las mujeres le lanzan miradas ardientes. Pero Atta Troll es un enamorado fiel; sólo le gusta su compañera Mumma, la perla de Roncesvalles. Ahí la tenéis, pura y limpia como una azucena de cuatro patas. ¿A quién quieres? Dilo tú, Atta Troll.

ATTA.—(*De rodillas*). ¡Mumma!

POETA.—Rompe el hierro, Atta Troll,

la montaña te aguarda.
Allí el gruñido verde
y la verde retama
y la luna torcaz de los pinares
y el pasto fresco de las nieblas altas.
Rompe el hierro, Atta Troll...
¡El oso, en la montaña!

HÚNGARO.—Hombres, mujeres, mocitas en flor;
que siga la danza
del rubio Atta Troll.
Ay, la-la-la. Ay, la-la-la.
¡Baila, perro judío!

ATTA.—¡¡No!! (*Hace frente al palo. Se arranca con un rugido la cadena, y saltando al escenario huye por entre las educandas asustadas*).

POETA.—¡Libre!

HÚNGARO.—Aquí, Atta. ¡Ah, oso maldito!... Hijo de contrabandista.

MUMMA.—Atta... Atta Troll...

HÚNGARO. — (*Volviendo su látigo contra ella*). ¡Calla! ¡Calla tú! (*Ciérrase la cortina*).

POETA.—No temáis. Quietos. Siéntense todos. Atta Troll ha conquistado su libertad. Por la roca brava, mordiendo flor de ginesta y aire libre, ha vuelto a Roncesvalles. Su grito retumba en los puertos de leyenda como el cuerno de Roldán. Ahora lo veréis en su cubil caliente, con sus oseznas, gordas y rubias como hijas de pastores protestantes.

Suena de nuevo la dulzaina. Un redoble de tambor y se corre la cortina. Aparece el cubil de Roncesvalles. *Atta*, sentado en el suelo, habla a sus oseznas de juguete.

ATTA.—Sí, hijas mías. El oso, en la montaña. Abajo, en las ciudades, los hombres. Son débiles y verticales; pero tienen una terrible inteligencia para hacer daño. Se creen superiores a nosotros porque cuecen la carne antes de comerla. Pero un día nos rebelaremos contra ellos y los arrollaremos. Entonces todos seremos libres. Y hasta los judíos tendrán derechos de ciudadanía, como los demás mamíferos. (*Pausa. Nostalgia*). Y sin embargo... Las ciudades son hermosas, con luminarias y violines. Las ferias tienen caminos de olivos. Y se danza entre los ojos de las mujeres... ¿Qué será de mi pobre Mumma, cobarde y sola cantando? (*Recuerda*):

La luna de Roncesvalles
lava el pañuelo en la fuente,
lo lava en el agua clara,
lo tiende en la rama verde.
Ay, la-la-la. Ay, la-la-la.
Ay, la-la-la. Ay, la-lá.

Repiten el estribillo las educandas. Por detrás del tabladillo aparecen el *Húngaro*, el *Lobo* y el *Zorro*. El *Lobo* con una ballesta, el *Zorro* con gafas leguleyas y un gran libro. Traen atada a *Mumma.*

HÚNGARO. — ¿Habéis oído cantar? Su cueva está cerca.

LOBO.—Pero Atta Troll es fuerte.

ZORRO.—Detengámonos. Lo importante es buscar una fórmula.

HÚNGARO.—No hay fórmulas. Me dejó en la miseria y debe morir. Tengo derecho a su piel.

LOBO.—Yo tendré su carne.

ZORRO.—Y yo os absuelvo en nombre de la ley. Atta es un oso demagógico y libertario. Hágase justicia. (*Abre su libro*). Artículo ciento cuarenta y ocho.

POETA.—¡Atención, Atta Troll!
El hombre y el lobo y el zorro te buscan;
el hombre y el lobo y el zorro te matarán.
El hombre trae la codicia,
el lobo trae el cuchillo,
y el zorro, el código penal.

HÚNGARO.—Subamos a su cubil.

LOBO. — Peligroso. Atta Troll es fuerte.

ZORRO.—Calma; cuando podáis hacer una cosa a traición, no la intentéis de frente. ¿Para qué tenemos aquí a Mumma? Atta Troll la quiere. Que ella lo llame, y él mismo vendrá a caer en nuestras manos. Yo os juro que no hay animal más estúpido en este mundo que un oso enamorado.

HÚNGARO.—(*Amenazando con el látigo*). ¿A quién quieres tú, Mumma? ¡Dilo!

MUMMA.—(*Débil*). Atta Troll...

HÚNGARO.—¡Más!

MUMMA. — Atta Troll... (Atta Troll, *que se había tendido en el cubil, se levanta de pronto*).

ATTA.—¿Quién llama? ¿Quién me golpea esta sangre, caliente de recuerdos?

HÚNGARO.—(*Retorciéndole los brazos*). ¡Dilo más fuerte! ¡Grítalo!

MUMMA..—Atta... ¡Atta Troll!

ATTA.—¡Es su voz!

POETA.—No salgas. ¡Es la traición, es la muerte!

ATTA.—Y qué importa, si es ella. Si toda la montaña me huele a ella. (*Asomándose*). ¡Mumma! ¡Aquí, Mumma! (*Entonces el lobo dispara su ballesta y se esconden todos*).

HÚNGARO.—¡Tira!

LOBO.—¡Cayó!

POETA.—Malditos, lobos y zorros
que engañáis con el amor.
En el val de Roncesvalles
lo mataron a traición,
al pie de la fuente fría,
al pie del espino en flor...
En el val de Roncesvalles
¡murió cantando Atta Troll!

ATTA.—(*Cae lentamente*). Ay, la-la-la. Ay, la-la-la.
Ay... ¡Mumma!

Cortina. Los educandos aplauden. Se hace el oscuro en el tabladillo y se encienden nuevamente las luces del escenario. *Lalo* recoge en el pandero las flores que las muchachas se quitan del pelo y *Atta Troll* saluda desde el tablado.

LALO.—Una flor, mocitas. Para los osos románticos, para los poetas, para los estudiantes. (*A* Marga). ¡Gracias, cara de siempre novia!

CONSERJE.—(*Que ha salido un momento al terminarse la representación, vuelve nervioso*). ¡Señorita Natacha!... ¡La señora Marquesa!... ¿Qué dirá si me encuentra así?

Expectación. Circula la noticia y se inicia la desbandada. Los muchachos los primeros, llevándose las sillas. El *Conserje* también.

LALO.—(*A* Natacha). ¿Barco enemigo?

NATACHA.—Es la Presidenta del Patronato. Quietos. ¿Por qué os vais? La señora Marquesa tendrá el mayor gusto en presenciar nuestra fiesta. (*Entra la señora* Marquesa *acompañada de* Sandoval).

DICHOS, MARQUESA Y SANDOVAL

MARQUESA.—Señora Directora...

EDUCANDAS.—Buenas tardes, señora Marquesa.

MARQUESA.—Buenas tardes, muchachas. ¿Qué carromato he visto a la puerta, señorita Valdés?

NATACHA.—Es el teatro de los estudiantes. En este momento acaban de presentarnos una balada de Heine.

MARQUESA.—(*Con un grito de espanto al ver, de pronto, al oso junto a sí*). ¡Oh!... ¿Qué significa esto?

NATACHA. — Son mis compañeros. (*Presentando*). Mario Ferrán, licenciado en Ciencias Naturales. (Mario *se quita la cabeza para saludar y le tiende la mano, que ella acoge con reservas*). Lalo Figueras...

LALO.—Estudiante siempre. Herido tres veces en San Carlos.

MARQUESA. — (*Nerviosa, sintiendo un poco ridícula la situación*). Muy pintoresco..., muy pintoresco... ¿Podemos pasar a su despacho, señorita Valdés?

NATACHA.—No es preciso. (*A los estudiantes*). ¿Queréis dejarnos un momento? Señorita Crespo... (*Sale ésta con las educandas*).

SANDOVAL.—(*A* Lalo). ¡Oh, el profesor de optimismo!... ¿Qué, se ha comprado usted ya su paraguas rojo?

LALO.—¿Quién piensa en eso? Ahora soy poeta. Que es una ciencia tan inútil como la Medicina; pero mucho más divertida. Hasta siempre, don Félix. (*Han ido saliendo todos*).

MARQUESA, NATACHA Y SANDOVAL

MARQUESA. — Perdone mi falta de oportunidad. No tenía noticias de esta fiesta.

SANDOVAL.—¿Puedo retirarme, señora Presidenta?

MARQUESA.—No, usted quédese, se lo ruego. (*Pausa embarazosa*). Señorita Valdés... He de hablarle en nombre del Patronato..., una misión delicada. Se trata de su actuación al frente del Reformatorio.

NATACHA.—Ruego a la señora Presidenta que hable sin el menor reparo.

MARQUESA.—Hasta el momento, su labor sólo merece plácemes. Yo lo comprendo..., usted tenía que atraerse a las muchachas... Sin embargo —perdóneme que se lo advierta—, ¿no habrá ido usted demasiado lejos en sus concesiones?

NATACHA.—No comprendo.

MARQUESA.—Descendamos a algunos detalles. Las educandas se han acostumbrado a no sentir sobre sí la menor coacción. Viven en una alegre libertad, y hasta en un ambiente de cierto lujo. Se ha instalado una sala de duchas; se han suprimido en el comedor los platos de estaño y los tapetes de hule. Tienen manteles blancos que cambian a diario...

NATACHA.—Se los han hecho ellas, los lavan ellas...

MARQUESA.—Sí, sí, muy bien. Pero esa mantelería, esas duchas y tantas otras cosas, un poco excesivas, ¿no serán, a la larga, un daño para ellas? Piense usted que les está creando unas necesidades que luego no podrán satisfacer. ¿En qué condiciones volverán mañana a sus casuchas de vida amontonada y miserable?

NATACHA.—Pero el mantel blanco y el agua, son compatibles con el hogar más humilde. Por otra parte, desde que las muchachas mismas se han encargado de la cocina, se gasta menos.

MARQUESA.—No, si no es el dinero lo que me preocupa. Yo he tenido siempre mi bolsa abierta a todas las necesidades.

NATACHA.—¿Es decisión del Patronato volver atrás estas cosas?

MARQUESA.—Oh, no, no insistamos en ello. Al fin y al cabo, son pequeños detalles sobre los que me limito a llamar su atención. Usted decidirá. Pero hay otras cosas... El régimen de trabajo libre, la indisciplina que ya apunta por todas partes... Es peligroso todo eso, tratándose de almas moralmente débiles, formadas en el delito y en la calle.

NATACHA.—Pero es que la dureza de vida, la violencia y el castigo, ¿no son precisamente el régimen de la calle?

MARQUESA.—Sí, ya sé lo que va a decirme. Sé, además, que no le faltará a usted todo un cúmulo de doctrinas en que respaldar su actitud. Pero yo me atengo a una triste realidad que conozco desde hace muchos años.

NATACHA.—(*Con amarga intención*). Puede usted estar segura de que también yo procedo sobre tristes realidades vividas.

MARQUESA.—En fin, hasta aquí cabría la discusión. Yo he vivido bastante y he acabado por acostumbrarme a creer que la razón la tenemos siempre entre todos. Pero hay un último problema en que no puedo transigir. La separación de muchachos y muchachas, ha empezado a quebrantarse: las comidas, los recreos y los trabajos de taller ya se hacen en común. ¿Ha pensado usted que ese régimen de convivencia en la pubertad —peligroso siempre— puede ser gravísimo en la atmósfera moral de un Reformatorio?

NATACHA.—Yo no sé que una institución educativa pueda organizarse de modo distinto a como está organizada la vida.

MARQUESA.—Es decir, ¿que usted no ve los peligros de ese sistema aquí? ¿Sabe usted que ya hay quien ha sorprendido a muchachos y muchachas besándose en los talleres?

NATACHA. — (*Impaciente*). ¿Y ha pensado usted si esos besos, que no son un delito, pueden empezar a ser la redención de otros males peores del aislamiento?

MARQUESA.—¿Qué quiere usted decir?

NATACHA.—Si usted no me ha entendido ya... nada.

MARQUESA. — (*Herida*). ¡Señorita Valdés! Me está usted hablando con un aire de superioridad intolerable. Usted se cree dueña absoluta de la verdad.

NATACHA.—Soy, sencillamente, leal a mis ideas. Tanto como usted a las suyas. Y lamento que sean tan opuestas. Por mi parte, el señor Sandoval recordará mis palabras al hacerme cargo de esta Dirección: jamás aceptaré dar un solo paso en contra de mis convicciones.

MARQUESA. — Entonces... ¿debo tomar esas palabras como una dimisión?

NATACHA.—¿No era eso lo que se pretendía?

SANDOVAL.—(*Que ha seguido la escena con interior violencia, convencido alternativamente por una y otra réplica*). Pero, reflexione usted...

MARQUESA.—(*Cortando*). ¡La señorita Valdés no habla nunca sin reflexionar, señor Sandoval! (*A* Natacha). Créame que lo siento. Me hubiera gustado encontrar en usted un poco más de transigencia. En cuanto a su contrato, puede usted reclamar la indemnización que estime oportuna. (*Llama*). ¡Señorita Crespo! (La *señorita* Crespo *aparece inmediatamente*). ¿Puedo dirigir unas palabras a las educandas?

SEÑORITA CRESPO. — En seguida. (*Sale de nuevo*).

SANDOVAL. — (*Acercándose a* Natacha). Lo siento con toda el alma.

NATACHA.—Lo sé. Gracias. (*Vuelve la señorita* Crespo *con las educandas*).

MARQUESA, NATACHA, SANDOVAL, SRITA. CRESPO Y EDUCANDAS

SEÑORITA CRESPO.—La señora Presidenta desea dirigiros la palabra. ¡Fila! Esa frente más alta, señorita Viñal... ¡Señorita Viñal!...

Marga, que ha entrado sin fuerzas, caída la cabeza, se dobla sobre las rodillas y se desploma hacia adelante. Revuelo.

MARQUESA.—¿Qué es esto?

ENCARNA.—¡Se ha desmayado!

MARQUESA.—Pronto... Señor Sandoval...

SANDOVAL.—A ver, ayúdeme. No será nada... Sosténgale la cabeza.

MARQUESA.—¡Dios mío!

FINA.—¡Marga!... ¡Marga!...

La llevan entre todos. Los estudiantes han entrado al oír los gritos. Quedan en escena con *Natacha.*

NATACHA Y ESTUDIANTES

FLORA.—¿Qué ha pasado aquí?

MARIO.—¿Esa muchacha?...

NATACHA.—Nada, un desmayo.

RIVERA.—¿Podemos hacer algo nosotros?

NATACHA.—Os aseguro que no es nada. Ya le ha dado otras veces.

LALO.—¿Y a ti? ¿Qué te ocurre a ti?

FLORA.—Te tiemblan las manos.

NATACHA.—Nada tampoco. Parece ser que al Patronato no le ha gustado mucho mi labor. Y han enviado a pedir amablemente mi dimisión.

MARIO.—¡Natacha!

NATACHA.—Ya no soy nadie en esta casa. (*Silencio angustioso*).

LALO.—Entonces... ¿todo ha terminado?

NATACHA. — (*Rehaciéndose*). ¿Terminar? Ah, no; ahora es cuando vamos a empezar de verdad. ¿No os tengo aquí a vosotros? (*Rápida*). Óyeme, Lalo, te lo pido con toda el alma. Tú tienes una finca abandonada, una granja posible; un día se la ofrecías a éstos por desafío... Déjanos esa finca, préstanosla. ¡Allí puede desenvolverse toda una vida!

LALO.—Tuya es.

NATACHA.—Y ayudadme todos. Estos muchachos vendrán con nosotros. Me los he ganado yo día por día; son míos y me necesitan. Pero no me abandonéis vosotros. Vayamos allá todos. Dadme un año de vuestra vida para ellos.

LALO.—Contigo siempre, Natacha.

NATACHA.—(*Tendiendo las manos a todos*). ¡Un año de vuestro trabajo! ¡Un año de vuestra juventud, y crearemos toda una vida nueva! ¿Todos?

ESTUDIANTES.—¡Todos!

DICHOS Y SANDOVAL

SANDOVAL.—(*Entra agitado*). Señorita Natacha... Si no es posible. ¿Usted sabe? Esa muchacha... ¡lo que tiene esa muchacha es un hijo!...

NATACHA.—(*Amargamente*). Ya lo sabía.

SANDOVAL. — Pero, si no es posible... ¿Qué hacemos?

DICHOS Y MARQUESA

MARQUESA.—Hay que evitar a todo trance que esto se sepa. ¡Qué vergüenza para el Reformatorio! Arréglelo como sea, señor Sandoval. Saque hoy mismo a esa muchacha de aquí. Llévela a una casa de Maternidad. ¡Que no lo sepan las otras!

NATACHA. — (*Avanza, decidida*). ¡Esa muchacha no saldrá de aquí más que conmigo!

MARQUESA.—¡Puede usted estar satisfecha, señorita Valdés: sus hermosas doctrinas empiezan a dar resultado!

NATACHA.—(*Herida, rebelándose ante la acusación*). ¡Ah, eso sí que no! No son mis doctrinas. Preguntad la verdad a los pinos del Guadarrama. ¡Preguntadles hasta dónde es capaz de llegar un señoritismo borracho de champán! ¿Y ahora queréis volcar sobre ella una vergüenza que no es suya? ¿Es que queréis que empiece ya a maldecir esas entrañas que pueden ser su redención? ¡No! ¡No le mentiréis! (*Llamando*). ¡Marga!... ¡Marga!...

ENCARNA.—Ya viene aquí. (*Entra* Marga, *sostenida por* Fina, *detrás de la señorita* Crespo).

NATACHA.—Aquí, Marga. ¡Conmigo! Es preciso que lo sepas. Vas a tener un hijo. Pero no te avergüences. ¡Levanta la frente y grítale ese dolor al mundo negro! ¡Que se arrodillen los culpables!... ¡Tú, de pie, con tu hijo!

MARGA.—(*Con un gozo febril que le rompe a gritos la garganta*). ¡Un hijo!... ¡Un hijo!... (Lalo *vuelca ante ella su pandero de flores*).

TELÓN

ACTO TERCERO

Un año después, en la granja que estudiantes y educandos han organizado. Especie de cobertizo o zaguán de acceso a la alquería. Al fondo, ventana grande sobre el campo. A la izquierda la escena abierta termina en un porche emparrado. Entre éste y la ventana, dos arcones, grano y herramientas, y aperos de labranza. A la derecha, puerta de entrada a la casa; y una mesa con microscopio, láminas de corcho con insectos, libros, lupa, manga de entomólogo y una caja de cartón y cristales para la observación: es el "laboratorio" de *Mario.*

En escena, Fina *y dos muchachos que pasan el grano de un saco al arcón, midiéndolo.*

FINA.—Cuarenta y ocho..., cuarenta y nueve... y cincuenta. Listo. (*Toma nota en un pequeño block con un lapicero que lleva al cuello*). Lo demás, al granero. Al fondo: no lo vayáis a mezclar con el centeno.

Entran los muchachos en la casa. Llegan de fuera *Somolinos, Rivera, Aguilar* y *Juan.* Unos en mangas de camisa, otros con monos grises de trabajo. *Juan* se sienta rendido. Los otros van dejando en el arcón sus herramientas, hilo de cobre, etcétera.

FINA, RIVERA, AGUILAR
SOMOLINOS Y JUAN

FINA.—¿Ya habéis terminado vosotros?

SOMOLINOS.—Ya.

FINA.—Buena jornada. ¡Desde las cinco de la mañana!

SOMOLINOS.—¿Nos sentiste salir?

RIVERA.—No se podía perder tiempo. Esto tenía que quedar hecho sin remedio. Es nuestra despedida.

FINA.—¿Cuándo tendremos fluido?

AGUILAR.—Esta misma noche. ¿No habéis oído desde aquí la turbina? Hemos soltado la presa, y marcha admirablemente.

RIVERA.—Luego, para el otoño, hasta podréis mandar luz a todas estas aldeas.

FINA.—Va a parecernos mentira. ¡Aquellas noches de invierno con petróleo! ¿Sabrá Juan manejar todo eso?

JUAN.—¡Bah!... Es muy sencillo.

AGUILAR.—Juan sabe ya todo lo que hay que saber. Es un bravo muchacho.

RIVERA.—(*A* Aguilar). ¿Te acuerdas, en la Residencia, el día que Lalo nos desafiaba a hacer esto precisamente? Tenía un fondo de razón.

FINA.—Pero estaréis rendidos.

SOMOLINOS.—Ya descansaremos. Ahora, al río: un buen baño frío, y como nuevos. ¿Vamos, Juan?

DICHOS Y DON SANTIAGO.
DESPUES, MARIA

AGUILAR.—Señor Rector.

DON SANTIAGO.—¿Qué hay? A vosotros no os he visto en toda la mañana.

RIVERA.—Hemos estado en el molino desde el amanecer, instalando la turbina.

FINA.—¿Ha recorrido usted ya toda la granja?

SOMOLINOS.—¿El lagar?

FINA.—¿Los establos?

AGUILAR.—¿La nueva roturación?

DON SANTIAGO.—Todo. Y os confieso que estoy orgulloso de vosotros. No creía que en un año pudiera hacerse tanto.

RIVERA.—Para nosotros, un año de vacaciones. ¡Lástima que se acaba ya!

DON SANTIAGO.—(*A* Aguilar). ¿Qué tal, señor agrónomo? ¡Buen curso de prácticas, eh!

AGUILAR. — Bueno. (*Mostrándole las manos*). Mire.

DON SANTIAGO. — ¿Callos? No está mal; es un doctorado que debiera tener todo el mundo. (*A* Juan). ¿Y tú? ¿No les pegas ya a tus compañeros?

JUAN.—(*Sonríe sin fuerzas*). Ahora no puedo. Estoy muy cansado.

DON SANTIAGO.—¿Salíais?

RIVERA.—Al río, a hacer apetito. (*A* María, *que cruza con un gran cesto de ropa lavada*). ¿Qué tal está el agua, María?

MARÍA.—Fresca, fresca. Así lava mejor. (*Van saliendo los estudiantes y* Juan). Buenas tardes, don Santiago.

DON SANTIAGO.—Muy sonriente vas con tu carga.

MARÍA.—Me gusta el trabajo de lavandera. El río corta las manos, pero da ganas de cantar. El cesto me lo hizo Lalo.

FINA.—¿Cuántas piezas van hoy a la colada?

MARÍA.—Cuarenta y ocho. (*Sale.* Fina *toma nota*).

DON SANTIAGO.—Buena granjerita. No pierdes un detalle.

FINA.—¡Qué remedio! Soy la administradora general. (*Habla hacia el emparrado*). De prisa, Francisco; así no acabaremos con la leña nunca.

Entra *Francisco,* el antiguo conserje, en mangas de camisa. Trae una carretilla con leña cortada.

FINA, DON SANTIAGO Y FRANCISCO

DON SANTIAGO.—Pero, ¿usted aquí también?

FRANCISCO. — Muy buenas, señor Rector.

FINA.—Ha sido nuestra conquista más difícil. En el fondo, parece ser que se había encariñado con nosotros. Pero no se mueve demasiado, no.

FRANCISCO.—No es tan fácil cargar esta leña. Está muy verde.

FINA.—La del pinar está seca.

FRANCISCO.—Pero muy arriba. Ya sabe usted que a mí las cuestas...

FINA.—¿Y la del soto?

FRANCISCO.—Muy lejos. Y hay que pasar el río. Ya sabe usted que a mí la humedad...

FINA.—¿Quiere usted que plantemos los árboles en la leñera? No, Francisco, un poco de seriedad. Usted se ha comprometido libremente a partir ocho cargas diarias. Mire por dónde va el sol y no ha traído más que cuatro.

FRANCISCO.—¿Cuatro nada más?

FINA.—(*Mostrando su block*). Cuatro.

FRANCISCO.—Es que no sé qué me pasa hoy. No he dormido bien.

FINA.—¿Y ayer?

FRANCISCO.—Ayer era mi cumpleaños.

FINA.—¿Y antes de ayer?

FRANCISCO. — ¿Antes de ayer...? (*Renunciando a la controversia*). Muy buenas, señor Rector. (*Sale rezongando filosófico*). ¡Ah, la tiranía de los débiles!...

FINA.—(*Al* Rector). Es una gran persona este Francisco. Pero hay que atarlo corto: tiene toda la vagancia de quince años de autoridad.

DICHOS Y MARGA, QUE ENTRA DE LA CASA

FINA.—¿Adónde vas tú, Marga?

MARGA.—Hago falta en el horno. Está Flora sola.

FINA.—No, eso es muy duro para ti. Yo iré.

MARGA.—Pero, mujer, ¿es que va a durar esto siempre? Déjame. Me da pena sentirme tan inútil...

FINA.—Inútil, dice, don Santiago... ¡Y es la madre!

DON SANTIAGO.—¿Qué tal ese pequeño, Marga? Todos me cuentan maravillas.

MARGA.—Está dormido.

FINA.—¡Va a ser más fuerte! ¡Duerme con los puños cerrados! ¡Así!

DON SANTIAGO.—Y tú, ¿eres feliz? Aquella fiebre de andar y andar.

MARGA.—Ya pasó. Ahora no hay ninguna voz que me llame fuera de casa. ¡Estaba tan cansada! Me parece que lo que yo buscaba, sin saberlo, por todos los caminos, no era más que esto: un hijo donde recostarme... Ya lo tengo. (*Sale*).

NATACHA Y DON SANTIAGO

NATACHA. — (*Que aparece en la puerta al mutis de* Marga). Ve con ella, Fina. (*Sale* Fina). ¿Qué tal, tío Santiago?

DON SANTIAGO.—Que estoy empezando a ruborizarme, hija. Esto parece una colmena; nadie está vacío ni quieto... ¿Puedo yo hacer algo?

NATACHA.—¿Le parece que ha hecho poco? Conseguir que nos dejaran trabajar en paz.

DON SANTIAGO.—No fue empresa fácil, no. Con toda mi autoridad moral, con todo tu prestigio... Realmente aquel plante del Reformatorio fue un golpe de audacia. Yo no me hubiera atrevido a defenderlo en nadie. Pero eras tú...

NATACHA.—Éramos la razón y yo.

DON SANTIAGO.—Sí, también la razón, un poco. En fin, lo cierto es que ya está hecho, y que vuestra colonia tiene una vida perfectamente legal.

NATACHA.—Gracias a usted.

DON SANTIAGO.—Y a los abogados.

NATACHA.—Oh, los abogados son admirables. Nunca dudé de ellos; estaba segura de que lo mismo hubieran arreglado esto que lo contrario. (*Vuelve* Francisco *con su carretilla vacía*).

NATACHA, DON SANTIAGO Y FRANCISCO

FRANCISCO.—Señorita Natacha...

NATACHA.—¿Qué hay, Francisco?

FRANCISCO. — Tengo cincuenta y ocho años. No soy tan fuerte como esos muchachos, pero hago todo lo que puedo. He cortado leña, he trabajado en la arada y en la siega; nunca me he levantado después que los otros...

NATACHA.—Pero, ¿a qué viene todo eso ahora?

FRANCISCO.—Es mi hoja de servicios. ¿Está usted contenta de mí?

NATACHA.—¿Cómo no voy a estarlo? ¿Por qué lo pregunta?

FRANCISCO.—Es que... quisiera pedirle un favor. Es una cosa grave, ya lo sé. ¡Pero es por un día nada más!

NATACHA.—Diga, diga.

FRANCISCO.—Si a usted no le parece muy mal..., por un día nada más... ¡me gustaría tanto volver a ponerme el uniforme!

NATACHA.—¿Pero, se lo ha traído usted?

FRANCISCO.—Lo tengo en el baúl..., lo saco algunas noches para mirarlo... ¡Son quince años de mi vida!

NATACHA.—¿Y sufre usted por tan poca cosa? Pues no sufra más, Francisco. Póngaselo si quiere.

FRANCISCO.—Gracias, señorita Natacha. (*Deja su carretilla*). Un día nada más, se lo prometo. Gracias. (*Sale, erguido de pronto a la querencia del uniforme*).

NATACHA Y DON SANTIAGO

NATACHA.—Cada uno tiene su pequeño problema.

DON SANTIAGO. — (*Reflexivo, después de una pausa*). ¿Y tú...?

NATACHA.—Yo... también.

DON SANTIAGO.—Pero el tuyo no es pequeño. Es toda tu vida lo que te estás jugando aquí. Hasta ahora has tenido para vencer el esfuerzo y la presencia de estos estudiantes, y esa alegría generosa que no conoce la fatiga. Pero esto termina hoy. ¿Qué será de ti mañana?

NATACHA.—Seguiré sola mi obra.

DON SANTIAGO. — ¿Y a dónde vas con tu obra? ¿Qué alcance quieres dar a todo esto? Yo soy ya viejo; perdóname si pongo un poco de hielo en tu entusiasmo. Pero esta granja de trabajo comunal... ¿No estás tratando de resucitar, sin darte cuenta, un sueño fracasado del socialismo romántico?

NATACHA.—Oh, no. No se trata aquí de sueños ni de fórmulas universales. Esta colonia no es más que un hecho feliz. Todo lo humilde, todo lo pequeño que usted quiera. Pero... una flor vale más que una lección de botánica.

DON SANTIAGO.—¿Y toda tu vida va a ser esto? ¿Trabajar para los demás, buscar la felicidad de los demás? ¿Es que la tuya no tiene los mismos derechos que las otras?

NATACHA.—Yo soy feliz aquí.

DON SANTIAGO. — Pero, ¿lo serás mañana? No quieras engañarte a ti misma. Dime, Natacha: hoy termina el año que tus compañeros te entregaron generosamente. La vida los llama a sus estudios y a sus casas. Antes que caiga la tarde, se habrán ido todos. Lalo, también. ¿No es nada Lalo para ti?

NATACHA. — Demasiado. Ojalá no fuera tanto.

DON SANTIAGO. — Ese muchacho te quiere de verdad.

NATACHA.—Lo sé; y ésa es mi angustia. Porque yo también lo quiero, tío Santiago. Aquí le he conocido bien: un alma siempre abierta; el primero en la alegría, el primero en el trabajo. Un hombre. Lalo no tenía más que el gran pecado de nuestra generación: pensar que el corazón no es elegante, y tratar de esconderle siempre. ¡Y cuánta fecundidad posible, cuánta nobleza humana se nos ha ahogado a todos ahí debajo!

DON SANTIAGO.—Y queriéndole así, ¿le vas a dejar marchar?

NATACHA.—Mi deber está aquí.

DON SANTIAGO. — ¿Pero con qué fuerzas, con qué alegría lo cumplirás? ¿Qué quieren decir ya esas lágrimas?

NATACHA.—(*Sobreponiéndose*). No quieren decir nada. Mi obra está por encima de mis lágrimas. Recuerdo una anécdota de la Gran Guerra, que me ha hecho meditar muchas veces. Era un general revisando las trincheras. En un puesto de peligro estaba un pobre capitán, con aire de buen padre de familia; estaba pálido, temblando de pies a cabeza. El Jefe se le encaró burlonamente: —¿Qué? Parece que hay miedo... —Sí, mi general, mucho miedo... ¡pero estoy en mi puesto! Y yo pienso, tío Santiago, que el único valor estimable es éste; no el de los héroes brillantes, sino el de tantos humildes que luchan y trabajan en las últimas filas humanas, que no esperan la gloria, que sufren el miedo y el dolor de cada día... ¡Pero están en su puesto!

DON SANTIAGO.—(*Conmovido. Estrechándole las manos*). ¡Mi Natacha!...

Entra *Mario*. Va directamente a su mesa de trabajo.

MARIO.—Muy buenas, don Santiago.

DON SANTIAGO.—¿Qué dice nuestro joven sabio? ¿A trabajar en su tesis?

MARIO.—Siempre. Ahora estoy de

enhorabuena. ¡Tengo dos escorpios rubios, en celo!

NATACHA.—Mario es el único que no nos abandona. Me ha prometido terminar aquí su trabajo.

DON SANTIAGO.—¡Ah! ¿Usted se queda?

MARIO.—¿A dónde voy a ir que esté mejor para mis cosas?

DON SANTIAGO.—¿Y Flora?...

NATACHA.—(*Le impone silencio discretamente*). Chist...

Mario, lupa en mano, se ha entregado a sus observaciones. Entra *Fina*.

FINA.—¡El pan, Natacha! Ya lo están sacando.

NATACHA.—¿Ya?... (*A* don Santiago). Es nuestro primer pan. Ese trigo lo hemos sembrados nosotros, lo hemos molido en nuestro molino y se ha cocido en nuestro horno. Venga, tío Santiago. ¡Verá usted qué hondo sabe el pan cuando es verdaderamente nuestro! (*Sale con él*).

FINA Y MARIO. EN SEGUIDA, FRANCISCO

FINA.—(*Fijándose en la carretilla vacía*). Y esta carretilla... (*Llama, imperativa*). ¡Francisco!... ¡Francisco!...
(*Sale de la casa* Francisco *con su gran uniforme*).

FRANCISCO.—Muy buenas, señorita López. ¿Llamaba usted?

FINA.—(*Impresionada, baja la voz*). ¡Don Francisco!...

FRANCISCO.—Exactamente: don Francisco. ¿Y sabe usted lo que ha pensado don Francisco, señorita López? Que esas cuatro cargas que faltan hoy, las va a traer usted. ¿Qué le parece?

FINA.—Voy..., voy... (*Sale delante con la carretilla*).

FRANCISCO.—(*Acariciándose el uniforme*). Un día nada más... Pero ¡qué fuerza se tiene desde aquí dentro! Ay...

Sale, con un largo suspiro. Pausa. *Mario* sigue embebido en su trabajo. Llega *Lalo*, cantando entre dientes. Trae un rollo de cuerdas, hitos y una cadena de agrimensor, que deja en el rincón.

LALO Y MARIO

LALO.—(*Por* Mario):
Vio en una huerta
dos lagartijas
cierto curioso
naturalista.

(Mario *no se da por enterado*).

De otro modo:
Cierto curioso
naturalista
vio en una huerta
dos lagartijas.

¡Eh, cefalópodo!

MARIO.—¡Chist!...

LALO.—(*Baja la voz*). ¿Qué pasa?

MARIO.—¡Son dos escorpios rubios!

LALO.—¡Ah!... ¿Enamorados?

MARIO.—Están en los preliminares del rito nupcial.

LALO.—Muy bonito. Y tú ahí, teniéndoles la cesta.

MARIO.—Es la ceremonia más curiosa que se puede imaginar. Primero la hembra, que es la más oscura, coge al macho del brazo. Después...

LALO.—No, Mario; cuentos verdes, no.

MARIO.—(*Cortado*). ¡Cuentos verdes! Sí, claro, lo de siempre. ¡Qué poco generoso eres conmigo! Yo he aceptado todas tus convicciones: he aprendido a cultivar la tierra, sé cazar y fabricar cestos de mimbre, que nunca me servirán para nada. Tú, en cambio, no te has dignado jamás interesarte media hora por mis cosas.

LALO.—En eso te equivocas. No tengo una gran preparación; pero, dentro de mi modestia, he hecho cuanto he podido por tu ciencia. Le estoy dando lecciones a Fina.

MARIO.—¡Tú! ¿De Historia Natural?

LALO.—De Historia Natural en relación con la Medicina. Ahora estamos en eso de: "Este grillo que no canta/algo tiene en la garganta".

MARIO.—¡Pero, Lalo, si los grillos no cantan con la garganta! Cantan con las alas.

LALO.—¿Ah, con las alas? Demonio... Entonces esa pobre chica ha perdido el curso.

MARIO.—(*Volviendo a sus insectos*). Nunca harás nada serio en la vida.

LALO.—(*Después de una pausa reflexiva, con voz profunda*). Y lo peor de todo es que tienes razón; nunca haré nada serio. (*Suena dentro un gong de hierro*). ¡El gong! Llegó la hora de las despedidas. El mejor año de nuestra vida ha terminado. Y ahora... a empezar otra cosa. Dentro de poco, todos estaremos lejos, y separados.

MARIO.—(*Sorprendido por el tono triste de* Lalo). ¿Qué te pasa?

LALO.—(*Reacciona*). ¿A mí? Nada; a mí no me pasa nunca nada. Dichoso tú, Mario... Dichoso tú, que puedes ser feliz, atando moscas por el rabo.

Entra en la casa. Por la ventana del fondo se ven pasar, en alegres grupos, los estudiantes y trabajadores de la colonia. Llevan ramos verdes, espigas y útiles de labor. Van cantando a coro la canción de *Atta Troll*. *Encarna,* que pasa del brazo de un muchacho, se detiene mostrando en alto el pan.

ENCARNA.—¡El pan, Mario! ¡Nuestro pan!

MARIO.—¡Chist!...

ENCARNA.—¿Hay enfermos?

MARIO.—Dos fieles enamorados.

ENCARNA.—(*Tirándole una rosa*). ¡Para la novia! (*Ríe y sigue su camino. Pausa, mientras se les oye alejarse. Entra* Flora).

MARIO Y FLORA

FLORA.—¿Tú no vienes?

MARIO.—Ahora, imposible.

FLORA.—Ya. Los escorpios rubios.

MARIO.—¿Los has visto?

FLORA.—(*Sin la menor ilusión*). Sí, muy interesantes... Dime, Mario, ¿es verdad que piensas quedarte?

MARIO.—¿Dónde mejor? Aquí toda la granja es un laboratorio para mí.

FLORA.—Pero yo creo que la vida puede ser algo más que estudiar insectos. Hay el sol, y la risa, y el sabor del mar, y los niños que juegan desnudos...

MARIO.—(*En las nubes*). Sí, desde luego..., también hay niños desnudos, claro... ¿Por qué dices eso?

FLORA.—Por nada. (*Pausa. Cantan dentro otra vez*). Me pone triste oír esa canción... ¿Recuerdas, cuando hacíamos la Balada de Atta Troll? Tú eras allí un oso romántico; estabas enamorado de mí furiosamente... ¿Te acuerdas?

MARIO.—Me acuerdo, sí. El oso de Roncesvalles, y el lobo, y el zorro... Era una bonita fábula de vertebrados. (*Pausa*).

FLORA.—Oye, Mario...

MARIO.—¿Qué?

FLORA.—Hemos estudiado siempre juntos. Ahora hemos vivido aquí un año entero. ¡Un año inolvidable! Pero yo no me puedo quedar más tiempo. Tú, en cambio...

MARIO.—Yo tengo que terminar mi tesis.

FLORA.—Sí, claro, la tesis... ¿Tendrás tiempo para escribirme alguna vez? Hemos sido compañeros desde niños. Me gustaría saber de ti.

MARIO.—Chist... Mira. (*Indicando el interior de la caja*). ¡Ya se han cogido del brazo! Es una ceremonia sorprendente. Ah, querida: también la Historia Natural tiene sus anécdotas. ¿Ves aquella tierra? Allí han construido primero la cámara nupcial. Ahora harán la ronda de esponsales alrededor, horas y horas, cogidos de las manos. Después pasarán al camarín y allí se estarán quietos, frente contra frente, hasta el alba, Y por último, al amanecer... la hembra se come al macho.

FLORA.—Muy bonito final.

MARIO.—Es curioso observar esto: en los animales rudimentarios, la hembra es siempre la más fuerte y la que toma la iniciativa amorosa. El macho es un simple elemento pasivo. ¡Míralos ahora!

FLORA.—Déjame. No me interesan los insectos.

MARIO.—¿No?

FLORA.—No me han interesado nunca. Además, me dan asco. Y la culpa la tienes tú.

MARIO.—¡Flora!

FLORA.—(*Señalando uno sobre la mesa*). ¿Tú crees que un escarabajo tan feo como éste merece la pena de perder en él toda una juventud?

MARIO.—(*Llevándoselo a las gafas*). ¡Un escarabajo! Pero, ¿qué estás diciendo? ¡Si es la "Locusta veridíssima" de Linneo!

FLORA.—(*Furiosa*). ¡Es que no puedo más! La Locusta veridíssima es un escarabajo repugnante ¡Linneo era un monstruo! Y tú..., tú... (*Rompe a llorar nerviosamente*). ¡Lo que tú estás haciendo conmigo es insultante!

MARIO. — (*Espantado*). ¿Yo?... ¿Qué te hago yo?

FLORA.—¿Pero es que no lo estás viendo? ¿Es posible que también tú seas un animal rudimentario? ¡Mario! (*En un impulso repentino se lanza a él y le estampa un beso en la boca*). ¡Estúpido! (*Sale corriendo.* Mario *se atraganta, vacila, aturdido. Al fin arroja la "Locusta veridíssima" y sale detrás a gritos*).

MARIO.—¡Flora!... ¡Flora!...

Natacha ha contemplado sonriente el final de la escena. *Lalo* entra por donde acaba de salir *Mario*. Mira sorprendido a *Natacha*.

NATACHA Y LALO

LALO.—¿Adónde va ese loco?

NATACHA.—¡Hacia la vida!

LALO.—¿Hacia la vida? Pues con esas gafas y esa manera de correr, como se le ponga un árbol delante, no llega.

NATACHA.—La que se le ha puesto delante es Flora.

LALO.—Ah, ya...

NATACHA.—¡Otro que se nos va! (*Pausa*).

LALO.—Y tú... ¿cuándo?

NATACHA.—Yo tengo que terminar aquí mi obra. Les he prometido a estos muchachos una vida libre, y lo cumpliré. Cuando puedan tenerla, cuando esta granja sea suya, yo buscaré también mi camino.

LALO.—¿Y si esa vida libre la tuvieran ya?

NATACHA.—¿Qué quieres decir?

LALO.—Tengo una cosa que entregarte como despedida. (*Saca un documento de su cartera*). Es el acta de cesión a nombre de ellos. La granja es suya.

NATACHA.—¡No!

LALO.—¿Qué era para mí esta tierra? Una ruina abandonada. La doy a los que han sabido trabajarla.

NATACHA. — Pero eso no puede ser... ¡No lo harás! ¿No ves que sería echarlo todo a rodar? Yo he venido aquí a hacer una obra de educación. No quieras reducirla a una obra de misericordia. Piénsalo bien, Lalo; un esfuerzo más, y ganarán por sí mismos lo que tú ibas a darles hecho. ¿Has visto la emoción que han sentido hoy al comer su pan? Nunca lo habían sentido con el pan del Reformatorio. Dame. (*Toma el documento*) Hagamos hombres libres, Lalo. Los hombres libres no toman nada ni por la fuerza, ni de limosna. ¡Que aprendan a conseguirlo todo por el trabajo! (*Rompe el documento*).

LALO.—Está bien, Natacha..., está bien. Pero si ellos lo supieran, ¿les parecería lo mismo?

NATACHA.—Hoy, quizás no; están empezando. Algún día me lo agradecerán.

LALO.—Entonces... ¿hasta cuándo?

NATACHA.—¿Os vais ya? Despídeme de todos..., yo no podría ahora. Y que no haya tristeza delante de los muchachos. Vosotros erais el alma... Que no sepan qué amargo va ser el trabajo a partir de mañana.

LALO.—¿Y yo voy a dejarte así? ¡No, Natacha! Di una palabra y me quedo.

NATACHA.—No puedo todavía. Espera. Vosotros tenéis vuestra vida lejos. Yo tengo aquí la mía.

LALO.—¿Tan poca cosa soy para ti?

NATACHA.—Más de lo que piensas. ¿A qué vendría ocultarlo ahora? Aquí he aprendido a conocerte; aquí te he visto el alma hasta el fondo. Te he visto luchar como lucha un hombre delante de una mujer... Te quiero, Lalo.

LALO.—¡Natacha!...

NATACHA.—Pero déjame terminar mi obra. Necesito todas mis fuerzas para ella. Estos muchachos irán encontrando su camino, y volarán libremente. Aquí quedará Marga. (Marga, *acompañada de* Juan, *pasa por la ventana del fondo*). Mírala... Tampoco Marga quedará sola. Cuando esta granja sea suya, y para ese niño que ha nacido en ella, entonces seré yo la que vaya humildemente a tu puerta a preguntarte: ¿Me quieres todavía?

LALO.—¡Te esperaré siempre!

NATACHA.—Gracias, Lalo... Hasta entonces... déjame...

LALO.—Adiós, Natacha... Hasta entonces. (*Le besa las manos. Sale. Pausa. Entra* don Santiago).

NATACHA Y DON SANTIAGO.
LUEGO, MARIO

DON SANTIAGO.—Va a arrancar el automóvil. ¿No sales?

NATACHA.—Lalo me despedirá de todos...

MARIO.—Perdóname... Te había prometido quedarme... Pero yo entonces no sabía...

NATACHA.—No tienes que decirme nada. Quiérela mucho, Mario. Es una gran muchacha.

MARIO.—¿Pero tú sabes? ¡Soy feliz! Te regalo los escorpios rubios. Vigílalos de noche, y escríbeme lo que haya. ¡Don Santiago!... Adiós, Natacha... Soy feliz, feliz... (*Sale*).

DON SANTIAGO. — ¿También Mario se va?

NATACHA.—También. ¿Usted?...

DON SANTIAGO.—Yo no; ya lo saben. ¿No me necesitas ahora contigo?

NATACHA.—(*Le estrecha las manos*). Gracias. ¡Qué amargo es esto, tío Santiago! Sentir cómo el amor estalla a nuestro alrededor por todas partes, y cuando una vez nos llama, tener que responderle: espera, no he terminado todavía...

DON SANTIAGO.—Lalo sabrá esperar. Lo recordaremos juntos... (*Se oye lejos, lenta y triste, la canción de los estudiantes*). ¡Ya se van! (*Se asoman los dos y responden con un gesto de despedida. La voz de* Lalo *llega desde lejos*).

VOZ DE LALO. — ¡Natacha! (*Ella, en una repentina crisis de llanto, se retira escondiendo el rostro entre las manos*).

DON SANTIAGO.—Natacha, hija...

NATACHA.—No puedo... Creí que era más fuerte.

DON SANTIAGO.—Pobre pequeña..., estás temblando...

NATACHA.—Temblando, tío Santiago. Con lágrimas y sin gloria... ¡Pero estoy en mi puesto!

TELÓN FINAL

NOTAS PARA LA BALADA DE ATTA TROLL

La terraza del fondo, de una anchura de dos metros, tendrá una altura de 60 centímetros, con tres escalones de 20.

El arco central, sólido, de un hueco aproximado de dos metros y medio, será en la Balada la embocadura del teatrillo, cerrándose esta pequeña escena con cortinas laterales, forillo de tela (para permitir una mutación rápida y silenciosa) y cortina delantera, que jugará como telón hacia los lados.

En este tabladillo no jugarán más personajes que el Oso, Mumma y el Húngaro, en el primer cuadro de la Balada, y el Oso solo en el segundo. De uno a otro cuadro, para dar tiempo a la mutación, se repetirá la música de títeres del comienzo, que termina con un largo redoble de tambor.

El Poeta dirá el prólogo desde los escalones, y el resto desde el escenario (a la derecha del público en el primer cuadro y a la izquierda en el segundo).

La huida del Oso, por el arco de la izquierda. Salida de Mumma, el Húngaro, Lobo y Zorro, por el arco de la derecha.

El arco de ballesta (sin flecha) llevará goma fuerte en vez de cuerda, para dar con el ruido la sensación del disparo.

Toda la Balada (juego escénico, figurines, actitudes y movimientos, recitación, forillos, etc.) tendrá un aire de *ballet* estilizado y fantasista, sin el menor asomo de realismo.

Natacha y los muchachos del Reformatorio presencian la Balada sentados en sus sillas, desde el centro del escenario hacia la izquierda.

Cuando el Oso recuerda la canción de Roncesvalles, la recita sin cantar. Y el estribillo lo cantan en voz baja, casi a boca cerrada, las educandas: como un eco.

La recitación de todos los papeles de la Balada (más acentuadamente en el Poeta) será francamente lírica, rápida y encendida. Triste y lenta en el momento final.

PROHIBIDO SUICIDARSE EN PRIMAVERA

COMEDIA EN TRES ACTOS

Estrenada en el Teatro Arbeu de México por la Compañía de Josefina Díaz y Manuel Collado el día 12 de junio de 1937

PERSONAJES

CHOLE

ALICIA

LA DAMA TRISTE

CORA YAKO

FERNANDO

JUAN

DOCTOR RODA

HANS

EL AMANTE IMAGINARIO

EL PADRE DE LA OTRA ALICIA

ESCENARIO

En el Hogar del Suicida, sanatorio de almas del doctor Ariel. Vestíbulo como de hotel de montaña, recordando esos paradores de turismo construidos sobre ruinas de antiguos monasterios y artísticamente remozados por un gusto nuevo. Todo es aquí extraño, sugeridor y confortable: el mobiliario, la plástica, el trazado de las arquerías, la disposición indirecta de las luces acristaladas. En las paredes, bien visibles, óleos de suicidas famosos, reproduciendo las escenas de su muerte: Sócrates, Cleopatra, Séneca, Larra. Sobre un arco, tallados en piedra, los versos de Santa Teresa:

Ven muerte tan escondida
que no te sienta venir
porque el placer de morir
no me vuelva a dar la vida.

Amplia verja al fondo, sobre un claro jardín de sauces y rosales. El jardín tiene un lago, visible en parte, un fondo lejano de cielo azul y montañas jóvenes nevadas. En ángulo, a la derecha, arranca una galería oscura, en arco, con pesada puerta de herrajes, practicables; sobre el dintel, una inscripción que dice: "Galería del Silencio". Enfrente, otra semejante, pero clara y sin puertas: "Jardín de Meditación".

ACTO PRIMERO

(*En escena, el* DOCTOR RODA y HANS, *ayudante, con bata de enfermero. El primero, de aspecto inteligente y bondadoso; el segundo, de rostro y palabra mortalmente serios. El* DOCTOR, *al lado de una mesa volante de trabajo, revisa sus ficheros.*)

DOCTOR.—Desengaños de amor, 8. Pelagra, 2. Vidas sin rumbo, 4. Catástrofe económica..., cocaína... ¿No tenemos ningún caso nuevo?

HANS.—El joven que llegó anoche. Está paseando por el parque de los sauces, hablando a solas.

DOCTOR.—¿Diagnóstico?

HANS.—Dudoso. Problema de amor. Parece de esos curiosos de la muerte que tienen miedo cuando la ven de cerca.

DOCTOR.—¿Ha hablado usted con él?

HANS.—Yo sí, pero no me ha contestado. Sólo quiere estar solo.

DOCTOR.—¿Decidido?

HANS.—No creo: muy pálido, temblándole las manos. Al dejarle en el jardín he roto detrás de él una rama seca, y se volvió sobresaltado, con cara de espanto.

DOCTOR.—Miedo nervioso. Muy bien; entonces no hay peligro todavía. ¿Su ficha?

HANS.—Aquí está.

DOCTOR. (*Leyendo.*)—"Sin nombre. Empleado de banca. Veinticinco años. Sueldo, doscientas cincuenta pesetas. Desengaño de amor. Tiene un libro de poemas inédito". Ah, un romántico; no creo que sea peligroso. De todos modos, vigílelo sin que él se dé cuenta. Y avise a los violines: que toquen algo de Chopin en el bosque al caer la tarde. Eso le hará bien. ¿Ha vuelto a ver a la señora del pabellón verde?

HANS.—¿La Dama Triste? Está en en el jardín de Werther.

DOCTOR.—¿Vigilada?

HANS.—¿Para qué? La he venido observando estos días; ha visitado todas nuestras instalaciones: el lago de los ahogados, el bosque de suspensiones, la sala de gas perfumado... Todo le parece excelente en principio, pero no acaba de decidirse por nada. Sólo le gusta llorar.

DOCTOR.—Déjela. El llanto es tan saludable como el sudor, y más poético. Hay que aplicarlo siempre que sea posible como la medicina antigua aplicaba la sangría.

HANS.—Pero es que igual le ocurre al profesor de Filosofía. Ya se ha tirado tres veces al lago, y las tres veces ha vuelto a salir nadando. Perdóneme el doctor, pero creo que ninguno de nuestros huéspedes hasta ahora tiene el propósito serio de morir. Temo que estemos fracasando.

DOCTOR.—Paciencia, Hans. Nada se debe atropellar. La Casa del Suicida está basada en un absoluto respeto a sus acogidos, y en el culto filosófico y estético de la muerte. Esperemos.

HANS.—Esperemos. (*Señalando con un gesto.*) La Dama Triste.

(*La* DAMA TRISTE *llega del Jardín de la Meditación.*)

DAMA.—Perdóneme, doctor...

DOCTOR.—Señora...

DAMA.—He seguido sus consejos con la mejor voluntad: he llorado toda la mañana, me he sentado bajo un sauce mirando fijamente el agua... Y nada. Cada vez me siento más cobarde.

HANS. (*Animándola.*) —¿Ha visto usted nuestro muestrario último de venenos?

DAMA.—Sí, los colores son preciosos, pero el sabor debe ser horrible.

HANS.—Puede añadirse un poco de menta, espliego...

DAMA.—No sé... El lago también me gustaría, pero está tan frío... No sé, no sé qué hacer... ¿Qué pensará usted de mí, doctor?

DOCTOR.—Por Dios, señora; le aseguro que no tenemos prisa ninguna.

DAMA.—Gracias. ¡Ah, morir es hermoso, pero matarse!... Dígame, doctor: al pasar por el jardín he sentido un mareo extraño. Esas plantas, ¿no estarán envenenadas?

DOCTOR.—No; todavía no hemos descubierto la manera de envenenar un perfume.

DAMA.—Lástima, ¡sería tan bonito! ¿Por qué no lo ensayan ustedes?

DOCTOR.—Es difícil.

DAMA.—Inténtelo. Yo tampoco tengo prisa; puedo esperar.

DOCTOR.—Siendo así, lo ensayaremos.

DAMA.—Gracias, doctor, es usted muy amable conmigo.

(*Va a salir. Se detiene al ver llegar al* AMANTE IMAGINARIO. *Es un joven de aspecto romántico y enfermizo. Vive ensimismado. Suena detrás de él una campana, y se vuelve sobresaltado. Se recobra. Saluda turbado.*)

AMANTE.—Buenos días...

DOCTOR.—¿Ha elegido usted ya su... procedimiento?

AMANTE.—No, todavía no. Pensaba.

HANS. (*Ofreciendo la mercancía como en un bazar.*)—Tenemos un sauce especial para enamorados, un lago de leyenda... Si le gustan los clásicos, podemos ofrecerle el ramo de rosas con áspid, modelo Cleopatra, el baño tibio, la cicuta socrática...

AMANTE.—¿Para qué tanto? Cuando la vida pesa, basta con un árbol cualquiera.

HANS. (*Apresurándose a tomar nota en su cuaderno.*)—Ah, muy bien. "Suspensión". Perfectamente. ¿Número de cuello?

AMANTE.—Treinta y siete, largo.

HANS.—Treinta y siete. ¿Tiene preferencia por algún árbol?

AMANTE. (*En una reacción brusca.*) —¡Oh, cállese, no puedo oírle! Tiene usted la frialdad de un funcionario. Es odioso oír hablar así de la Muerte. (*Transición.*) Perdón...

(*Va a salir por la Galería del Silencio.*)

DOCTOR.—Un momento. Si no se ha decidido aún... esa galería no debe atravesarse más que en la hora decisiva. Al Jardín de la Meditación, por aquí.

AMANTE.—Gracias.

DOCTOR.—¿Necesita alguna cosa? ¿Libros, licores, música...?

AMANTE.—Nada, gracias...

(*Sale. Saluda a la* DAMA TRISTE *con una inclinación de cabeza.*)

DAMA.—¿Otro desesperado? ¡Qué pena, tan joven...! ¿Algún desengaño de amor?

DOCTOR.—Así parece.

DAMA.—¡Pero si es un niño! De todos modos, dichoso él. ¡Si yo tuviera, al menos, una historia de amor para recordarla!

(*Sale.*)

HANS.—Y así todos. Mucho llanto,

mucha tristeza poética; pero matar no se mata ninguno.

DOCTOR.—Esperemos, Hans.

HANS. (*Sin gran ilusión*).—Esperemos. ¿Alguna orden para hoy?

DOCTOR.—Sí, hágame el favor de revisar la instalación eléctrica. La última vez que el profesor de Filosofía se tiró al agua no funcionaron los timbres de alarma.

(*Sale* HANS. *El* DOCTOR *se dispone a tomar unas notas. Se oye de pronto un grito de mujer. Por la Galería del Silencio sale corriendo* ALICIA; *una muchacha, apenas mujer, de dulce aspecto. Viste con una sencillez humilde y limpia. Viene espantada, como huyendo de un peligro inmediato*).

ALICIA.—¡No! ¡No quiero morir... no quiero morir! (*Al ver al* DOCTOR, *que acude a ella*). ¡Paso! ¡Déjeme salir de aquí!

DOCTOR.—Calma, muchacha. ¿A dónde va usted?

ALICIA.—No sé: ¡al aire libre!... ¡a la vida otra vez!... ¡Déjeme! (*Volviéndose, sobresaltada*). ¿Quién anda ahí?

DOCTOR.—Nadie.

ALICIA.—He visto una sombra. La he oído reír...

DOCTOR. — Vamos, vamos, alucinaciones.

ALICIA. (*Empieza a sentirse aliviada. Se pasa una mano por la frente*).—¿Quién es usted?

DOCTOR.—El doctor Roda, director de la Casa. Tranquilícese.

ALICIA.—¿Por qué hacen ustedes esto? ¡Esos árboles extraños, con cuerdas colgadas, esta música invisible, esa galería negra que da vueltas y vueltas... ¡Es horrible!

DOCTOR.—No lo crea. Está usted dominada por un miedo pueril. Pero le aseguro que nada de eso es verdad. ¿Quiere usted volver conmigo?

ALICIA.—¡No! ¡Volver, no! Quiero salir de aquí.

DOCTOR.—Nadie la detiene. No sé quién es usted, ni por dónde ha entrado, ni por qué ha venido aquí; pero no importa. Ahí está el parque; bordeando el lago saldrá usted a la carretera; al otro lado de las montañas se ve, lejos, la ciudad. Es usted libre.

ALICIA. (*Con una amargura infinita*). — La ciudad... La ciudad otra vez...

(*Se deja caer llorando en un asiento. El* DOCTOR *la contempla conmovido. Pausa*).

DOCTOR.—¿Por qué ha venido aquí? ¿Sabe usted dónde está?

ALICIA.—Sí, fue un momento de desesperación. Había oído hablar de una Casa de Suicidas, y no podía más. El hambre... la soledad...

DOCTOR.—¿Ha vivido siempre sola?

ALICIA.—Siempre. Nunca he conocido amigos, ni hermanos, ni amor.

DOCTOR.—¿Trabaja usted?

ALICIA.—Más de lo que podía resistir. ¡Y en tantas cosas! Primero fui enfermera: pero no servía; les tomaba demasiado cariño a mis enfermos, ponía toda mi alma en ellos. Y era tan amargo después verlos morir... o verlos curar, y marchar, también para siempre.

DOCTOR.—¿No volvió a ver a ninguno?

ALICIA.—A ninguno. La salud es demasiado egoísta. Sólo uno me escribió una vez, pero ¡desde tan lejos! Había ido al Canadá, a cortar árboles para hacerse una casa... y meterse dentro con otra mujer.

DOCTOR.—¿Qué fue lo que la decidió a venir aquí?

ALICIA. — Fue anoche. No podía más. Estaba sin trabajo hacía quince días. Tenía hambre; un hambre dolorosa y sucia; un hambre tan cruel que me producía vómitos. En una calle oscura me asaltó un hombre; me dijo una grosería atroz enseñándome una moneda... Y era tan brutal aquello, que yo rompí a reir como una loca, hasta que caí sin fuerzas sobre el asfalto, llorando de asco, de vergüenza, de hambre insultada...

DOCTOR.—Comprendo.

ALICIA.—No, no lo comprende usted. Aquí, entre los árboles y las montañas, no pueden comprenderse esas cosas. El hambre y la soledad verdaderas sólo existen en las ciudades. ¡Allí sí que se siente uno solo entre millones de seres indiferentes y de ventanas iluminadas! ¡Allí sí que se sabe lo que es el hambre, delante de los escaparatas y los restoranes de lujo!... Yo he sido modelo en una casa de modas. Nunca había sabido hasta entonces lo triste que es después dormir en una casa fría, desnuda de cien vestidos, y con los dedos llenos de recuerdos de pieles.

DOCTOR.—Espero que no sea la envidia del lujo lo que ha causado su desesperación.

ALICIA.—Oh, no. Nunca le he pedido demasiado a la vida. ¡Pero es que la vida no ha querido darme nada! Al hambre se la vence; ya la he vencido otras veces. Pero... ¿y la soledad? ¿Sabe usted por qué he venido aquí?

DOCTOR.—Eso es lo que no acabo de comprender.

ALICIA.—Es natural; en un momento de desesperación, una se mata en cualquier parte. Pero yo, que he vivido siempre sola, ¡no quería morir sola también! ¿Lo entiende ahora? Pensé que en este refugio encontraría otros desdichados dispuestos a morir, y que alguno me tendería su mano... y llegué a soñar como una felicidad con esta locura de morir abrazada a alguien; de entrar al fin en una vida nueva con un compañero de viaje. Es una idea ridícula, ¿verdad?

DOCTOR. (*Interesado*).—De ninguna manera. ¿Trató usted de buscar a ese compañero?

ALICIA.—¿Para qué? Cuando llegué aquí ya no sentía más que el miedo. Me perdí por esas galerías, me pareció ver una sombra extraña que me buscaba... y eché a correr, gritando, hacia la luz. Fue como una llamada de toda mi sangre. Entonces comprendí mi tremenda equivocación; venía huyendo de la soledad... y la muerte es la soledad absoluta.

DOCTOR.—Magnífico, muchacha. Su juventud la ha salvado. Usted ya no me necesita, pero acaso yo la necesite a usted. Dígame, ¿tiene mucho interés en volver a esa ciudad donde nadie la espera?

ALICIA.—¿A dónde voy a ir?

DOCTOR. — ¿Querría usted quedarse en esta casa?

ALICIA. (*Con miedo aún*).—¿Aquí?

DOCTOR.—No tenga miedo. Aparentemente esto no es más que un extravagante Club de Suicidas. Pero, en el fondo, intenta ser un sanatorio. Usted, que sólo le pide a la vida una mano amiga y un rincón caliente, tiene mucho que enseñar aquí a otros, que tienen la fortuna y el amor, y se creen desgraciados. Ayúdeme usted a salvarlos.

ALICIA.—Pero, ¿qué puedo yo hacer?

DOCTOR.—Usted ha curado heridos; sea aquí nuestra enfermera de almas. Ya hablaremos. Por lo pronto, olvide su desesperación de anoche. Mi mesa está siempre dispuesta. ¿Quiere aceptar también mi mano de amigo?

ALICIA. (*Estrechándola, conmovida*). —Gracias...

DOCTOR.—Por aquí. Y no pierda su fe. No le pida nunca nada a la vida. Espere... y algún día la vida le dará una sorpresa maravillosa.

(*Sale con ella. La escena sola un momento. Estalla fuera una alegre risa de mujer. Entra corriendo* CHOLE: *una juventud impetuosa y sana. Asomada a la verja, llama con el grito jubiloso de los montañeros*).

CHOLE.—¡Ohoh! (*Abre la verja de par en par. Penetra en escena. Mira agradablemente sorprendida en torno, y vuelve a llamar hacia el exterior*). ¡Ohoh!

(*Contesta, fuera, la voz de* FERNANDO).

VOZ.—¡Ohoh!

(*Entra* FERNANDO, *joven también, alegre y decidido como ella. Traje de viaje, equipaje de mano, cámara fotográfica en bandolera*).

FERNANDO.—¿Tierra firme?

CHOLE.—¡Y qué tierra! Montañas con sol y nieve, un lago, un hotel confortable, y ¡nosotros! Mira qué nombres tan bonitos: "Galería del Silencio"... "Jardín de la Meditación"... Y en el parque, ¿has visto? "Sauce de los enamorados", con cuerdas colgadas... para los columpios. Dame las gracias ahora mismo, Fernando.

FERNANDO.—Gracias, Chole... ¡Qué aspecto extraño tiene todo esto!

CHOLE.—¡Encantador!

FERNANDO.—Encantador, pero extraño. Seguramente uno de esos paradores de turismo para ingleses y enamorados.

CHOLE.—Lo que nos hacía falta. ¡Ay, qué vacaciones, Fernando! ¿Ves? Siempre debías dejarme conducir a mí. Te vuelves de espaldas a los mapas, te metes por las carreteras por donde no va nadie, cierras los ojos en los cruces, apretando el acelerador..., y siempre sales a algún sitio inesperado y maravilloso. La primera vez que me dejaste al volante descubrimos así unas ruinas góticas, ¿te acuerdas? La segunda...

FERNANDO.—La segunda nos fuimos contra un castaño de Indias.

CHOLE.—Pero no se destrozó más que el coche. ¿Y aquella cabaña de pescadores donde nos recogieron? ¿Y aquella herida, tan bonita, que te hiciste en el hombro? ¡Qué bien te sentaba aquel gesto triste, Fernando! No te lo había visto nunca. ¿Dónde fue?...

FERNANDO.—En una costa: el Cantábrico..., el Báltico... ya no me acuerdo.

CHOLE.—Yo tampoco; pero era un mar auténtico: sin bañistas, sin casinos. ¡Con unos hombres rubios y grandes, que cantaban a coro! Y ahora, ¿qué me dices ahora? ¿He sido un buen timonel?

FERNANDO.—¡Magnífico!

CHOLE.—Me dijiste: "Tenemos una semana de vacaciones en el periódico; vámonos a guarecer nuestro amor en cualquier rincón tranquilo y feliz"... Aquí lo tienes.

FERNANDO. — Decididamente, ¿nos quedamos aquí?

CHOLE.—¿Dónde mejor? Además, no podríamos seguir aunque quisiéramos. ¡Si todo ha sido providencial en este viaje! Tomé esta carretera porque no figura en la guía; justo al llegar se nos acabó la gasolina. Y en cuanto nos apeamos saltó una alondra a la derecha. ¡Buen augurio!

FERNANDO.—Así sea. Pero, ¿es que no hay nadie en este hotel? (*Lla-*

mando a gritos hacia un lado). ¡Ohoh!

CHOLE (*Hacia el otro*).—¡Ohoh!

(*Pausa*).

FERNANDO.—Nadie.

CHOLE.—Mejor. ¡La montaña y nosotros! ¿Qué más nos hace falta? (*Solemne*). En nombre de España, tomamos posesión de esta isla desierta. ¡Hurra, capitán!

FERNANDO.—¡Hurra, timonel!

CHOLE. (*Abriendo los brazos*).—¿Cómo llamaremos a este rincón feliz?

FERNANDO.—¿Cómo se llaman todos los rincones de la tierra donde estemos tú y yo?

CHOLE.—¡El Paraíso!

FERNANDO.—El Paraíso... (*Se besan riendo, dichosos de amor y juventud. Entra la* DAMA TRISTE. *Los contempla con una ternura llena de lástima.* FERNANDO *se aparta al verla*). ¡La serpiente!

DAMA.—¡Pobres...! ¿Ustedes también?

FERNANDO.—Señora...

DAMA.—¡Qué pena! ¡Tan jóvenes, con toda una vida por delante y queriéndose así... Novios, ¿verdad?... ¡Qué pena, Señor, qué pena!...

(*Cruza la escena y sale*).

FERNANDO.—¿Por qué le dará pena a esa señora que seamos tan jóvenes?

CHOLE.—No lo habrá sido nunca. ¿Has visto qué aire melancólico?

FERNANDO. — Enferma del hígado, seguro. Lo siento por ti, Chole: me habías prometido llevarme al Paraíso, pero creo que me has metido en un balneario.

CHOLE. (*Que se ha quedado mirando los cuadros, extrañada*).—¡Pues tampoco es un balneario!

FERNANDO.—¿No?

CHOLE.—Mira...

FERNANDO. (*Leyendo las inscripciones de los cuadros que ella señala*).—"Sócrates. Siglo quinto de Grecia. Cicuta"... "Séneca. Siglo primero de Roma. Sangría"...

CHOLE.—"Larra. Siglo romántico de España. Pistola"...

FERNANDO. (*Comenzando a inquietarse*). — ¡Huy!..., huy..., huy! ...

CHOLE.—¿Y aquí? Sobre el arco. (*Lee*): "Ven, Muerte, tan escondida — que no te sienta venir, — porque el placer de morir — no me vuelva a dar la vida". *Santa Teresa.*

(*Pausa. Se miran desconcertados*).

FERNANDO.—¡A que nos hemos metido en un convento!

CHOLE. — ¡Un convento! No digas ... El claustro de mirtos, con un surtidor; las filas de hábitos blancos por las galerías; los maitines... ¡Sería magnífico!

FERNANDO.—Para el turismo. Pero no me parece lo más indicado para dos novios en vacaciones.

CHOLE.—Dos novios, dos novios... Dicho así, parecemos dos novios como los demás. ¡Y no! (*Con fuego*). ¡Los novios! ¡Los únicos! ¿Quién se ha querido en el mundo antes que nosotros?

FERNANDO.—¡Nadie!

CHOLE.—¿Quién se atreverá a quererse después?

FERNANDO.—¡Nadie!

CHOLE. (*Abriendo nuevamente los brazos*).—¡Capitán!

FERNANDO.—¡Timonel!

(*Rompiendo el abrazo, pasa* HANS *por el arco del jardín. Va tocando una campanilla. Se asoma a escena y grita*).

HANS.—Sala de la cicuta..., ¡libre!

(*Sigue con su campanilla. Pausa.* CHOLE *y* FERNANDO *se miran, inmóviles*).

CHOLE. (*Aterrada*).—¿Ha dicho sala de la cicuta?

FERNANDO.—¡Huy..., huy..., huy... (*Toma un libro sobre la mesa del* DOCTOR). ¡Demonio!

CHOLE.—¿Qué?

FERNANDO.—¡Este libro!... "El suicidio considerado como una de las Bellas Artes". (*Suelta el libro*). Me parece, Chole, que no te vuelvo a dejar el volante.

CHOLE. (*Disponiéndose a huir*).—¿Dónde pusiste el maletín?

FERNANDO.—¡Eh, alto! ¡Huir, no! Somos periodistas, Chole. Cuando un periodista se tropieza con algo sensacional, no retrocede aunque lo que tenga delante sea un rinoceronte. Antes morir. Deja ese maletín.

(*Entra el* DOCTOR. *Va hacia su mesa. Se detiene al verlos*).

DOCTOR.—¿Les atienden a ustedes?

CHOLE.—No, gracias. Sólo entramos a dar un vistazo. Muy interesante, muy interesante... Fernando...

FERNANDO. — ¡Chole!... Calma. (*Ella se rehace. Deja el maletín. Avanza heroicamente*). Desconocido señor, permítame que me presente. Fernando Zara, periodista; especializado en reportajes sensacionales.

DOCTOR.—Mucho gusto.

FERNANDO. — Gracias. Chole, mi compañera, mi novia, mi ninfa Egeria y mi estrella polar. La pareja más feliz de la tierra.

DOCTOR.—Enhorabuena. Doctor Roda, director de la Casa. Pero... si son ustedes una pareja feliz, ¿qué diablos vienen a hacer aquí? ¿Han llegado ustedes voluntariamente?

CHOLE.—Hemos llegado fatalmente. Conducía yo.

DOCTOR.—¿Y saben ustedes dónde están?

FERNANDO.—Todavía no; pero lo sabremos en seguida. Es nuestra profesión.

DOCTOR.—Será, si yo no me opongo.

FERNANDO.—Inútil oponerse. Somos periodistas: si nos echa usted por la puerta, volveremos por la ventana. Disfrazados de jardineros, de inspectores de teléfonos, de vendedores de frutas, nos tendría usted aquí irremediablemente. No hay nada que hacer, doctor.

CHOLE. (*Avanzando hacia él*).—Nosotros no retrocedemos aunque tengamos delante un rinoceronte... ¡Oh, perdón!...

FERNANDO.—¿Su respuesta?

DOCTOR. (*Los mira entre severo y sonriente*).—¿Me perdonarán ustedes si les advierto que, como todos los seres felices... y como todos los periodistas, son ustedes un poco impertinentes?

FERNANDO.—Perdonado. Pero, compréndanos, doctor: el sensacionalismo es de cultivo muy difícil. El mundo produce cada vez menos cosas interesantes, y el público, en cambio, tiene cada vez más hambre de ellas. Usted no puede imaginarse nuestra angustia de exploradores en busca de lo extraordinario; nuestro gozo profesional cuando tropezamos con una banda de secuestradores, con un adulterio bonito...

CHOLE.—¡Ah, la tiranía del público! Y luego la tiranía del director. Todo le parece poco. Para el mes que viene nos ha encargado un naufragio, un evadido de la Guayana, un parto quíntuple y una aurora boreal. No es trabajo fácil, no.

FERNANDO.—No sabe usted lo que es recorrer un mundo de temas agotados para encontrar esa veta sensacional que el público espera siempre. "La serpiente de mar" que llamamos en los periódicos.

DOCTOR.—¿Y creen ustedes haber

encontrado aquí su "serpiente de mar"?

FERNANDO.—Le hemos visto la cola.

CHOLE.—No nos cierre las puertas. ¡Ayúdenos, doctor!

DOCTOR. (*Con una sonrisa de simpatía*).—Está bien. Veamos. ¿Son ustedes, en efecto, una pareja feliz?

FERNANDO. (*Pasando la mano sobre el hombro de ella*).—¡Como no ha habido otra!

DOCTOR.—¿Enfermedad?

CHOLE.—Ninguna.

DOCTOR.—¿Problemas espirituales?

FERNANDO.—No existen.

DOCTOR.—¿Amor?

CHOLE.—¡Torrencial!

DOCTOR.—¿Dificultades materiales?

FERNANDO.—¿Nosotros? A nosotros nos deja usted esta noche en una selva del centro de África, y mañana por la mañana tomamos café con leche.

DOCTOR.—Es envidiable. En ese caso, yo puedo facilitarles su trabajo. Pero ustedes, en cambio, pueden prestarme a mí un gran servicio.

LOS DOS.—A sus órdenes.

DOCTOR.—Para la buena marcha de esta casa necesitaba yo encontrar los dos extremos opuestos de la fortuna: una vida en derrota, sin amores, sin pasado y sin porvenir. Y una vida en plenitud, audaz, enamorada, llena de esperanzas y de horizontes. Lo primero, lo he encontrado hace un momento. ¿Quieren ustedes ser aquí la vida feliz?

CHOLE.—A sus órdenes, doctor; estamos en vacaciones.

DOCTOR.—Pues siendo así, como colaboradores y amigos, escuchen ustedes.

(*Se sientan*).

FERNANDO.—¡Chole!

(CHOLE *prepara lápiz y cuaderno*).

DOCTOR.—No; prométame que no escribirán una sola línea hasta que no conozcan a fondo la institución.

FERNANDO.—Chole...

(CHOLE *guarda lápiz y cuaderno*).

DOCTOR. — ¿Conocieron ustedes al doctor Ariel?

FERNANDO. — El doctor Ariel...; sí...

CHOLE.—Sí, sí..., el doctor Ariel ...

DOCTOR.—Bien; no le conocieron ustedes. El doctor Ariel fue mi maestro. Su familia, desde varias generaciones, era víctima de una extraña fatalidad: su padre, su abuelo, su bisabuelo, todos morían suicidándose en la plenitud de la vida, cuando empezaban a perder la juventud. El doctor Ariel vivió torturado por esta idea. Todos sus estudios los dedicó a la biología y la psicología del suicida, penetrando hasta lo más hondo en este sector desconcertante del alma. Cuando creyó que su hora fatal se acercaba, se retiró a estas montañas. Aquí cambió sus amigos, sus alimentos y sus libros. Aquí leía a los poetas, se bañaba en las cascadas frías, paseaba sus dos leguas a pie durante el día y escuchaba a Beethoven por las noches. Y aquí murió, vencedor de su destino, de una muerte noble y serena, a los setenta años de felicidad.

CHOLE. (*Entusiasmada*). — ¡Pero muy bonito!

FERNANDO.—Muy periodístico. Este prólogo queda formidable para señoras.

DOCTOR.—El doctor dejó escrito un libro maravilloso.

(*Lo toma de la mesa*).

FERNANDO.—Sí. "El suicidio considerado como una de las Bellas Artes".

DOCTOR.—¡Ah!, ¿lo conocía usted?

FERNANDO.—No hace mucho; pero lo conocía.

DOCTOR.—Este libro está lleno de ciencia; pero también de comprensión humana y de ternura. Vea la dedicatoria: "A mis pobres amigos los suicidas". (FERNANDO *toma el libro, que hojea de vez en cuando, interesado en sus mapas y estadísticas.*) A estos pobres amigos dejó también el doctor Ariel toda su fortuna. Con ella se fundó el Hogar del Suicida, cuya dirección me confió el maestro... y donde tienen ustedes su casa.

FERNANDO.—Gracias.

CHOLE.—Hasta aquí, todo va bien. Pero si el doctor Ariel murió feliz al fin, ¿por qué la fundación de esta casa?

DOCTOR.—Ahí empieza el secreto. El doctor Ariel no se limitó a hacer una extravagancia. Fundó, sagazmente, un Sanatorio de Almas. Aparentemente, esta casa no es más que el Club del perfecto suicida. Todo en ella está previsto para un muerte voluntaria, estética y confortable; los mejores venenos, los baños con rosas y música... Tenemos un lago de leyenda, celdas individuales y colectivas, festines Borgia y tañedores de arpa. Y el más bello paisaje del mundo. La primera reacción del desesperado al entrar aquí, es el aplazamiento. Su sentido heroico de la muerte se ve defraudado. ¡Todo se le presenta aquí tan natural! Es el efecto moral de una ducha fría. Esa noche algunos aceptan alimentos, otros llegan a dormir, e invariablemente todos rompen a llorar. Es la primera etapa.

CHOLE. (*Echando mano a su lápiz*). —Magnífico. Segunda etapa.

(FERNANDO *la detiene con un gesto*).

DOCTOR.—Etapa de la meditación. El enfermo pasa largas horas en silencio y soledad. Luego, pide libros. Después busca compañía. Va interesándose por los casos de sus compañeros. Llega a sentir una piadosa ternura por el dolor hermano. Y acaba por salir al campo. El aire libre y el paisaje empiezan a operar en él. Un día se sorprende a si mismo acariciando a una rosa...

FERNANDO.—Y empieza la tercera etapa.

DOCTOR.—La última. El alma se tonifica al compás de los músculos. El pasado va perdiendo sombras y fuerza; cien pequeños caminos se van abriendo hacia el porvenir, se van ensanchando, floreciendo... Un día ve las manzanas nuevas estallar en el árbol, al labrador que canta sudando al sol, dos novios que se besan mordiéndose la risa... ¡Y un ansia caliente de vivir se le abraza a las entrañas como un grito! Ese día el enfermo abandona la casa, y en cuanto traspasa el jardín, echa a correr sin volver la cabeza. ¡Está salvado!

CHOLE.—Precioso. Parece una balada escocesa.

FERNANDO.—No está mal. Periodísticamente era más interesante que se matasen. Pero dígame: ese sistema ¿no está excesivamente confiado en la buena disposición del cliente? ¿No han tropezado ustedes nunca con el suicida auténtico, con el desesperado irremediable?

DOCTOR.—Aquí sólo llegan los vacilantes. Desdichadamente el desesperado profundo se mata en cualquier parte, sin el menor respeto a la técnica ni al doctor Ariel. (*Levantándose*). ¿Puedo contar con ustedes?

CHOLE.—Desde ahora mismo.

DOCTOR.—Voy a encargar que dispongan sus habitaciones.

FERNANDO.—Gracias. ¿Nos permite, entretanto, hacer alguna interviú a sus pacientes?

DOCTOR. — Bien, pero con tiento. Generalmente son desconfiados y no abren fácilmente su corazón a un extraño.

CHOLE.—Aquel joven que se acerca, ¿es un enfermo?

DOCTOR.—Ah, sí: un muchacho romántico. Le llamamos aquí el Amante Imaginario. Vean su ficha... ha llegado anoche.

FERNANDO.—Entonces, etapa de la ducha fría.

DOCTOR.—Exactamente. No le lleven demasiado la contraria. Y sobre todo, naturalidad.

(*Sale*).

CHOLE.—Naturalidad, Fernando.

(*Entra, siempre ensimismado, el* AMANTE IMAGINARIO. *Se acerca al verlos, con un rayo de esperanza*)

AMANTE. — Perdón... ¿Compañeros?

CHOLE.—Funcionarios.

AMANTE.—Ah, funcionarios...

(*Va a seguir, desilusionado*).

FERNANDO.—Quédese un momento. ¿Por qué no se sienta? Tiene usted un aspecto muy fatigado.

CHOLE.—¿Quiere usted tomar alguna cosa?

AMANTE.—Gracias. Quiero terminar cuanto antes. (*Señalando, solemne, la Galería del Silencio*). Hoy mismo traspasaré esa última puerta.

FERNANDO.—¿Ha elegido usted ya su procedimiento?

CHOLE.—No se decida sin consultarnos: tenemos los mejores venenos, un lago de leyenda, celdas individuales y...

AMANTE. (*Brusco*). — ¡Ah, ustedes también! ¡Cállense! Todo es frío aquí..., odiosamente frío. Yo esperaba encontrar un corazón amigo.

CHOLE.—Cuente usted con ese corazón. Hemos visto su ficha. "Desengaño de amor". ¡Nos gustaría tanto conocer su historia!

AMANTE. (*Con ganas de contarla*). —¿De veras? ¿La oirían ustedes? No sé si valdrá la pena...

CHOLE.—¿Cómo no? ¿Quiere usted contárnosla?

AMANTE.—Gracias... (*Pausa*). Yo era empleado en una casa de Banca. Hacía números por el día y versos por la noche. Siempre había soñado aventuras y viajes, pero nunca había realizado ninguno. Una noche fui a la Opera. Cantaba Cora Yako el papel de Margarita. ¡Una mujer espléndida!

FERNANDO.—La conozco. Ha dado mucho que hacer al huecograbado.

AMANTE.—Cora Yako cantó toda la noche para mí. No era ilusión, no; sus ojos se clavaban en los míos, en lo más alto de la galería. ¡Cantaba y lloraba y moría para mí solo! Aquella noche no pude dormir. Al día siguiente equivoqué todas las operaciones en el Banco. Y volví al teatro, temblando, dos horas antes de empezar.

CHOLE.—¿Repetían el "Fausto"?

AMANTE.—No; era "Madame Butterfly". Pero el fenómeno volvió a repetirse. La noche anterior eran dos ojos azules y unas trenzas rubias; ahora eran dos ojos de almendra negra y un kimono de estrellas. Pero el mismo abrazo de luz entre los dos... En el Banco, todo el dinero pasaba por mis manos. Cogí una cantidad; mi sueldo de dos meses. Y le envié un ramo de orquídeas y una tarjeta. Después...

(*Vacila. Se calla*).

CHOLE.—Después, ¿qué?... Diga.

AMANTE.—Después... ¡Después fue la felicidad!... Los barcos y los grandes hoteles. Viena, El Cairo, Shanghai. Nos besábamos un día en el desierto, entre los sicomoros, y al día siguiente en un jardín de lotos. ¡Yo, miserable empleado de una Banca española, he abrazado en todos los idiomas a Margarita, y a Madame Butterfly, a Brunilda, a Scherezada!...

FERNANDO.—Enhorabuena. ¿Y qué más?

AMANTE. (*Seco*).—Nada más.

CHOLE.—¿Nada más? ¿Entonces?...

AMANTE.—¿Qué? ¿Por qué me miran así? ¿No me creen? ¡Les juro que es verdad! Yo he sido el gran amor de Cora Yako. ¡Es verdad, es verdad!

FERNANDO. (*Cambia una mirada con* CHOLE).—No es verdad.

AMANTE.—¡Les juro que sí! ¿Por qué no había de serlo? ¿Qué tengo yo para que no me quiera una mujer?

FERNANDO.—No es por usted. Seguramente es un gran muchacho. Pero ha contado su historia de un modo tan extraño...

CHOLE.—¿Por qué ha mentido usted? Háblenos sin miedo, como a dos amigos.

AMANTE. (*Vencido por el tono cordial de* CHOLE).—Tiene usted razón. ¡Para qué mentir, si nadie me cree!... Y, sin embargo, sólo he mentido a medias. Es verdad que he destrozado mi juventud sobre el pupitre de una casa de Banca. Es verdad que Cora Yako me miraba cantando. Y es verdad que robé por ella. Pero el amor y los viajes..., sólo los he soñado. Al día siguiente, cuando volví al teatro con mi corbata nueva, el vestíbulo estaba lleno de baúles y decorados sucios. Mi ramo estaba tirado en un rincón, y la tarjeta sin abrir. De mi sueño sólo quedaba la pobre verdad de mi desfalco, y un ramo de orquídeas pisadas... Pero eso no debe saberlo nadie. Déjenme contar esta historia a todo el mundo. Necesito que la crean todos. Necesito creerla yo también... y después morir feliz. (*Volviéndose rápido*). El doctor viene. Ne le digan ustedes nada; él es ya viejo y no puede comprender estas cosas... No le digan ustedes nada.

(*Sale de puntillas. Entra el* DOCTOR).

DOCTOR. — Sus habitaciones están dispuestas. ¿Quieren pasar a verlas?

CHOLE.—Yo voy. Saca tú las maletas del coche, Fernando. Cuando usted quiera, doctor.

(*Sale con él, llevándose el maletín.* FERNANDO, *a solas, da unos pasos en la dirección en que salió el* AMANTE IMAGINARIO. *Se vuelve al ver entrar a la* DAMA TRISTE).

FERNANDO.—Señora...

DAMA.—¿Es usted nuevo en la casa?

FERNANDO.—Soy... el nuevo ayudante del doctor.

DAMA.—Me pareció verle aquí hace un momento, besando a una señorita.

FERNANDO.—Ah, sí... Se había pintado los labios con arsénico, y quería hacer una experiencia.

DAMA.—Qué interesante, ¡morir en un beso! Algo así buscaba yo.

FERNANDO.—¿No ha encontrado todavía su procedimiento?

DAMA.—Son todos demasiado brutales.

FERNANDO.—Sin embargo, siempre pueden encontrarse matices.

DAMA.—He pedido al doctor que probara a envenenar una rosa.

Me gustaría morir aspirando un perfume.

FERNANDO.—La felicito: esa tendencia a morir por las narices es del más delicado romanticismo. Pero no es cosa fácil.

DAMA.—Yo he leído alguna vez que Leonardo da Vinci hizo un experimento de envenenamiento de árboles.

FERNANDO.—Sí, parece ser que trató de envenenar los frutos de un melocotonero a través de la savia. Pero aquel verano los melocotones se desarrollaron más sanos que nunca. Yo, en cambio, de pequeño, tenía un manzano enfermo en mi huerto. Para reanimarlo se me ocurrió darle en las raíces una inyección de aceite de hígado de bacalao, ¡y se cayó muerto de repente! Los árboles tienen unas reacciones extrañas.

DAMA.—Lástima...

FERNANDO.—Puede encontrarse otra cosa. ¿Conoce usted el libro del doctor Ariel? ¿No? Ah, es un manual perfecto. Vea en el apéndice la distribución geográfica de los suicidios. (*Extiende la hoja de un mapa*). Cada raza tiene sus predilecciones y sus fatalidades. En la zona del naranjo —España, Italia, Rumania— predomina la muerte por amor. En la zona del nogal —Francia, Inglaterra, Alemania— el suicidio político y económico. En la zona del abeto —Suecia, Noruega, Dinamarca— la muerte voluntaria disminuye, al mismo tiempo que aumenta el nivel de los salarios y la democracia. ¡Es la Europa cilivizada!

DAMA.—¿Dónde está señalado el suicidio pasional?

FERNANDO.—Aquí: la franja encarnada. Vea, al margen, la gráfica estadística: "Indice anual de suicidios por amor: Inglaterra, 14; Francia, 28; Alemania, 41; Italia, 63; España, 480... Estados Unidos, 2".

DAMA.—¿Dos, solamente?

FERNANDO. — Dos. Eran mexicanos nacionalizados.

(*Deja el libro*).

DAMA.—Ah, qué bien ha hecho usted en leerme esos datos. Esa estadística me señala el camino de mi raza. ¡Me gustaría tanto morir por amor! Desgraciadamente, para eso no basta una voluntad; hacen falta dos... ¿Usted me ayudaría?

FERNANDO. — Honradísimo, señora, pero... estoy comprometido ya. Tengo que suicidarme mañana con una pianista polaca.

DAMA.—Siempre llego tarde.

FERNANDO.—Perdón.

DAMA.—¡Y cuántas veces lo he soñado! ¡Esas parejas japonesas que se lanzan cogidas de las manos y coronadas de crisantemos, al cráter del Fuyi-Yama!

FERNANDO.—Una muerte bellísima. Desdichadamente España es un país arruinado: no nos queda ni un miserable volcán para estos casos. (*La* DAMA TRISTE *se sienta. Suspira desolada*). Y ahora, si me hace usted el honor de una confidencia, ¿por qué quiere morir?

DAMA.—¡Por tantas cosas!

FERNANDO.—¿Puede decirme alguna?

DAMA.—Desilusión absoluta. Este mundo de la materia no es el mío. Odio todo lo grosero: la carne, la tiranía de los músculos y la sangre. Quisiera haber nacido planta, agua de torrente, ¡alma sola! Tengo lástima de este pobre cuerpo mío, que no me ha proporcionado nunca más que dolor.

FERNANDO.—¿Y por lástima de su cuerpo ha decidido usted quitárselo de en medio? Me parece excesivo. Es lo que llaman los alemanes, tirar el agua del baño con el niño dentro.

DAMA.—¿Para qué conservar lo que de nada sirve? Mi carne no existe. Sólo mi alma ha vivido.

FERNANDO. —¿Está usted segura? ¿Me permite una sencilla experiencia? (*Saca lápiz y cuaderno*). Dígame, ¿qué desayuna usted?

DAMA.—¿Y qué importa eso?

FERNANDO.—Se lo ruego; es por su tranquilidad. ¿Qué desayuna usted?

DAMA.—Un vaso de leche. A veces, alguna fruta...

FERNANDO.—¿Almuerzo?

DAMA. —Apenas: ternera, legumbres...; guisantes, generalmente.

FERNANDO.—Y más fruta, ¿verdad? ¿Suele cenar?

DAMA.—Lo mismo. ¿Por qué me lo pregunta?

FERNANDO.—Se lo diré en seguida. ¿Qué cosas interesantes recuerda de su vida? ¿Ha viajado usted?

DAMA.—Poco; conozco París, Londres, Florencia.

FERNANDO.—¿Ha cultivado aficiones artísticas?

DAMA.—Toco el piano.

FERNANDO.—¿Ha leído mucho?

DAMA.—Románticos casi siempre. Toda la obra de Víctor Hugo me es familiar.

FERNANDO.—¿Ha tenido amores?

DAMA.—Amor... sólo una vez. Yo era una niña casi; él era teniente de navío. Nos besamos en el puente del barco y zarpó rumbo a Filipinas. No le volví a ver.

FERNANDO. (*Que ha ido tomando notas y trazando números rápidamente*).—Magnífico. Pues bien, señora: calculándole sólo media vida y raciones discretas, resulta: que para hacer tres viajes cortos, aprender a tocar el piano, leer las obras completas de Víctor Hugo y besar a un teniente de navío..., ha necesitado usted tomarse ochocientos decálitros de leche, tres vagones de fruta, ocho hectáreas de guisantes y ¡diecisiete terneros! El cuerpo, señora, es una realidad insobornable.

DAMA. (*Horrorizada*). —¡No! ¡No es posible!

FERNANDO.—Aritméticamente exacto.

DAMA.—¡Qué vergüenza!

FERNANDO.—Pero no lo lamente demasiado. Al fin y al cabo, el cuerpo es de origen tan divino como el alma, y hay que dar al César lo que es del César. No se ponga triste. Reconcíliese usted consigo misma. ¿Quiere que la acompañe a dar una vuelta por el parque? Hace un sol espléndido.

DAMA. —Gracias... (*Acepta su brazo. Se justifica*). Puede usted pensar de mí lo que quiera. No seré un gran espíritu; seguramente soy una pobre mujer vulgar... ¡Pero le juro que yo no me he comido esos diecisiete terneros!

(*Salen. La escena sola. Suenan de pronto —uno, dos, varios— timbres y campanas de alarma. Sale corriendo* ALICIA. *Grita, llamando*).

ALICIA.—¡Doctor..., doctor!

(*Acude el doctor*).

DOCTOR.—¿Qué ocurre?

ALICIA.—¡Allí!

(*Señala la Galería del Silencio*).

DOCTOR.—¡Pronto..., Hans! ¡Deténgalo!...

(*Suena dentro un disparo. Callan los timbres.* ALICIA *se tapa la cara con las manos. Entra* HANS *forcejando con* JUAN, *que lucha desesperadamente por desasirse y recobrar su arma*).

JUAN.—¡Déjeme! ¡Suelte!...

DOCTOR.—¿Qué ha sido?

HANS.—Nada, ya. He conseguido

desviarle la pistola a tiempo. Aquí está.

DOCTOR.—Traiga.

JUAN.—¡Suelte!

(*Se desprende violentamente*).

DOCTOR.—¡Pronto, Hans! Calme a los demás. Que no acuda nadie.

(*Sale* HANS. ALICIA *queda al fondo y escucha, sin hablar, toda la escena.* JUAN *trata ahora de arrebatarle la pistola al* DOCTOR).

JUAN.—¡Déjeme! ¡Es mía!

DOCTOR.—¡Quieto!

JUAN.—¡Es mía!

DOCTOR.—¡No! (*Lo rechaza.* JUAN *cae sin fuerzas en una butaca; esconde la cabeza entre los brazos, sollozando convulso. El* DOCTOR *se acerca lentamente a un escritorio. Guarda el arma*). ¿Qué iba usted a hacer?

JUAN—Morir. Necesito morir. ¡Mañana puede ser tarde!

DOCTOR.—¿Y por qué?

JUAN.—Si no muero yo, acabaré matando. Lo sé... ¡Y no quiero matar!

DOCTOR. — Vamos, serénese. ¿Por qué había de matar usted a nadie?

JUAN.—Mataré. Ya he sentido la tentación una vez. La siento mordiéndome la sangre ahora mismo. Y es horrible, porque él es bueno. Porque él me quiere... ¡y no sabe siquiera todo el daño que me hace!

DOCTOR.—¿Quién es él?

JUAN.—Es mi hermano... Todo lo que yo hubiera querido, todo me lo ha quitado él sin saberlo. Primero me robó el cariño de mi madre. Me robó la inteligencia y la salud que yo hubiera querido tener. Me robó la única mujer que podía haberme hecho feliz. Él ha conseguido sin esfuerzo, riendo, todo lo que yo he deseado dolorosamente, en silencio y trabajando. Ha pasado siempre por encima de mis entrañas, sin darse cuenta... ¡Y siempre me ha sonreido! Pero él no tiene la culpa; él es bueno. ¡Es, además, mi hermano! Líbreme de esta pesadilla, doctor... No quiero matarlo... ¡no quiero matarlo!

(*Entran precipitadamente* CHOLE *y* FERNANDO).

CHOLE.—¿Ha ocurrido algo, doctor? (*Sorprendida a verle*). ¡Juan!

JUAN.—¿Vosotros?

DOCTOR.—¿Se conocían ustedes?

FERNANDO.—Es mi hermano...

(*Avanza hacia él, tendiéndole las manos*).

TELÓN

ACTO SEGUNDO

En el mismo lugar, tres días después. Luz de tarde.

(*Han desaparecido los cuadros de muerte, y en su lugar* CHOLE *acaba de colgar un solo cuadro nuevo*: *"La Primavera", de Botticelli.* ALICIA *viste bata blanca de enfermera, con una cruz azul al brazo*).

CHOLE.—¿Queda bien así?

ALICIA.—Sí, muy bien. ¡Los otros cuadros eran tan tristes...!

CHOLE. (*Disponiendo un cacharro de flores*).—Y estas flores, ¿le gustan?

ALICIA.—Mucho. Huelen como si vinieran de lejos. ¿De dónde son?

CHOLE.—Del Sur.

ALICIA.—Las nuestras no han florecido aún.

CHOLE.—Ya no tardarán; mañana es el primer día de la primavera. Cuando florezcan, habrá que ponerlas también en todas las habitaciones.

ALICIA.—Gracias.

CHOLE.—¿Por qué me da usted las gracias?

ALICIA.—Porque es una idea bonita. Aunque no sea para mí... Los otros cuadros, ¿a dónde se han de llevar?

CHOLE.—Al sótano. Con muchísimo respeto, pero al sótano. (*Quedan mirándose*). Está usted hoy muy sonriente, Alicia.

ALICIA.—Estoy contenta.

CHOLE.—¿Por qué?

ALICIA.—No sé...; se ha reído usted toda la mañana. No había tenido nunca a nadie que se riera junto a mí.

CHOLE. (*Riendo*). — Es gracioso: ¡está usted contenta porque me río yo!

ALICIA. — Hace mucho bien oír reír. Tampoco había tenido nunca una amiga. Y usted me dio la mano, mirándome a los ojos, tan hondo y tan claro... ¿Quiere usted darme la mano otra vez?

CHOLE. (*Estrechándosela cariñosamente*).—¿Amigas siempre?

ALICIA.—¡Siempre!

CHOLE.—Y no diga usted "gracias". Déjeme decirlo a mí. Usted lo dice siempre, a todo. Se lo diría a un pájaro que viniera a cantar a su ventana.

ALICIA.—¿Por qué se ríe usted ahora? ¡Se ríe de mí!

CHOLE.—Sí. ¡Es usted tan chiquilla!

ALICIA. (*La oye feliz. Sonríe también*).—Gracias...

(*Sale. Entra el* DOCTOR).

DOCTOR.—Señorita Chole...

CHOLE.—Buenas tardes, doctor. ¿Nota usted algo nuevo aquí?

DOCTOR.—No sé... ¿Esas flores? (*Volviéndose*). ¡Los cuadros! Por fin los ha arrancado usted.

CHOLE.—Eran demasiado sombríos. No hacían ningún bien a esta pobre gente.

DOCTOR.—Sin embargo, tenían un prestigio solemne. En fin... (*Contempla el cuadro*). "La Primavera", de Botticelli.

CHOLE.—¿He elegido bien?

DOCTOR.—Sí. Es luminoso, tranquilo... Veo que empieza usted a interesarse de veras por mis enfermos.

CHOLE.—Mucho. Nunca había imaginado un espectáculo humano

tan desconcertante; tanta comedia y tragedia al mismo tiempo.

DOCTOR.—Es curioso. Y está usted atravesando las mismas etapas que ellos. El primer día entró aquí como un golpe de viento, ansiosa de encontrar algo original para lanzarlo a la publicidad. Después ha ido penetrando en las almas, buscando su verdad en el silencio. Está usted en plena etapa de meditación y de ternura.

CHOLE.—Algunas de estas historias íntimas me han llegado muy hondo.

DOCTOR.—Entonces, ¿aquel reportaje sensacional...?

CHOLE.—No lo escribiré ya.

DOCTOR.—¿Lo hará Fernando?

CHOLE.—Quizá. Él es hombre y fuerte. Yo, hoy, no me atrevería a desnudar en público estos pequeños dolores para satisfacer una curiosidad bien sentada y bien alimentada.

DOCTOR.—Ya apareció la mujer.

CHOLE.—¡Esa chiquilla, siempre sola, que da las gracias a todo lo que es hermoso, como si fuera un regalo! ¡Ese pobre empleado de Banca, que nunca ha salido de su oficina y su casa de huéspedes, y se sueña héroe de amores y viajes extraordinarios!...

DOCTOR.—Además, trabaja usted seriamente. Anoche sé que ha estado encerrada en mi biblioteca hasta la madrugada.

CHOLE.—Me interesan sus libros, sus estadísticas. He descubierto en ellos cosas que no hubiera imaginado nunca.

DOCTOR.—¿Cuáles?

CHOLE.—Esa contradicción constante del suicida con la lógica de la vida. ¿Por qué se matan más los triunfadores que los fracasados? ¿Por qué se matan más los hombres en la juventud que en la vejez? ¿Por qué se matan más los enamorados que los que no han conocido amores?... Y, ¿por qué se matan al amanecer más que de noche y en la primavera más que en el invierno?

DOCTOR.—Difícil de explicar para una mujer feliz. Pero la observación es científicamente exacta.

CHOLE.—Matarse es siempre una negación brutal. Pero matarse en plena juventud, en la hora del amor y de la primavera, es un insulto a la Naturaleza.

DOCTOR.—Quizá.

CHOLE.—¡Es, además, tan contrario a todos los instintos! Los animales no se suicidan.

DOCTOR.—A veces, también. El alacrán, cuando se siente rodeado de fuego, se clava su aguijón venenoso.

CHOLE.—Pero eso no es buscar la muerte voluntariamente. Es adelantarla un momento, para evitar el dolor.

DOCTOR.—El dolor... He ahí el motivo supremo. Me parece que, sin darse cuenta, acaba usted de contestar a sus dudas de antes. ¿No cree usted que el dolor es cien veces más intolerable cuando nos rodean el amor y el triunfo, cuando la sangre es joven y todo a nuestro alrededor se viste de rosas?

CHOLE.—No, doctor; no me haga usted dudar. La vida no es solamente un derecho. Es, sobre todo, un deber.

DOCTOR.—Ojalá piense usted siempre así.

(*Pausa. En el umbral del jardín aparece el* PADRE DE LA OTRA ALICIA: *una noble cabeza blanca agobiada de dolor. Vacila. Se adelanta al fin, con una voz humilde y rota*).

PADRE.—Perdón... ¿El doctor Roda?...

DOCTOR.—A sus órdenes.

PADRE.—Tengo algo que pedirle...

Algo muy íntimo, muy difícil..., pero necesario.

CHOLE.—¿Estorbo?

DOCTOR.—De ningún modo. La señorita es persona de mi absoluta confianza.

PADRE.—Doctor...

DOCTOR.—Diga.

PADRE.—Doctor... ¡Hágame usted morir!

DOCTOR.—¿Yo?

PADRE.—Sí... Comprendo que es una petición extraña; pero es que usted no sabe... Yo también soy médico. He pedido esto mismo a otros compañeros; todos me compadecen, pero ninguno ha querido ayudarme. ¡Usted puede hacerlo! Por compasión, doctor. También yo lo he hecho una vez. ¡Le juro que es absolutamente necesario!

DOCTOR.—¿Por qué?

PADRE.—Porque es monstruoso seguir viviendo así. Nunca he tenido grandes motivos para desear la vida; pero antes la tenía a ella. Tenía un deber: unos ojos y una voz que me necesitaban.

DOCTOR.—¿Quién era ella?

PADRE.—Era mi hija... Estaba paralítica desde la niñez. Tendida siempre en una hamaca. Nada se movía en su cuerpo; sólo los ojos... y aquella voz de música, que era una vida entera. Yo le leía los poemas de Tennyson; ella me escuchaba, mirándome. Y hablábamos a veces..., muy poco, muy bajito; pero bastante para los dos. Hasta que un día yo empecé a sentirme enfermo. No podía engañarme: era uno de esos males lentos y seguros, que no perdonan. Entonces sólo sentí el terror de dejarla sola. ¡Pobre carne quieta! ¿Qué iba a ser su vida sin mí? No pude resignarme a esta idea. Tenía a mi alcance la morfina... Y la fui durmiendo suavemente..., sin dolor..., hasta que no despertó más. ¿Comprenden ustedes? Era mi hija y mi vida. La he matado yo mismo. ¡Y yo estoy todavía aquí! Estoy sintiendo con espanto que mi mal se aleja, que acabaré por curarme... Y no tengo fuerzas para acabar conmigo... ¡Cobarde..., cobarde!

(*Cae, desfallecido, en un asiento. Pausa. El* DOCTOR *aprieta, angustiado, las manos de* CHOLE).

DOCTOR.—Sí, la vida es un deber; pero es, a veces, un deber bien penoso.

CHOLE. (*Llama, en voz alta*).—¡Alicia!

PADRE. (*Sobresaltado*). — ¡Alicia! ¿Quién se llama aquí Alicia?

CHOLE.—Es nuestra enfermera.

PADRE.—También ella se llamaba Alicia... (*Entra* ALICIA. *Trae un libro bajo el brazo. El* PADRE *avanza, lento, hacia ella, mirándola con una intensa emoción*). Es extraordinario... Cómo se parecen... Los mismos ojos; pero "ella" más tristes. Permítame... Las mismas manos. (*Amargo, como si fuera una injusticia*). Pero éstas están sanas, calientes... ¿Y la voz? ¿Quiere usted decir algo, señorita?

ALICIA. (*Sin saber qué decir, sonriendo*).—Gracias...

PADRE. — ¡Ah..., no!... La voz, no. Perdone; tiene usted una voz muy agradable. Pero "ella", cuando "ella" decía "gracias", todo callaba alrededor. ¿Qué leía usted?... Versos... ¿Conoce los poemas de Tennyson? Si no le molesta, yo se los leeré en voz alta. ¿Puede ser, doctor?... En el jardín, ¿quiere? Usted, tendida en una hamaca, quieta; yo a su lado... ¿Me permite que la trate de tú?

ALICIA.—Se lo agradezco.

PADRE.—No... Míreme, si quiere

...; pero hablar, no... No digas nada..., Alicia. ¡Alicia!

(*Sale con ella*).

DOCTOR.—¿Cree usted que podremos salvarle?

CHOLE.—Me parece que está salvado ya.

(*Pausa. Se oye fuera el grito montañero de* FERNANDO).

LA VOZ.—¡Ohoh!

CHOLE.—¡Ohoh! (*Corriendo a él al verle aparecer*). ¡Capitán!

FERNANDO. — ¡Timonel! Perdón, doctor.

(*La besa en los labios*).

CHOLE.—¡Has estado fuera todo el día!

FERNANDO.—En la montaña desde el amanecer. El doctor se ha empeñado en hacerme sufrir los encantos de la Naturaleza.

CHOLE.—Y has salido sin despedirte.

FERNANDO.—Estabas dormida como un tronco... Como un tronco de sándalo.

CHOLE.—¿Te has acordado de mí?

FERNANDO.—Todo el día.

CHOLE.—¿Por que no me has escrito?

FERNANDO.—Te escribiré a la noche.

CHOLE.—¿Has visto salir el sol?

FERNANDO.—Sí; tiene gracia. ¡Sale con una cara de sueño, el pobre! Y en cuanto asoma, hace más frío que antes.

CHOLE.—¿Y es verdad que hay escarcha..., y pastores con zamarra, y rebaños de ovejas?

FERNANDO.—Sí; hay ovejas. Y unos pastores muy brutos, con zamarras, que les tiran piedras a las ovejas.

CHOLE.—A María Antonieta le gustaba siempre vestirse de pastora.

FERNANDO.—Y le cortaron la cabeza. Con permiso, doctor. (*Se deja caer, deshecho, en una butaca*). Vengo chorreando salud.

CHOLE.—¿No me has traído nada?

FERNANDO.—¡Ah, sí! Una rosa de los Alpes, blanca. De ésas que sólo florecen entre la nieve y sobre los abismos. La he dejado en tu cuarto.

CHOLE.—¿Por qué has hecho eso? Dicen que se deshojan al bajar al llano. ¡Pobre rosa!...

(*Sale*).

FERNANDO.—¡Ah, las mujeres! He podido matarme por alcanzarla, y nada. Pero la rosa se deshoja... ¡Pobre rosa!

DOCTOR.—No parece usted muy feliz con su día de campo.

FERNANDO.—Decididamente, soy un salvaje urbano.

DOCTOR.—Ese aire cargado de manzanillas, ese bosque de abetos, esas crestas de nieve, ¿no le han dicho nada?

FERNANDO.—Nada. Es lo mismo que se le ha ocurrido a ese monte el año anterior, y el otro, y hace cuarenta siglos. Ni un atrevimiento, ni una originalidad. El crepúsculo, la primavera, la caída de las hojas... ¡Siempre los mismos trucos!

DOCTOR.—A usted le gustaría una Naturaleza anárquica, llena de sorpresas.

FERNANDO. — ¡Con imaginación! ¡Ah, si no le ayudáramos nosotros...! Ella produce todos los alimentos; pero todos crudos. Y no digamos ya que no se le haya ocurrido inventar el ascensor, la máquina de escribir, el simple tornillo. ¡Es que ha tenido a su cargo los árboles desde el principio del mundo, y no se le ha ocurrido ni pensar en el injerto! Ya me gustaría ver a esa pobre Naturaleza ingresar en un periódico.

DOCTOR.—Y, sin embargo, la Naturaleza es más de la mitad del arte.

FERNANDO.—Eso, sí; literariamente, no tengo nada que reprocharle. El paisaje agreste es el ambiente natural de las cabras y de los poetas. Pero periodísticamente, no tiene la menor emoción. Sólo el hombre interesa.

(*Entra* HANS).

DOCTOR.—¿Alguna novedad, Hans?

HANS.—Ninguna. El profesor de Filosofía se ha tirado al estanque, como todas las mañanas. Y ha vuelto a salir nadando, como todas las mañanas también. Se está secando.

DOCTOR.—¿El empleado de Banca?

HANS.—En la alameda de Werther. Le sigue contando la historia de Cora Yako a todo el mundo. Nadie se la cree, y llora al atardecer.

DOCTOR.—¿Y la señora del pabellón verde?

HANS.—¿La Dama Triste? No sé lo que le ocurre: desde hace tres días, se niega sistemáticamente a comer.

(FERNANDO *ríe, recordando*).

DOCTOR.—Hay que evitar eso a todo trance.

HANS.—Ya lo he intentado. Le he insistido: "Señora, que esto no puede ser; por la seriedad de la casa... Un vaso de leche, un trocito de ternera..." Y en cuanto le he dicho eso se ha puesto ha llorar como un caimán. No la entiendo.

FERNANDO.—Yo, sí.

HANS.—Parece como si quisiera morirse de hambre. ¡Y decía que buscaba un procedimiento original! No lo entiendo. (*Severo, a* FERNANDO). ¿Se ríe usted? ¡Yo, no!

DOCTOR.—No está de muy buen humor hoy, Hans.

HANS.—Perdóneme el doctor, pero hay cosas que no van a mi carácter. Yo soy un hombre serio. He venido a una casa seria. A cumplir una función seria. Y desde hace unos días esto no marcha.

FERNANDO.—¿Desde que llegamos nosotros?

HANS.—Exactamente. ¿Por qué se ríe usted? Nadie se había reído nunca aquí. La señorita Chole se ha estado riendo también toda la mañana. Y todo se contagia: al profesor de Filosofía ya lo he sorprendido anoche silbando el "Danubio Azul". ¿A dónde vamos a parar?

DOCTOR.—Calma, Hans. Todo llegará.

HANS. (*Sin gran fe*). — Esperemos. (*Va a salir. Se detiene, aterrado*).—¡Oh, doctor!... ¡Los cuadros!

DOCTOR.—Ha sido idea de la señorita Chole. Los otros le parecían demasiado sombríos.

HANS.—Pero estaban en su casa. Aquel Séneca desangrándose era de una serenidad alentadora. ¡Aquel Larra, desmelenado y romántico!... (*Se queda contemplando el Botticelli con un desprecio infinito*). ¡La Primavera! ¿Qué tendrá que hacer aquí la primavera? No es serio esto. No es serio...

(*Sale*).

FERNANDO.—Es un tipo curioso su ayudante.

DOCTOR.—Mutilado de la Gran Guerra.

FERNANDO.—¿Mutilado?

DOCTOR.—Sí; del alma. La guerra deja marcados a todos: a los que caen y a los que se salvan. Ese hombre tenía una cervecería en una aldea de Lieja. Era un muchacho alegre, cantaba las viejas canciones; tenía amigos, hijos y mujer. Durante la guerra sirvió cuatro años en un hospital de sangre. ¡Cuatro años viendo y palpando la muerte a todas horas! Después del armisticio, cuando volvió a su tierra, sus amigos, su mujer y sus hijos habían desaparecido. Y la cervecería también. Y el sitio de la cervecería. Hans era un hombre acabado. Ya no servía más que para rondar a la Muerte. Anduvo buscando trabajo por sanatorios y hospitales. Y así, vino a dar aquí. Ya no sé si lo tengo como ayudante o como enfermo.

FERNANDO. (*Entusiasmado, echando mano a su cuaderno*).—¡Pero eso está muy bien! ¿Cómo no me lo había contado antes?

DOCTOR.—Interés periodístico, ¿verdad? Escriba Y cuando termine, venga a buscarme a mi despacho. A usted, hombre feliz, tengo otra historia que contarle. Una historia de dos hermanos..., que acaso le interese más. Escriba, escriba.

(*Sale.* FERNANDO, *a solas, toma sus notas*).

FERNANDO.— "El enamorado de la Muerte... Lieja..., cervecería ..., 1914..."

(*Entra* CORA YAKO, *espléndida mujer, sin edad, espectacular y banal. Mira, curiosa, a su alrededor. Después avanza hacia* FERNANDO).

FERNANDO.—Señora...

(*Se pone rápidamente su americana, que ha traído al brazo*).

CORA.—¿Es usted empleado de la casa?

FERNANDO.—Secretario y cronista.

CORA.—Espero que no me habré equivocado. Es aquí la...

FERNANDO.—La fundación del doctor Ariel.

CORA. — Exactamente. ¿De modo que es verdad? ¡Estupendo! Ya tenía miedo de que fuera una broma. ¿Tienen ustedes un sitio libre?

FERNANDO.—Siempre. Aquí no se pregunta a nadie de dónde viene ni a dónde va. Puede usted contar con el Pabellón Azul. ¿Caso muy urgente?

CORA.—No... Le diré. Desde luego, debo confesarle que yo no traigo el menor propósito de matarme.

FERNANDO.—¡Ah!, ¿no?

CORA.—Soy artista, ¿sabe? He triunfado en cien países. Desdichadamente, los años van pasando, las facultades disminuyen... Y cuando disminuyen las facultades no hay más remedio que aumentar la propaganda. No sé si me comprende.

FERNANDO.—Creo que sí. Usted necesita un suicidio - propaganda, con negritas del doce y fotografías a tres colores en las revistas. Y, desde luego, sin peligro.

CORA.—Exacto, exacto. Es usted muy inteligente.

FERNANDO.—¡Psé! Me defiendo.

CORA.—Me parece que nos vamos a entender perfectamente. En cuanto al precio, no me importa.

FERNANDO.—Ni a mí; ya le haremos una cosa que esté bien. ¿Me permite tomar unos datos para abrir su ficha? (*Toma una del fichero y anota*). Profesión: artista.

CORA.—Cantante de ópera.

FERNANDO.—Cantante. ¿Española?

CORA.—Internacional. Nací en un barco.

FERNANDO.—Edad... ¿Le parece bien veinticuatro años?

CORA.—Gracias.

FERNANDO.—Veinticuatro. ¿Su nombre?

CORA.—Cora Yako.

FERNANDO.—Cora Yako. (*Recordando, de pronto*). ¡Cora Yako!... Pero..., ¿es usted Cora Yako en persona? ¡Oh, déjeme estrechar esas manos!

CORA.—¿Me ha oído usted cantar?

FERNANDO. — ¡Nunca! Pero es lo mismo. ¡Qué gran idea la suya de venir aquí!

CORA.—¿Qué quiere? Es de lo poco que me faltaba por intentar. He tenido en mi carrera duelos, escándalos, un naufragio...

FERNANDO.—Ha estado usted casada con un rajá indio. Se divorciaron en California.

CORA.—¡Ah!, ¿lo sabía usted?

FERNANDO. — Soy periodista. Los periodistas nos enteramos de todo por los periódicos. (*Contemplándola, encantado*). ¡Cora Yako! ¿Me perdona que la deje sola un momento? Hay alguien en la casa que tendrá el mayor gusto en atenderla. Voy por él. ¡Cora Yako, Cora Yako!

(*Sale*).

CORA. (*Mirándole ir*). — Simpático muchacho.

(*Curiosea en torno con la mirada. Se fija en el* AMANTE IMAGINARIO, *que llega por el extremo opuesto, como una sombra romántica, sin rumbo. Viene deshojando una margarita. Se sienta. Suspira*).

CORA.—Perdón... ¿Es usted empleado de la casa? (*Él la mira vagamente. Niega con la cabeza*). ¡Ah! Entonces es un..., un... (*Él afirma, del mismo modo*). ¡Qué interesante! Da escalofrío... Y, ¿por qué...?

AMANTE.—¡Amor! He amado mucho; he sido todo lo feliz que puede ser un hombre. ¿Para qué vivir más? Yo he tenido en mis brazos a Margarita, a Brunilda, a Scherezada...

CORA. (*Le mira, con inquietud*).— Ya...

AMANTE.—¿Por qué me mira así? Cree que estoy loco, ¿verdad? Como todos. ¡Ah, no es fácil comprenderme! ¡Tendría usted que haberla conocido a ella! Yo la vi por primera vez en el Fausto.

CORA.—¿Era cantante?

AMANTE.—¡Era una voz de plata enredada en un alma! Yo era un muchacho pobre; pero tenía juventud, hacía versos... Cora no necesitaba más.

CORA.—¿Se llamaba Cora?

AMANTE.—Cora Yako.

CORA.—¡Ah, Cora Yako!... ¡Qué interesante!

AMANTE.—Yo estaba en lo más alto de la galería; pero toda la noche cantó para mí.

CORA.—¿Para usted solo?

AMANTE.—Me lo decían sus ojos, que no me dejaban un momento. Volví al día siguiente. Le envié un ramo de orquídeas. Aquellas flores costaban más de lo que yo ganaba para comer. Pero no podía negárselas... Robé el dinero.

CORA. (*Interesada*).—¿Robó usted?

AMANTE.—¿Qué no hubiera hecho por ella?

CORA.—¿Tanto llegó a quererla en una noche?

AMANTE.—A veces cabe toda la vida en una hora.

CORA.—¿Y ella?

AMANTE. — Ella comprendió. Besó las flores despacio, despacio, mirándome... y así empezó el amor. Una semana en Viena... El Danubio, el barco... Salimos para El Cairo.

CORA.—El Cairo... Ya recuerdo. ¿Es aquel pueblo grande, tan sucio, que tiene el hotel frente al teatro?...

AMANTE.—No recuerdo el hotel.

CORA.—Sí. Y que riegan las calles con un odre.

AMANTE.—No sé. Yo sólo recuerdo una tarde en camello por la arena roja, las orillas del Nilo, los tambores del desierto... ¡Y luego, las pirámides!

CORA.—¡Ah! Pero, ¿hay pirámides por allí cerca?

AMANTE.—¿No conoce usted Egipto?

CORA.—Sí. He estado tres veces; pero en el teatro, en el casino.

AMANTE.—Cora buscaba conmigo el paisaje; el gesto y la canción de las razas. Una noche, en Atenas...

CORA.—¡Atenas! También recuerdo yo Atenas. Es viniendo de Montevideo, ¿no?

AMANTE.—A veces, sí.

CORA.—Sí, un pueblo de terrazas frente al mar..., con unos hoteles sin baño, unas comidas muy picantes... (*Encontrando al fin la metáfora exacta*). ¡Había un empresario rubio que hablaba español!

AMANTE.—Es posible. Lo que yo recuerdo es aquella noche en el Partenón. Cora quería cantar la Thais de Massenet, desnuda sobre las gradas de Fidias... Y luego, la India: los dioses de la jungla, con siete brazos, como candelabros. El Japón de los dragones y los samurays... ¿Conoce usted Oriente?

CORA.—No sé... he estado allá; pero creo que no me he enterado bien. Dígame... ¿Usted ha estado de verdad? ¿De verdad, de verdad?

(*Según las posibilidades del diálogo, ha ido acercándose a él, atraída por una curiosidad entre divertida y sentimental, hasta terminar juntos*).

AMANTE.—¿Por qué me lo pregunta?

CORA.—Porque ahora me doy cuenta de que yo no he visto nada. Me gustaría que volviéramos juntos. También yo sé cantar... y vestirme la túnica de Brunilda, de Scherezada...

AMANTE. (*Con una emoción violenta, casi de miedo, cogiéndole las manos*).—¿Por qué me mira así? Esos ojos... esos ojos... ¿Quién es usted?

CORA. (*Tranquila*).—Cora Yako.

AMANTE.—¡No! ¡No es posible!

CORA.—No apriete tanto. Tiene usted que contarme despacio todos esos viajes que hemos hecho juntos. Estoy en el Pabellón Azul. Tendré un placer verdadero en recibir allí sus flores... aunque no sean orquídeas.

AMANTE.—¡Cora!... ¡Cora!...

(*Sale detrás de ella, deslumbrado, atragantada la voz. Entra* JUAN, *sin camino. Se hunde en un sillón. Silencio. Vuelve* CHOLE. *Su mirada resbala sobre* JUAN *como si encontrara la escena desierta*).

CHOLE.—No está aquí. ¿Has visto a Fernando?

JUAN. (*Con un vago acento de reproche*).—Buenas tardes, Chole.

CHOLE.—Buenas tardes... ¿Le has visto?

JUAN.—No.

CHOLE.—Le dejé aquí hace un momento.

JUAN. (*Áspero*).—No creo que se vaya a perder.

CHOLE. (*Sorprendida*). — ¿Por qué me hablas con ese tono? Te pregunto por tu hermano y me contestas como si te hubiera hecho daño.

JUAN.—Era yo el que estaba aquí.

CHOLE.—Ya. Pero yo le buscaba a él.

JUAN.—Sí, ya sé: a él, siempre a él. Vas hacia él con los ojos cerrados, como si nadie más existiese a tu alrededor. Y si al pasar me tropiezas y me apartas sin mirarme, y yo te digo "buenas tardes, Chole", todavía soy yo el áspero, la ortiga. ¡Eres de un egoísmo admirable!

CHOLE.—Perdona...

JUAN.—De nada. Ya estoy acostumbrado.

(*Va a salir.* CHOLE *le detiene imperativa*).

CHOLE.—¡Juan!... No acabaré de entenderte nunca. Nos hemos criado casi como hermanos, te quiero como algo mío, y nunca he conseguido saber qué llevas dentro. ¿Qué guardas ahí contigo, que te está royendo siempre?

JUAN.—Nada.

CHOLE.—¿Por qué te escondes de tu hermano? Desde que estamos aquí no ha conseguido verte ni una vez. Si te hablo de él...

JUAN.—¡Basta, Chole! Háblame de ti, o del mundo... o calla. ¡Deja ya a Fernando!

CHOLE.—Es tu hermano.

JUAN.—¿Y para qué lo ha sido? ¡Para que se viera más mi miseria a su lado! Él nació sano y fuerte; yo nací enfermo. Él era el orgullo de la casa; yo, el torpe y el inútil, el eterno segundón. Él no estudiaba nunca ¿para qué? tenía gracia y talento; yo, tenía que matarme encima de los libros para conseguir dolorosamente la mitad de lo que él conseguía sin trabajo. Yo le copiaba los mapas y los problemas mientras él jugaba en los jardines ¡y sus notas eran siempre mejores que las mías!

CHOLE.—Pero eso no significa nada, Juan. Fernando no puede ser culpable de lo que no está en su voluntad.

JUAN.—Sí, mientras era la infancia y estas pequeñas cosas, nada significaba. Pero es que esta angustia ha ido creciendo conmigo hasta envenenarme toda la vida. Tú sabes cómo he querido yo a mi madre: la he adorado de rodillas; he pasado mis años de niño contemplándola en silencio como a una cosa sagrada. Pero ella no podía quererme a mí del mismo modo. Estaba Fernando entre los dos, y donde él estaba todo era para él... Cuando se puso grave y los médicos pidieron una transfusión de sangre, yo fui el primero en ofrecer la mía. Pero los médicos la rechazaron. No servía... ¡No he servido nunca!

CHOLE.—Pero Juan...

JUAN.—¡La de Fernando sí sirvió! ¿por qué? ¿No éramos hermanos? ¿Por qué había de tener él una sangre mejor que la mía?... Y después... yo la velé semanas y semanas. Él seguía jugando feliz en los jardines. No llegó hasta el último momento. ¡Y, sin embargo..., mi madre murió vuelta hacia él!

CHOLE.—No recuerdes ahora esas cosas. No eres justo.

JUAN.—¿Yo? ¿Yo soy el que no es justo? La vida sí lo ha sido, ¿verdad? Y Fernando también. ¡Y tú!

CHOLE.—¿Yo?

JUAN.—¡Tú!... Pero, ¿es que no no lo has visto? ¿Es que no sabes que, después de mi madre, no ha existido en mi vida otra mujer que tú?

CHOLE.—¡Juan!

JUAN.—¿Es que no sabes que has sido para mí tan ciega como todos? ¿Que te he querido lo mismo que a ella, que te he contemplado de rodillas, lo mismo que a ella... y que tampoco he sabido decírtelo?

CHOLE.—¡Oh, calla!...

JUAN.—Si te gustaban los tulipanes y un día encontrabas un ramo sobre tu mesa, sólo te ocurría pensar ¡cómo me quiere Fernando! Y era yo el que los había cortado. Si te vencía el sueño en medio del trabajo y al día siguiente lo encontrabas hecho, sólo se te ocurría pensar ¡pobre Fernando! Y Fernando había dormido toda la noche. Ese Fernando se me ha atravesado siempre en el camino. Él no tiene la culpa, ya lo sé. ¡Ah, si la tuviera! Si la tuviera, este drama mío podría resolverse...

CHOLE.—¿Qué estás diciendo? ¡Juan!

JUAN.—Pero no la tiene; pero lo más amargo es que él es bueno. ¡Es odiosamente bueno! Y por eso yo tengo que morderme las lágrimas, y ver cómo él es feliz robándome todo lo mío; mientras que yo, ¡el despojado!, sigo siendo para todos el egoísta, el miserable y el mal hermano.

CHOLE. (*Con un grito desesperado*).—¡Calla! ¡Por el recuerdo de tu madre, Juan!...

JUAN.—¡No callo más! Ya he callado toda la vida. Ahora quiero que me conozcas entero. Que sepas todo lo desesperadamente que te quiero; todo lo que has sido para mí..., ¡todo lo que estás ayudando a desgarrarme, sin saberlo, cuando ríes con él, cuando le besas a él!

CHOLE. (*Suplicante*).—¡Por lo que más quieras! ¿No ves que es odioso lo que estás diciendo? ¿Que te estás destrozando a ti mismo, y estás haciendo imposible nuestra felicidad?

JUAN. (*Amargo*). — Vuestra felicidad... ¡Cómo la defiendes! Pero, óyeme, un consejo, Chole: si eres feliz, escóndete. No se puede andar cargado de joyas por un barrio de mendigos. ¡No se puede pasear una felicidad como la vuestra por un mundo de desgraciados. (*Pausa.* CHOLE, *derrumbada por dentro, llora en silencio.* JUAN, *aliviado por su confesión, acude a su tristeza*). Perdóname, Chole. Es muy amargo todo esto; pero te juro que no soy malo. Yo también quiero a Fernando. ¡Sí no fuera tan feliz!

CHOLE.—Si Fernando no fuera feliz..., ¿qué?

JUAN.—Si un día le viera desgraciado, acudiría a él con toda el alma. ¡Entonces sí que seríamos hermanos!... Chole, te he hecho sufrir, pero tenía que decírtelo. Se me estaba pudriendo aquí dentro. Él no lo sabrá nunca... Perdóname.

CHOLE. — Perdónanos tú, Juan. Perdónanos a los dos... Pero déjame.

JUAN.—Adiós, Chole...

(*Sale* JUAN. *Ha ido oscureciendo, y la escena está ahora en penumbra. Brilla fuera el lago iluminado.* CHOLE *se debate en una lucha interior de silencios crueles*).

CHOLE. — Imposible, imposible... "Si un día Fernando fuera desgraciado, entonces sí que seríamos hermanos..." Volveréis a serlo, pobre Juan. Yo estaba en medio de vosotros sin saberlo...; pero ya no lo estaré más. ¿Huir? No basta. Esa galería va también al lago... Dicen que la muerte en el agua es dulce, como olvidar. Toda la vida se recuerda en un momento, y después, nada: un paño frío sobre el alma. (*Mira fijamente al lago, que, iluminado en la noche, adquiere ahora presencia escénica, como un "personaje" más. Se acerca a la Galería del Silencio*). Morir..., olvidar...

(*Retrocede, sin fuerzas. Al fondo de la galería empieza a oirse el violín melancólico de Grieg en "La muerte de Asse".* CHOLE, *como atraída por la melodía, avanza, al fin, en una actitud de ofrenda. La escena sola un momento.* HANS *entra de puntillas. Mira hacia la galería, sinceramente emocionado*).

HANS.—¡Al fin tenemos uno! Y ella precisamente: la de la risa y la primavera. ¡Valiente muchacha!

(*Se apaga la voz del violín. Entran el* DOCTOR *y* FERNANDO).

DOCTOR. — ¡Hans! Esas luces... (HANS *enciende y va situarse a la entrada de la galería, cruzado de brazos*). ¿Espera usted algo?

HANS.—Espero.

DOCTOR. (*Va hacia su mesa*).—Usted, Fernando, ¿piensa trabajar esta noche?

FERNANDO.—No.

DOCTOR.—¿Un cigarrillo?

FERNANDO.—No.

DOCTOR.—¡Parece usted preocupado!

FERNANDO.—Sí, doctor, lo estoy. Esa historia de los dos hermanos que acaba usted de contarme..., ¿qué quiere decir?

DOCTOR.—¡Oh, nada! Es una historia vulgar: el hermano sano y triunfador; el hermano enfermo y fracasado...

FERNANDO.—Sí; pero..., ¿por qué me la ha contado usted sin mirarme?

DOCTOR.—No hacía más que explicarle científicamente un caso que hemos tenido aquí. A esa torcedura morbosa del alma en los débiles, en los niños odiados, en los insuficientes, le ha dado la Ciencia un nombre bastante estúpido: "complejo de inferioridad". El nombre es relativamente nuevo; pero el drama es viejo como el mundo. Según esa nomenclatura, el drama de Caín sería el primer complejo de inferioridad en la historia del hombre.

FERNANDO. — Bien; pero..., ¿por qué me lo ha contado usted sin mirarme¿ ¿Quiénes son esos dos hermanos?

DOCTOR.—Cualquiera.

FERNANDO.—No, no son cualquiera... ¡Uno soy yo!

DOCTOR.—Tal vez...

(*Entra* ALICIA, *aterrada, a gritos*).

ALICIA.—¡Doctor, doctor..., Fernando!

DOCTOR.—¿Qué ocurre?

ALICIA.—Ha sido la señorita Chole... ¡En el lago!

FERNANDO.—¿Chole?

DOCTOR.—¿Cómo? ¿Qué quieres decir? ¿Qué significa esto, Hans?

(*Se oye dentro la voz de* JUAN, *llamando angustiada*).

JUAN.—¡Chole!... ¡Chole!... (*Entra, trayéndola en brazos, húmedos los vestidos de los dos. La conduce, desmayada, hasta un asiento.* HANS *queda en el umbral*). ¡Pronto, doctor..., pronto!

DOCTOR.—¿Que ha sido?

JUAN.—No tiene pulso..., no la oigo respirar... ¡Doctor!

(*El* DOCTOR *la examina*).

FERNANDO.—Pero, ¿qué ha sido?

JUAN.—La vi caer. No sé si he llegado a tiempo.

FERNANDO. (*Al* DOCTOR).—¿Vive?

DOCTOR. — Silencio... (*Pausa*). CHOLE *entreabre los labios con un gemido*). Está salvada.

FERNANDO. — ¡Chole!... ¡Mírame, Chole!

(CHOLE *vuelve en sí lentamente. Sonríe al ver a* FERNANDO *a su lado; le busca las manos, que aprieta emocionadamente*).

CHOLE.—¿Has sido... tú...? Gracias, Fernando...

JUAN. (*Ha quedado aparte. Repite, como un eco amargo*). Fernando... ¡Siempre Fernando!

TELÓN

ACTO TERCERO

En el mismo lugar, al día siguiente. Es el primer día de la primavera. Luz fuerte de mañana.

(*Se oye en el jardín el "Himno a la Naturaleza", de Beethoven, mientras va subiendo el telón lentamente.* ALICIA, *inmóvil en el umbral del fondo, escucha. Entra* CHOLE, *fatigada y débil.* ALICIA *va a acudir a ella.* CHOLE *le hace un gesto de silencio. Y escuchan las dos hasta que el himno termina*).

CHOLE.—¿Qué música era ésa, Alicia? ¿Beethoven?

ALICIA.—El "Himno a la Naturaleza".

CHOLE.—¡Qué solemnidad tiene! ¡Y qué sensación de consuelo, de serenidad. Parece un canto religioso.

ALICIA.—Sí; el doctor me lo ha explicado. Beethoven quiso cantar en esos acordes la primera primavera del mundo: la emoción religiosa del hombre ante el despertar de la Naturaleza. Un canto de vida y de fecundidad.

CHOLE.—¡Y de esperanza!

ALICIA.—También. El maestro Ariel lo hacía tocar siempre que se sentía atormentado por la idea de su destino. Y siempre también, como un deber, al llegar el día de hoy.

CHOLE.—¡Hoy! Pues, ¿qué día es hoy?

ALICIA.—¡Es el primer día de la primavera! (*Pausa*). ¿Estás mejor?

CHOLE.—¡Si no ha sido nada! ¿Y tú, Alicia? ¿Te pasa algo a ti? Tienes los ojos muy cansados.

ALICIA.—No he podido dormir en toda la noche.

CHOLE.—¿Por mí?

ALICIA.—Por ti. Tú eras la risa, el amor, la juventud... ¡Pensar que todo eso ha podido desaparecer en un momento! Cuando te vi con los ojos y las manos apretados, tan fría y tan blanca...

CHOLE. (*Angustiada por el recuerdo*).—¡Calla!

ALICIA.—No podía creerlo; se me rebelaba el corazón y me dolía como si me lo estrujaran.

CHOLE.—¿Por qué te lo dijeron?

ALICIA.—No me lo dijo nadie; lo vi. Yo estaba buscando tréboles a la orilla cuando te caiste.

CHOLE.—¿Y por qué dices "cuando te caíste"?

ALICIA.—Porque fue así. ¡No pudo ser de otra manera, Chole! Tú venías andando por la orilla, con los ojos altos. Creía que venías a buscarme. Y, de pronto, diste un grito..., resbalaste en la yerba... ¿Verdad que fue así, Chole?

CHOLE. (*Le aprieta las manos con gratitud*).—Sí..., así fue.

ALICIA.—Al oír aquel grito, yo me quedé sin sangre, quieta, como si estuviera atada. ¡Tú estabas allí, a mi lado, luchando con la muerte, y yo no podía moverme! Fue entonces cuando llegó él.

CHOLE.—Él... ¿Tú le viste?

ALICIA.—Sí.

CHOLE.—Dime, Alicia, hay una cosa que necesito saber...

ALICIA.—Di.

CHOLE.—Quería saber... (*Se detiene, con miedo*). No; no me digas nada. Tengo miedo a que no sea.

ALICIA.—¿Qué?

CHOLE.—Nada. (*Desvía el tono y la pregunta*). ¿Qué libro llevas ahí?

ALICIA.—Los poemas de Tennyson. Son para el viejo, ¿te acuerdas? Para el padre de la otra Alicia. Me está esperando.

CHOLE.—¿Está más tranquilo?

ALICIA.—Cuando leemos, sí.

CHOLE.—¿Habláis?

ALICIA.—A veces; muy poco, muy bajito... Ya se va acostumbrando a mi voz.

CHOLE.—Ve con él; no le hagas esperar más.

ALICIA.—¿No me necesitas?

CHOLE.—Te necesita él.

(*Entra el* DOCTOR; *trae un ramo de flores.* ALICIA *sale*).

DOCTOR.—¿Qué tal van esas fuerzas?

CHOLE.—Bien ya, del todo.

DOCTOR.—He ido a buscarla a su cuarto; creí que no se habría levantado hoy. Le llevaba estas flores.

CHOLE.—Preciosas. Gracias, doctor.

DOCTOR.—De nada. No son mías.

CHOLE.—¿De Fernando?

DOCTOR. (*Vacila*).—Tampoco.

CHOLE.—Ya..., ya sé. De Juan.

DOCTOR.—No se ha atrevido a traérselas él mismo. Pobre muchacho; toda la noche la ha pasado detrás de su puerta, temblando como un niño, escuchando su aliento. ¿Respira usted ya bien?

CHOLE.—Todavía me cuesta un poco. Parece espeso el aire.

DOCTOR.—Cargado, sí. Es la llegada de la primavera. Abajo, en las ciudades, no se siente eso. Se va notando poco a poco; se sabe por los calendarios y porque las muchachas cambian de sombrero. Pero aquí, ¡qué fuerza tiene! Llega de repente; sube por esas laderas, a gritos, cargado de menta y de resinas; retumba en las montañas... ¡Es como si resonara una llamada desde las entrañas de la tierra y todo el campo se pusiera de pie! ¿No se siente usted como aturdida?

CHOLE.—Sí; un poco.

DOCTOR.—Es la tierra, que nos está llamando desde dentro. La civilización nos va cegando los sentimientos a estas cosas. Pero cuando la savia estalla, blanca, en los almendros, cuando los brezos se calientan, cuando respiramos el olor de la tierra mojada..., ¡cómo sentimos entonces que estamos hechos de ese mismo barro! ¿Se sonríe usted?

CHOLE.—Le admiro, doctor. Tiene usted una fe sin límites en la Naturaleza.

DOCTOR.—¿Usted no?

CHOLE. — La tenía, ¿Recuerda lo que hablábamos aquí mismo ayer? Decía yo que matarse en plena juventud, en la hora del amor y de la primavera, era un insulto. Yo tenía la juventud, yo tenía el amor; la primavera estaba ya a la puerta... Y, sin embargo, aquella misma tarde...

DOCTOR. — ¿Por qué, Chole, por qué?

CHOLE.—¡Qué importa ya! Fue un arrebato sin sentido. Me vi situada de pronto como un obstáculo entre dos hermanos que se quieren y que se huyen. Y pensé que apartándome yo, se acercarían. ¡Qué locura!

DOCTOR.—Todo se arreglará por sí mismo. La vida está llena de caminos.

CHOLE.—Para algunos. Hay otros que los encuentran todos cerrados.

DOCTOR. — Entonces, ¿sigue usted pensando...?

CHOLE.—No; no tenga miedo por mí. Yo me he acercado a la muerte y he visto ya que no resuelve nada; que todos los problemas hay que resolverlos de pie.

DOCTOR.—¿Se siente usted más fuerte ahora?

CHOLE.—Procuraré serlo. La vida me ha abierto de pronto una interrogación bien amarga. Y no hay más remedio que darle una respuesta. No sé cuándo ni cómo; pero le juro que no será aquí.

DOCTOR.—¿No está a gusto entre nosotros?

CHOLE.—No, sinceramente. Perdóneme, doctor; usted es un gran corazón y un gran amigo; pero me parece que el maestro Ariel y usted se han equivocado con la mejor buena fe. Han ideado un refugio para las almas vacilantes, pero no han sospechado lo que un ambiente así puede contagiar a los otros. Coquetean ustedes con la idea de la muerte, burlándola ingeniosamente. Pero la muerte es más hábil que ustedes; y hay momentos débiles en que se presenta tan hermosa, tan fácil... Es un juego peligroso.

DOCTOR.—Tal vez.

CHOLE.—Yo le aseguro que en mi casa y entre las cosas que me son amigas, no hubiera sentido nunca esa negra tentación de anoche. ¿Por qué la sentí aquí? Piénselo, doctor: si me hubiera matado ayer, yo sería una gran culpable; pero el maestro Ariel y usted tampoco podrían mirarme muy tranquilos.

DOCTOR.—Perdón...

CHOLE.—Cierre esta casa, amigo Roda. Emplee su talento y la fortuna del maestro Ariel allí donde los hombres viven y trabajan. Pero hoy que la vida del mundo está empezando otra vez, cierre esa galería con cadenas. ¿Lo hará usted?

DOCTOR.—Acaso.

CHOLE.—Hágalo por mí, por todos... Hoy es el primer día de la primavera. ¡Hoy es un delito morir!

(*Sale. El* DOCTOR *queda ensimismado. Repite, casi inconscientemente*).

DOCTOR.—Tal vez, tal vez...

(*Entra* HANS).

DOCTOR. — ¿Qué hay de nuevo, Hans? ¿Por qué se ha quitado usted su bata?

HANS.—Lo he pensado despacio. El doctor no puede dudar de mi lealtad; pero yo no sirvo para ciertas cosas. Vengo a despedirme.

DOCTOR.—¿Nos deja usted?

HANS.—Sí, doctor. Lo siento; había tomado cariño a la casa, tenía esperanzas en ella. Pero esto no marcha.

DOCTOR.—¿No está usted contento?

HANS.—¿Y cómo voy a estarlo? Yo vine lleno de ilusiones a su servicio; usted lo sabe. He puesto de mi parte cuanto he podido, he cumplido fielmente todas mis obligaciones. Y, ¿para qué? Desde que estoy en esta casa, sólo el perro del jardinero se ha decidido a morirse. Y se murió de viejo. No..., no hay porvenir aquí.

DOCTOR. — ¿Ha encontrado usted otro puesto?

HANS.—Ayer me han hablado del Hospital General. ¡Aquello sí que está bien organizado! Allí se muere la gente todos los días como Dios manda, sin literatura. Perdóneme el doctor, pero cada hombre tiene su destino.

DOCTOR.—Comprendo, Hans. Y no he de ser yo quien estorbe el suyo.

HANS.—He vacilado mucho, se lo aseguro. He esperado un día y otro día. Anoche, con la señorita Chole, llegué a tener un rayo de esperanza. ¡Ilusiones! Hoy, ya lo habrá visto usted, tiene más ansias de vivir que nunca. Y no digamos de los otros. Esta mañana el profesor de Filosofía ¡ya ni siquiera se ha tirado al agua! La cantante de ópera anda por ahí, entre los sauces, besando furiosamente a ese pobre muchacho. La misma Dama Triste, usted lo sabe, no está triste ya. Esto se hunde...

DOCTOR. — Está bien, Hans, está bien. Pase usted cuando quiera por mi despacho a arreglar su cuenta.

HANS.—¡Oh, no vale la pena! Estas cosas no se hacen por dinero. Yo soy un idealista. Adiós, señor Roda.

DOCTOR (*Tendiéndole la mano*). — Adiós, Hans... Buena suerte.

HANS. (*Saliendo*).—Y créame, doctor, si esto no toma otro rumbo, ya puede usted cerrar la casa. No hay nada que hacer.

(*Sale*).

DOCTOR.—Cerrar... Quizá tengan razón. (*Llama*). ¡Alicia!... ¡Alicia!

(*Sale en su busca. Viniendo del jardín, entra el* AMANTE IMAGINARIO. *Mira en torno desde la puerta, como si se sintiera perseguido. Se deja caer, desfallecido, en una butaca, con un suspiro de alivio. Llega en seguida* CORA).

CORA.—¿Dónde se esconde mi cachorro?

AMANTE. (*Sobresaltado*).—¡Tú!

CORA.—¡Mi héroe, mi lobezno! Alégrate, corazón: salta, grita, aúlla. ¡Ya me tienes aquí!

AMANTE.—Te esperaba.

CORA.—Nadie lo diría; con esa cara... Parece que me huyes.

AMANTE.—¿Yo? Te he estado buscando toda la mañana.

CORA.—¿Por dónde, mi jilguero? Me he levantado cantando, he corrido por esas montañas gritando tu nombre, me he bañado en el torrente... Después, he estado tirando piedras a tu ventana. ¿Tan dormido estabas?

AMANTE.—¡Pero si estoy despierto desde el amanecer!

CORA.—¿Y no me oías? Te tiré piedras primero, hasta que rompí los cristales. Después te tiré ramos de violetas. ¿Tampoco las violetas te llegaron?

AMANTE.—Tampoco.

CORA.—¡Ah, cruel, estabas dormido! Y Cora a tu puerta, esperando, como una alondra. Cora, que te buscaba; Cora, que te necesita. ¡Cora Yako, lobezno, Cora Yako! (*Se sienta en el brazo de su butaca. Lo arrulla con caricias y palabras*). ¿Eres feliz? ¿Has pensado en mí? ¿Soy como tú me soñabas?... (*Él contesta con unas exclamaciones guturales en superlativo. Ella le imita*). ¡Hum, hum! ¿Es que no sabes hablar?

AMANTE.—¡Es que no me dejas!

CORA.—¿Qué es lo que te gusta de mí? No; todo, no. Siempre hay algo... ¿El cuello? ¿Las manos?...

AMANTE.—Los ojos. Los ojos sobre todo. ¡Son los de aquella noche!

CORA.—¡Aquella noche que estuve cantando para ti solo, sin darme cuenta! Mira esos ojos, lobezno; aquí los tienes, son tuyos... ¿No me besas?

AMANTE.—Sí.

CORA.—¿Por qué estás temblando? ¿Te doy miedo? ¡Ay, qué pobre muchacho eres, mi héroe, mi poeta..., mi pobre poeta pequeño! ¿Estás triste? Yo te imaginaba vibrante, apasionado... ¡Subiéndote por las paredes al verme, arrancando las retamas al correr, saltándome a los hombros!...

AMANTE.—Tú te imaginabas un cruce de jabalí y orangután.

CORA.—Algo así. Pero no importa. No estés triste tú, mi jilguero mojado, mi poeta de bolsillo. Te quiero como eres: pequeño, acobardado, soñador... ¿Por qué has leído tanto, pobrecito mío? Tú no sabes cómo debilita eso. No lo volverás a hacer, ¿verdad? (*Voluble, persiguiendo sus propias palabras por la escena*). ¡Ahora vamos a vivir, a correr el mundo juntos! ¡Abrazados!

AMANTE. (*Con ilusión*).—¡Cora!...

CORA.—Ahora vas a tener conmigo todo lo que soñaste: Egipto, y el desierto, y las selvas, y las islas de jardines...

AMANTE.—¡Los lotos y los elefantes blancos! ¡Las pagodas budistas, con sus tejadillos en forma de zuecos, colgados de campanillas!...

CORA.—Y tantas cosas más que tú no sabes, que no están en los libros. Pero hay que hacerse fuerte, mi lobezno: en cuanto sales de Europa, ya no hay más que mosquitos.

AMANTE.—¿Mosquitos?

CORA.—Unos mosquitos verdes, venenosos y pequeños, que se cuelan por todas partes. Y que dan la fiebre y el sueño... y, a veces, la locura. Pero no te asustes tú, mi héroe...; también hay mosquiteros, y cremas especiales para la piel. Y luego, ¡la Ciencia! Por cada mosquito que produce Dios, producen una inyección los alemanes.

AMANTE.—Menos mal.

CORA.—¿No te hace ilusión visitar conmigo la India?

AMANTE.—¡Oh, sí! Los dioses del Ramayana, el Ganges sagrado de las tres corrientes!...

CORA.—Mira, el Ganges es mejor dejarlo. Hay serpientes, ¿sabes? Y cocodrilos. Y luego, las fiebres gástricas, que te van poniendo amarillo, amarillo... (*De pronto*). ¿Tú me quieres? ¿Me quieres, me quieres?

AMANTE. (*Irguiéndose gallardamente*).—¡Te quiero como un cosaco!

CORA.—¿Dispuesto a todo?

AMANTE.—¡A todo!

CORA.—¿Por qué no nos vamos ahora mismo?

AMANTE. (*Aterrado al verlo tan cerca*).—¿Ahora?

CORA.—Ahora, ahora... ¿A qué esperamos? (*Consulta su reloj*). El coche está dispuesto en un momento. ¿Tú sabes conducir?

AMANTE.—No.

CORA.—Bien: conduciré yo. Pero te advierto que yo no sé conducir a menos de ciento veinte. Son las once menos cuarto. Saliendo a las once en punto, a las cuatro estamos de sobra en Valencia, y todavía podemos tomar el avión de la tarde. Ya está. Esta noche cenamos en Marsella. ¿Hecho? Un momento. Voy a preparar el coche.

AMANTE.—Pero, Cora..., espérate un poco, mujer.

CORA.—¿Qué?

AMANTE.—¿Vamos a salir así..., sin despedirnos?

CORA.—¿De quién? Yo no me he despedido nunca.

AMANTE.—Del doctor, de los compañeros... Y luego, hay que pensar en todo. Hace falta dinero.

CORA.—¡Bah! Para empezar..., ¿no tendrás encima treinta mil pesetas?

AMANTE.—¿Yo?

CORA.—Quince mil..., diez mil, siquiera...

AMANTE.—Yo no tengo un céntimo.

CORA.—Entonces..., ¿el robo del Banco?

AMANTE.—No cogí más que para las orquídeas.

CORA.—¿Nada más?... Bueno, es lo mismo. Ya encontraremos un caballo blanco.

AMANTE.—Y, ¿a dónde vamos con un caballo blanco? Necesitaremos por lo menos dos.

CORA.—¡Dos! (*Ríe, divertida*). ¡Eres un héroe! ¿Ves cómo ya te vas soltando? (*Deja de reír*). Oye, ¿de verdad no sabes lo que es un caballo blanco?

AMANTE.—No sé... Cuando yo estudiaba, un caballo blanco era un caballo blanco.

CORA.—¡Ay, niño, niño!... Pero, ¿qué os enseñan a vosotros en esa Universidad? ¡Cuánto te queda que aprender! ¡Anda! A preparar tus cosas.

AMANTE. — Entonces..., ¿nos vamos?

CORA.—Nos vamos.

AMANTE.—Es que... no tengo pasaporte.

CORA.—Sin él; ya se arreglará eso en el camino. Todos los cónsules del mundo son amigos míos. Los ingleses son los peores, y cuando se sabe sonreír, también se ablandan. ¿Tú sabes inglés?

AMANTE.—No.

CORA.—Es lo mismo. Todos hablan francés.

AMANTE.—Es que tampoco hablo francés.

CORA.—Pues te callas. Te callas en todos los idiomas. Vamos, ¿qué esperas?

AMANTE.—Voy... voy... (*Vacilante*).—A Marsella, ¿verdad?

CORA.—A Marsella.

AMANTE.—¿En avión?

CORA.—En avión, ¿por qué?

AMANTE.—Es que... es la primera vez que voy a tomar un avión. Creo que eso marea mucho.

CORA.—Historias. Menos que el barco.

AMANTE.—Es que tampoco me he embarcado nunca.

CORA. (*Impaciente*).—¡Hay píldoras!

AMANTE.—¡Ah, hay píldoras! Entonces..., ¿resuelto?

CORA.—Resuelto. ¿Cuánto tardas en preparar tu equipaje?

AMANTE. (*A punto de sollozar*).— Cora, Cora...

CORA.—¿Qué?

AMANTE.—¡Si es que tampoco tengo equipaje!

CORA.—¿Nada? ¿Ni un "smoking"?

AMANTE.—Tengo dos camisas... Y un libro.

CORA.—Pues anda, coge las camisas.

AMANTE.—El libro es un manuscrito mío... inédito. Poemas.

CORA.—Aunque sea tuyo. Libros, nunca más o estamos perdidos. Si no hubieras leído tanto, no te pasarían ahora estas cosas. ¿A las once en punto?

AMANTE.—A las once.

CORA.—Faltan diez minutos. ¿Tienes reloj, por lo menos?

AMANTE. (*Nervioso, se lleva las manos a los bolsillos. Sonríe, feliz, al encontrarlo*).—Sí, reloj, sí. Y de plata. Es un recuerdo de mi padre. (*Se lo lleva al oído. Con espanto*). ¡Parado!

CORA.—Pues pon en punto el reloj de tu padre. Y no vayas a hacerme esperar, ¿eh? Eso sí que no se lo he consentido nunca a ningún hombre. Si no estás a las once, daré tres bocinazos. Pero al tercero, arranco.

AMANTE.—Estaré.

CORA.—Hasta en seguida, mi héroe, mi lobezno bonito.

(*Lo empuja a besos. Sale el* AMANTE. FERNANDO *ha entrado a tiempo para ver y oír el final de la escena*).

FERNANDO.—¿Se marchan ustedes?

CORA.—Dentro de diez minutos. A Marsella. Y si hay barco mañana, a la India. Dígale adiós a Chole de mi parte; yo no tengo tiempo. Le pondremos un cable desde El Cairo. ¡Adiós, Fernando!

FERNANDO.—¡Feliz viaje! (*Sale* CORA. FERNANDO *juega, dolorido, los dedos de la mano que ella ha estrechado con fuerza y mira con lástima hacia donde salió el* AMANTE). ¡Pobre muchacho!...

(*Entra* HANS *con su humilde equipaje: un portamantas con su paraguas*).

FERNANDO.—¿También usted se va?

HANS.—También.

FERNANDO. (*Fijándose en su equipaje*).—¿Al Cairo?

HANS.—A la ciudad. Me han ofrecido un puesto en el Hospital General.

FERNANDO.—¡Ah, enhorabuena!

HANS.—Aquello es otra cosa: hay ambiente. Acabo de leer un resumen en la "Gaceta Médica": solamente en una semana, ¡veinticinco casos!

FERNANDO.—Espléndido.

HANS.—Aquí, en cambio, ya ve. Al principio la cosa prometía: acudía la gente, hubo varios intentos. En fin, para empezar no estaba mal. ¡Pero ahora! Esa Cora Yako ha acabado por ponerme fuera de mí. ¿La ha oído usted reír? ¡Es insultante! ¿Y besar?

FERNANDO.—Tiene mucha vida esa mujer.

HANS.—Demasiada. (*Confidencial*). ¿Sabe usted que ha intentado seducirme?

FERNANDO.—¿A usted?

HANS.—A mí. Esta mañana. Estaba yo afeitándome tranquilamente a la ventana y así, como jugando, ha empezado a tirarme piedras. Tuve que refugiarme en el interior. Cuatro piedras como nueces metió por los cristales. Y después, un ramo de violetas. Lo de las piedras, pase; pero, un ramo de violetas a mí... ¡Un poco de formalidad, señora! ¿Y el caso de la Dama Triste? Es espantoso. Imagínese usted que anoche, en ese césped, entre las acacias... (*Viéndola llegar*). ¡Ella!

(*Entra la* DAMA TRISTE, *cantando entre dientes el "Danubio Azul". Viene sonriente, vestida de colores claros, graciosamente rejuvenecida, pero sin bordear en ningún momento lo grotesco*).

DAMA.—Buenos días, Hans. Buenos días, Fernando.

FERNANDO.—Señora...

DAMA.—¿Han visto ustedes qué mañana tan hermosa? Todo está blanco de narcisos; huele a corazón el campo... ¡Ay, cómo retumba aquí esa primavera loca! ¿Les gusta este vestido?

FERNANDO.—Es muy alegre.

DAMA. — Discreto, ¿verdad? Y le advierto que no es nada: un nansú gracioso, unos godés, el "clip" de plata... Nada. Perdonen ustedes que no me entretenga... Me están esperando. ¿Por qué tiene usted ese aire tan triste, Fernanno? ¡Un día como hoy! ¿Se siente mal? ¡Arriba ese corazón, amigo mío! ¿Por qué no se viene usted a comer con nosotros?

FERNANDO. (*Asombrado*).—¿A comer?

DAMA.—Comemos arriba, junto a la fuente. Habrá de todo: carnes blancas y de monte, truchas del torrente, frutas nuevas y vinos rubios andaluces: de ésos que hacen cosquillas en el alma. ¿Le esperamos? Anímese, Fernando; hasta luego. ¡Buenos días, Hans!

(*Hace un gracioso gesto de despedida, agitando los dedos, y se va, feliz, tarareando, marcando inconsciente el paso del vals.* FERNANDO *mira a* HANS, *desconcertado*).

FERNANDO.—Pero, ¿es que se ha vuelto loca esa mujer?

HANS.—Peor. ¿No la ha oído usted tararear el "Danubio Azul"?

FERNANDO.—Sí; parecía.

HANS.—¿Y no le recuerda eso nada?

FERNANDO.—¡El profesor de Filosofía!...

HANS.—El mismo. Anoche los sorprendí juntos, al claro de luna, entre las acacias. (*Filosófico*). ¿Se ha fijado usted alguna vez en los ojos de las vacas?

FERNANDO.—Sí: son la imagen de la ternura húmeda.

HANS.—Pues bien: anoche el profesor tenía ojos de vaca. Estaban sentados en un ribazo. Él miraba a la luna; después la miraba a ella. Y suspiraba. Cuando un profesor de Filosofía se arriesga a suspirar, está perdido.

FERNANDO.—¿Los vio usted?

HANS.—¿Qué no habré visto yo en esta vida? Estaban muy juntos, cogidos de las manos. Él se reclinaba sobre su hombro, y le recitaba al oído una cosa íntima y lenta.

FERNANDO.—¿Versos?

HANS. — Seguro. No pude coger más que una estrofa suelta. Decía (*Recita líricamente*). "Todo cuerpo sumergido en el agua, pierde de su peso una cantidad igual al peso del líquido que desaloja". ¿Le parece a usted?

FERNANDO.—¡Pero eso es tremendo!

HANS.—Tremendo. Es la primavera; no hay nada que hacer. Ya se han despedido del doctor. Se marchan esta tarde ¡juntos! (*Pausa. Tono de confidencia*). Sólo queda una esperanza... lejana. ¿Recuerda usted la afición del profesor a tirarse a los lagos? (*Se acerca, acentuando el secreto*). Se van a Suiza. (*Se hacen ambos un gesto de silencio cómplice, llevándose un dedo a los labios*). ¡A Suiza!

(*Sale* HANS. FERNANDO *queda solo, ensimismado, con un gesto triste que lucha por arrancarse. Enciende un pitillo. Vuelve el* AMANTE, *mirando furtivamente a todos lados.*)

AMANTE.—¿No está?

FERNANDO.—¿Cora?... En el jardín; preparando el coche.

AMANTE.—Qué mujer, Fernando... es terrible. ¿Por qué habrá venido? ¡Tan bella como yo la soñaba!

FERNANDO.—Y, sin embargo, es la verdad. La que cantaba para usted aquella noche del "Fausto".

AMANTE.—Ah, no; la mía era otra cosa: una ilusión, un poema sin palabras. Los ojos, sí: son los mismos de aquella noche.

FERNANDO.—Puede ser para usted la gran aventura.

AMANTE.—Una aventura peligrosa. Usted no la conoce: esa mujer me mata en quince días.

FERNANDO.—Es el amor.

AMANTE.—¡Pero qué amor! Yo soñaba los besos de mujer como una caricia suave; como un repicar de pétalos en la piel. Cora no es eso.

FERNANDO.—¡Besa fuerte, eh!

AMANTE. — ¡Muerde! Trepida..., estalla. Ahora ya me voy acostumbrando un poco. Pero ayer..., del primer beso que me dio, me tiró al suelo. ¡Y abrazando! Se enrolla, rechina, solloza unas cosas guturales que ponen los pelos de punta. ¡Es un temblor de tierra, Fernando, es un temblor!

FERNANDO.—¿Le ha tomado usted miedo?

AMANTE.—Miedo, miedo, no. La quiero, me gustaría verla siempre. Pero un poco desde lejos.

FERNANDO.—Desde lo alto de la galería.

AMANTE.—Eso, así; desde lo alto.

FERNANDO.—¿No se iban a marchar ustedes juntos?

AMANTE.—Ahí está, que sí... que no tengo más remedio que marchar con ella, que los minutos van pasando. ¡Y que no sé qué hacer!

FERNANDO.—La gran aventura no se presenta más que una vez en la vida. Usted la tiene ahora en sus manos. Piénselo bien.

AMANTE. — ¡Si pudiera quedarme solamente con los ojos!

FERNANDO.—Pero, ¿no era este momento lo que usted soñaba?

AMANTE.—¡Ah, soñar es otra cosa!

FERNANDO.—¡Cora Yako es el amor, los barcos, los países lejanos!...

AMANTE.—Pero, qué países, Fernando. Llenos de peligros horribles: los mosquitos verdes..., las fiebres intestinales..., ¡los cónsules!

FERNANDO.—¡Es la India de los dioses! El Japón de los héroes y los amantes.

AMANTE. — No puedo... no puedo...

(*Se sienta, desfallecido.*)

FERNANDO.—En ese caso, hay otra solución. Renuncie a la Cora Yako auténtica. Quédese con la que usted ha soñado. Y dedíquese a escribir.

AMANTE.—¿A escribir?

FERNANDO.—Sí: es otra forma de heroísmo. Las novelas nunca las han escrito más que los que son incapaces de vivirlas. ¿Qué sueldo tenía usted en el Banco?

AMANTE. — Nada; doscientas cincuenta pesetas.

FERNANDO. — Yo puedo ofrecerle quinientas en el periódico, y vacaciones pagadas. ¿Quiere usted encargarse de la página de viajes y aventuras?

AMANTE. (*Ilusionado.*) — ¿Cree usted que serviré?

FERNANDO.—¿Por qué no?

AMANTE.—Es que yo no he salido nunca de mi casa de huéspedes.

FERNANDO.—¿Y qué importa eso? El arte no es cosa de experiencia; es cosa de imaginación. Javier de Maistre hacía viajes maravillosos alrededor de su cuarto; Beethoven era sordo; Milton, cuando escribió el canto a la luz, estaba ciego.

AMANTE. — Si valiera la pena...; yo tengo un libro de versos.

FERNANDO.—Rómpalo usted en seguida. Y no se atreva a confesar eso entre los compañeros; le perderían el respeto.

(*Suena en el jardín el primer bocinazo.*)

AMANTE.—¡Ahí está ya! (*Sin acertar con su reloj.*) ¿Qué hora es?

FERNANDO.—¡Las once en punto!

AMANTE. — Al tercer bocinazo, arranca. ¿Qué hago, Fernando, qué hago?

FERNANDO.—¡Va uno! No lo piense más. (*Señalando alternativamente al jardín y al interior.*) O se va usted por ahí a vivir aventuras... o se va por ahí a escribirlas.

AMANTE.—Es que no tengo un céntimo..., estoy seguro de que me mareo en el avión...

FERNANDO.—¡Pero es una mujer la que le está llamando!

AMANTE.—No tengo más que dos camisas...

FERNANDO.—¡Es Cora Yako!

AMANTE.—Los mosquitos verdes...

FERNANDO.—¡Es el amor!

AMANTE.—Los cocodrilos...

(*Suena otro bocinazo*).

FERNANDO.—¡Dos!

AMANTE. (*A gritos.*)—¡Voy! (*Corre hacia el jardín. Se detiene en el umbral. Se vuelve, nervioso y urgente.*) Fernando... ¿qué es un caballo blanco?

FERNANDO.—¡A estas horas!

AMANTE.—Por su alma, que es un problema de vida o muerte. ¿Qué es un caballo blanco?

FERNANDO. — Según. Científicamente, es un simple equino monodáctilo de cuatro patas y pigmento claro.

AMANTE.—¿Y artísticamente?

FERNANDO.—¡Ah! Artísticamente... es el viejo que paga.

AMANTE. (*Aniquilado.*) — El viejo... que paga... (*Reacciona con violencia.*) ¡Y era eso lo que me proponía!... ¡A mí! (*A gritos otra vez.*) ¡No voy!

(*Suena la tercera llamada.*)

FERNANDO.—¡Y tres!

(*Se asoma al jardín. Se le ve hacer un gesto de despedida.*)

AMANTE. (*Contemplando melancólicamente su reloj.*) Las once. A las cuatro, en Valencia...; al anochecer, en Marsella... El mar... (*En un impulso repentino.*) Cora... ¡Cora!

FERNANDO.—Ya se fue.

AMANTE.—Soy un pobre hombre...

FERNANDO. — ¡Es usted un héroe! Déjela marchar en paz y recuérdela. Es mejor. Son dos vidas que no podrían fundirse nunca. Y ahora, a escribir el reportaje para la semana que viene. Título: "Una noche con Cora Yako en el Japón".

AMANTE.—¿En el Japón?

FERNANDO.—Sí. Las fotografías ya las haremos en el estudio, como siempre.

AMANTE.—¿Me dejará usted poner algo de las gheisas?

FERNANDO. — Y de los petirrojos también; y de los cerezos en flor. Pero con cuidado, eh, con cuidado.

AMANTE.—¿Una cosa así?: "Habíamos tomado al amanecer el avión de Yokohama..."

FERNANDO.—Así, muy bien.

AMANTE.—"Cora reía junto a mí, a tres mil pies sobre las islas, blancas de crisantemos..."

(*Saliendo.*)

FERNANDO.—Así. Así... Tenemos hombre.

(*Entra* CHOLE.)

FERNANDO. (*Acudiendo a ella al verla llegar.*)—¡Chole! ¿Estás mejor? ¿Te sientes débil todavía?

CHOLE.—Ya pasó todo.

FERNANDO.—¿Todo?

CHOLE.—El dolor, el peligro... Lo otro, habrá que resolverlo también tarde o temprano. (*Pausa. Con un tierno reproche.*) ¿Por qué te escondes, Fernando? No te he visto desde ayer. ¿Crees que puede adelantarse algo así? Hay delante de nosotros una verdad cruel que no se borra con cerrar los ojos.

FERNANDO. — No pienses ahora en eso. No te he visto porque el doctor me lo prohibió. Tenías fiebre; necesitabas reposo y soledad.

CHOLE.—¿No me viste anoche?

FERNANDO.—Sí. No respirabas todavía. Cuando te caíste al lago...

CHOLE.—¿También tú? ¿También tú dices "cuando te caíste?... ¿Por qué quieres engañarte a ti mismo? No. me caí: lo quise yo. Iba a buscar la muerte.

FERNANDO.—¡No, Chole, no es posible!

CHOLE.—También me lo parece a mí ahora. Pero ayer... Dime, Fernando; hay una cosa que necesito saber, que no he querido preguntar a nadie porque tengo miedo a la verdad. Pero que no se puede callar más. Dime, anoche... cuando me caí... hubo un hombre que arriesgó su vida por la mía. Lo vi como entre sueños... Eras tú, ¿verdad?

(*Le mira angustiada, esperando.*)

FERNANDO.—No.

CHOLE.—¿No eras tú?...

FERNANDO.—Hubiera querido serlo. Pero fue Juan. Él te vio al caer; yo no lo supe hasta después, cuando te trajeron aquí.

CHOLE. (*Acaricia inconscientemente las flores del hermano.*)—Pobre Juan... Toda la noche ha estado sin sueño, con el oído, pegado a mi puerta, oyéndome respirar. Ha sufrido más que yo misma. Tú no sabes, Fernando, qué bueno..., qué bueno y qué desgraciado es tu hermano.

FERNANDO.—Lo sé todo.

CHOLE.—¿Todo?... ¿Has hablado con él?

FERNANDO.—Con el doctor. Él no me lo diría nunca. Yo tampoco me atrevo a hablarle. Nos estamos huyendo como dos lobos heridos que se tienen miedo.

CHOLE.—¿Hasta cuando?

FERNANDO.—¡Hasta ahora mismo! No puedo más. Compréndelo, Chole: hasta para ser desgraciado hace falta un poco de costumbre. Yo no puedo, no resisto.

CHOLE.—¿Has pensado alguna solución?

FERNANDO.—¡Salir de aquí..., huir!

CHOLE.—¿Y a dónde? ¿Dónde podríamos escondernos que el recuerdo de Juan no estuviera con nosotros? No, Fernando... no hay ya felicidad posible. La sombra de tu hermano se metería entre nuestros besos, enfriándonos los labios.

FERNANDO.—¿Y qué podemos hacer? ¿Era solución lo que tú pensaste anoche? ¿Creías que desapareciendo tú, íbamos a aproximarnos él y yo? Tu muerte nos hubiera separado todavía más, convirtiendo en odio lo que hasta ahora no ha sido más que dolor.

CHOLE. — Es posible. Pero desde anoche no he dejado de pensar.

FERNANDO.—¿Y qué has pensado?

CHOLE.—Juan no ha tenido nunca nada suyo. Ha estado siempre solo entre todos nosotros, contemplando nuestra felicidad con sus ojos hambrientos, como un niño pobre delante de un escaparate. ¡No puede seguir solo! Vete tú si puedes. Yo me quedo.

FERNANDO.—¿Con él?

CHOLE.—Yo seré a su lado la madre que no le supo comprender, la hermana que no tuvo. ¡Que haya por lo menos en su vida una ilusión de mujer!

FERNANDO. — ¡Pero eso no puede ser, Chole! ¡No es así como te quiere Juan!

CHOLE.—Lo sé; se lo oí ayer a él mismo. Y todavía ayer fui injusta una vez más. Tenía a mi lado un corazón sangrando desesperado, y sólo sentí miedo, casi repugnancia... como si un mendigo me asaltara en la calle.

FERNANDO.—No puede ser, Chole. Ahora es cuando estás ciega, atormentada de remordimientos por culpas que no existen.

CHOLE.—No; ciegos estábamos antes; cuando no había en la tierra otra cosa que nuestra felicidad. Ni una vez se nos ocurrió mirar alrededor nuestro. ¡Y allí estaba siempre Juan, tiritando como un perro a la puerta!

FERNANDO.—Pero, ¿es que crees que no lo siento yo? ¿Crees que el corazón de mi hermano no me duele a mí también? Si yo pudiera hacerle feliz, todo lo daría por él. Pero es que nada podemos hacer que no sea engañarle. No te atormentes más. Salgamos de aquí. Nunca podrás ser feliz con él.

CHOLE.—No se trata de que yo sea feliz. ¡Lo he sido tanto! Ahora lo que importa es él.

FERNANDO. (*Nervioso, cogiéndola de los brazos.*)—No, Chole, no pretendas jugar con tus sentimientos. Mira que el corazón tiene sorpresas peligrosas... ¡Mira que mañana puede ser tarde!

CHOLE.—No es tiempo de pensar. Mi puesto ahora está aquí, a su lado.

FERNANDO. — ¿Porque te salvó la vida?

CHOLE.—Porque me ha entregado toda la suya.

FERNANDO.—Pero entonces... (*Le levanta el rostro.*) Mírame bien. ¿Qué está empezando a nacer dentro de ti? ¡Contesta!

CHOLE. (*Se suelta suplicante pero

resuelta.)—¡Por lo que más quieras... déjame!

FERNANDO.—No, no es posible. Es tu piedad de mujer que te está tendiendo una trampa. Y Juan mismo tiene que impedirte caer en ella. Que nos perdone o que nos mate juntos... ¡pero engañarle, no! (*Va hacia el interior llamando.*) ¡Juan... Juan!...

(JUAN *aparece en el umbral del fondo.* CHOLE, *pálida al verle, lanza una rápida mirada de súplica a* FERNANDO, *y se dirige a él*).

CHOLE.—¡No le escuches, Juan, no le escuches!...

(JUAN, *con los ojos fijos en el hermano, avanza apartando a* CHOLE *sin mirarla, con suave energía.*)

JUAN.—¿Para qué me llamas con tanto grito? ¿Hay algo tuyo en peligro y necesitas, como siempre, que te lo defienda yo?

FERNANDO.—No. Lo único que quiero es que ¡cueste lo que cueste! no quede nada oscuro entre nosotros. Ahora necesito toda la verdad.

JUAN. — ¿No la has oído ya? ¿O crees que Chole, por gratitud, iba a representar esta vieja farsa cruel? Ella, tan leal, tan entera, ¿te la imaginas tratando de pagar un verdadero amor con unas migajas de esa felicidad que os sobra a los dos?

FERNANDO. (*Retrocede sin voz al comprender que* JUAN *ha oído.*) —Juan...

JUAN. — No, Fernando, no; ni yo acepto limosnas ni ella caería en la torpeza de una mentira piadosa. ¿Quieres la prueba? Ahora mismo te la va a dar... ¡y con los ojos de frente! ¿Verdad, Chole? (CHOLE, *situada entre ambos, retrocede también.*) Vamos, ¿qué esperas? Ahí tienes a Fernando. El hombre feliz; el que no ha tenido que luchar jamás porque la vida se lo ha dado todo; el que podía jugar en los jardines cuando se moría su madre... Ahí lo tienes. El no ha sabido nunca que había dolor en el mundo. Con él están la alegría, y la salud, y todas las gracias de la vida. Aquí sólo esta el pobre Juan, con su miseria y con su amor. Elige, Chole. ¡Para siempre!

(CHOLE *vacila. Suplica a* FERNANDO *con el gesto, y avanza dolorosamente hacia* JUAN.)

CHOLE.—Juan...

JUAN. (*La recoge en sus brazos con una emoción desbordada. Sus palabras tiemblan llenas de fiebre.*) —¿La ves, Fernando? ¡En mis brazos! Ya no eres tú solo. También Juan puede triunfar ¡por una vez! (*Levanta en sus manos el rostro de ella, lleno de lágrimas.*) Pero también... por una vez... tengo el orgullo de ser más fuerte que tú, más generoso que tú... Llévatela lejos. Ahora ya podéis ser felices sin remordimientos. Porque también yo ¡por una vez siquiera! he sido bueno como tú, y feliz como tú... y te he visto llorar.

FERNANDO. (*En un impulso fraternal.*)—¡Juan!

JUAN.—¡Hermano! (*Vuelcan en un abrazo toda su ternura contenida.*) Gracias, Chole... Ya sabía yo que no podía ser, que te engañabas a ti misma. Pero gracias por lo que has querido hacer. Llévala, Fernando. Sólo os pido que os vayáis a vivir lejos. Dejadme a mí gozar solo el único día feliz que ha habido en mi vida...

(CHOLE, *sin encontrar palabras de despedida, estrecha conmovida las manos de* JUAN. *Coge luego sus flores, apretándolas contra el pecho, y sale reclinada en el hombro de* FERNANDO. JUAN, *agotado por el enorme esfuerzo, desfallece un momento. Se domina. Tiene ahora una expresión de frialdad fatal. Va al escritorio, lo abre y coge su pistola. Pasa* ALICIA. *Al verla, esconde el arma, volviéndose.*)

ALICIA.—Buenos días, Juan... (*Corre el cerrojo de la Galería del Silencio, y coloca en lugar bien visible un cartel que dice: "Prohibido suicidarse en Primavera". En el jardín, pianísimo —cuerda sola— comienza a oírse de nuevo el himno de Beethoven.*) Es una orden de Chole... ¿Le ocurre algo, Juan?

JUAN.—Nada...

ALICIA.—¡Está usted temblando!

JUAN.—Un poco de fiebre, quizá.

ALICIA.—Es el día... ¿Oye usted esa música?

JUAN.—¿Qué es?

ALICIA.—Beethoven: un himno de gracias a la primavera. También él estaba solo y con fiebre cuando lo escribió. Pero él sabía que la primavera trae siempre una flor y una promesa para todos.

JUAN.—¿Lo cree usted así?

ALICIA.—El doctor me lo dijo un día: "No pidas nunca nada a la vida. Y algún día la vida te dará una sorpresa maravillosa".

JUAN.—¿Y espera usted?

ALICIA.—Siempre... ¿Quiere hacerme un favor, Juan? Hoy es día de vida y de esperanza. Es preciso que desaparezca de aquí todo lo que recuerde la muerte... ¿Quiere darme eso que esconde ahí?

JUAN. (*Turbado, entregándole su pistola.*)—Perdón...

ALICIA.—Voy a tirarla al estanque. en el mismo sitio donde Chole resbaló ayer.

(*Va a salir.*)

JUAN.—Alicia... Espere... Tengo miedo de quedarme solo... ¿Me permite que la acompañe, Alicia?

ALICIA.—Gracias...

(*Le ofrece su brazo. Avanzan juntos hacia el jardín. El Himno de Beethoven suena ahora —cuerda y viento— fortíssimo y solemne. Va cayendo lentamente el*

TELÓN

LOS ÁRBOLES MUEREN DE PIE

COMEDIA EN TRES ACTOS

Estrenada en el Teatro Ateneo de Buenos Aires por la Compañía de Esteban Serrador y Luisa Vehil el día 1º de abril de 1949

PERSONAJES:

MARTA-ISABEL

LA ABUELA

GENOVEVA

HELENA, *secretaria*

FELISA, *doncella*

AMELIA, *mecanógrafa*

MAURICIO

SEÑOR BALBOA

EL OTRO

EL PASTOR-NORUEGO

EL ILUSIONISTA

EL CAZADOR

EL LADRÓN DE LADRONES

ACTO PRIMERO

A primera vista estamos en una gran oficina moderna, del más aséptico capitalismo funcional. Archivos metálicos, ficheros giratorios, teléfonos, audífonos y toda la comodidad mecánica. A la derecha —del actor—, la puerta de secretaría; a la izquierda, primer término, la puerta de la dirección. Segundo término, salida privada. La mitad derecha del foro está ocupada por una librería. La izquierda, en medio arco, cerrada por una espesa cortina, que al correrse descubre un vestuario amontonado de trajes exóticos y una mesita con espejo alumbrado en los bordes, como en un camarín de teatro.

En contraste con el aspecto burocrático hay acá y allá un rastro sospechoso de fantasía: redes de pescadores, carátulas, un maniquí descabezado con manto, un globo terráqueo, armas inútiles, mapas coloristas de países que no han existido nunca; toda esa abigarrada promiscuidad de las almonedas y las tiendas de anticuario.

En lugar bien visible, el retrato del Doctor Ariel, con una sonrisa bonachona, su melena blanca y su barba entre artística y apostólica.

Al levantarse el telón la Mecanógrafa busca afanosamente algo que no encuentra en los ficheros. Consulta una nota y vuelve a remover fichas, cada vez más nerviosa. Entra Helena, la secretaria, madura de años y de autoridad, con sus carpetas que ordena mientras habla.

HELENA.—¿Qué, sigue sin encontrarla?

MECANÓGRAFA.—Es la primera vez que me ocurre una cosa así. Estoy segura de que esa ficha la extendí yo misma; el fichero está ordenado matemáticamente y soy capaz de encontrar lo que se me pida con los ojos cerrados. No comprendo cómo ha podido desaparecer.

HELENA.—¿No estará equivocada la nota?

MECANÓGRAFA. — Imposible; es de puño y letra del jefe. (*Tendiéndosela*). 4-B-43. No puede haber ningún error.

HELENA.—Hay dos.

MECANÓGRAFA.—¿Dos?

HELENA. — Primero, no pronuncie nunca aquí la palabra jefe; parece otra cosa. Diga simplemente director. Y segundo, ¿cómo quiere encontrar a una muchacha de diecisiete años en las fichas azules? Hasta cumplir la mayor edad van en cartulina blanca.

MECANÓGRAFA. — Dios mío, ¡pero dónde tengo la cabeza hoy!

HELENA.—Mucho cuidado con eso; tratándose de menores la ley es inflexible.

MECANÓGRAFA.—Siempre se me olvida ese detalle del color.

HELENA.—Recuerde que en esta casa cualquier pequeño detalle puede ser una catástrofe. Muchas vidas están pendientes de nosotros, pero el camino está lleno de peligros; y lo mismo podemos merecer la gratitud de la humanidad que ir a parar todos a la cárcel esta misma noche. No lo olvide.

MECANÓGRAFA.—Perdón. Le prometo que no volverá a ocurrir.

HELENA.—Así lo espero. Y ahora, a ver si es verdad esa seguridad de sus manos. Póngase ante el fichero de menores con los ojos cerrados y deme el 4-B-43.

MECANÓGRAFA.—¿Es éste?

HELENA. — Muy bien; la felicito. (*Lee*). "Ernestina Pineda. Padre desconocido y madre demasiado conocida. Abandono del hogar. Peligro. Urgente. Véase modelo H-4. (*Busca en sus carpetas repitiendo*). Modelo H-4..., modelo H-4, H-4. (*Un vistazo y frunce el ceño*). ¡Ajá! Por lo visto es grave. (*Toma unas notas rápidas en su block*).

MECANÓGRAFA.—¿Puedo hacerle una pregunta? Ya sé que no se debe, pero a mí me ocurrió algo parecido y estoy muerta de curiosidad.

HELENA.—Acostúmbrese a obedecer sin preguntar; es mejor para todos. (*Arranca la hoja del block y se la da con la ficha y la carpeta*). Tres copias en seguida y pase la consigna a estas tres direcciones. (*La Mecanógrafa va a salir*). Otra cosa; si llega una muchacha de ojos tristes, con boina a la francesa y tarjeta azul, hágala pasar inmediatamente.

MECANÓGRAFA.—¿La del ramo de rosas?

HELENA.—¿Cómo lo sabe?

MECANÓGRAFA.—No fue culpa mía; lo oí, sin querer, cuando se lo estaba diciendo el jefe.

HELENA.—Director.

MECANÓGRAFA.—Disculpe. (*Sale*).

(*La* Secretaria *se sienta a ordenar papeles y tomar notas. Entra, de secretaría, el* Pastor *protestante; un tipo demasiado perfecto para ser verdadero. Viene de un humor nada evangélico).*

HELENA y PASTOR

PASTOR. — Esto ya es demasiado. ¡Protesto! Respetuosamente, pero protesto.

HELENA (*sin abandonar su trabajo*). —¿Otra vez?

PASTOR.—Yo he sido llamado aquí como especialista en idiomas: nueve lenguas vivas y cuatro muertas, cuarenta años de estudios, cinco títulos universitarios... y total, ¿para qué? ¿Hasta cuándo me van a tener ocupado en trabajos inferiores?

HELENA.—¡Cómo! ¿A un problema de conciencia, con dudas religiosas y en una dama escocesa, le llama usted un trabajo inferior?

PASTOR.—¡Pero otra solterona! Ya llevo cuatro en menos de una semana. Y si hay algo en este mundo que un solterón no puede soportar es una solterona.

HELENA.—Muy galante.

PASTOR.—No lo digo por usted. Usted no es una mujer.

HELENA.—Gracias.

PASTOR.—Quiero decir que es un amigo, un camarada. Por eso le hablo con el corazón en la mano. ¡Protesto, protesto y protesto! (*Se arranca una patilla; Helena se levanta*).

HELENA.—Cálmese, reverendo.

PASTOR (*repentinamente alarmado mira en torno y baja la voz*).— ¿Por qué me llama reverendo? ¿Hay alguien?

HELENA.—Nadie; tranquilícese.

PASTOR.—¡Ah! (*Se arranca la otra patilla*).

HELENA. — Y cámbiese inmediatamente. (*Le tiende un papel*). Tiene otra misión delicada para hoy.

PASTOR (*sin ilusión*). — Sí, ya sé. ¡Barco noruego a la vista! ¿Tengo que ser yo el que vaya al puerto?

HELENA.—No tenemos otro que conozca ese idioma. ¡Piense en la emoción de esos muchachos al escuchar tan lejos una vieja canción de su tierra!

PASTOR.—¡Ni irá a decirme que un trabajo así justifica cinco títulos universitarios!

HELENA (*dejando el tono amistoso para imponerse*).—Aquí nadie tiene el derecho de elegir sus consignas. ¡O se obedece a ciegas o se abandona la lucha!

PASTOR.—En fin..., todo sea por la causa.

(Deja resignado su Biblia y sus lentes. Corre la cortina descubriendo el vestuario, se quita la levita, y mientras sigue el diálogo va poniéndose una camiseta marinera y las altas botas de agua sobre el mismo pantalón).

HELENA.—¿Consiguió tranquilizar la conciencia de esa dama?

PASTOR.—¿Qué dama?

HELENA.—Miss Macpherson. La solterona escocesa.

PASTOR.—Ah, sí, supongo que sí. Era un caso corriente. ¿Por qué no iba a resultar?

HELENA.—No sé; temí que pudieran surgir complicaciones en la discusión religiosa. Como usted es católico y ella protestante...

PASTOR.—Para un profesor de idiomas eso no es dificultad: el protestantismo es un dialecto del católicismo.

HELENA. — Entonces, si todo salió bien, ¿a qué viene ese mal humor?

PASTOR.—¿Le parece poco? Sólo se cuenta conmigo para trabajos de principiante. ¿Por qué no me dio parte en el golpe del Club Náutico? ¡Eh! ¿Por qué se me dejó fuera cuando el Baile de las Embajadas? ¡Eh! Allí había gente de todos los países. ¡Era mi gran oportunidad!

HELENA.—Esa noche nuestro interés no estaba en el salón de baile, sino en las cocinas. Una equivocación en el narcótico lo habría echado todo a rodar. ¿Alguna otra queja?

PASTOR.—Lo de los nombres. Pase que en el cumplimiento del deber se me llame el "F-48". Pero aquí dentro, entre compañeros...

HELENA.—Es mejor que nadie sepa el nombre de nadie. Puede prestarse a indiscreciones peligrosas.

PASTOR *(ofendido)*. — ¿Piensa que yo soy un delator?

HELENA. — Ni remotamente. Pero ¿qué pasaría si alguno de los nuestros, por una torpeza, cayera en manos de la policía? ¡Toda la organización descubierta!

PASTOR *(se levanta convencido)*.— Ni una palabra más. ¿A qué hora llega ese maldito barco?

HELENA.—¿Por qué maldito?

PASTOR.—Quiero decir, ese dichoso barco.

HELENA.—¿Por qué dichoso? No lo diga con ese gesto. Sonría. Una buena sonrisa es la mitad de nuestro trabajo.

PASTOR.—Está bien. *(Con una sonrisa que no le sale)*. ¿A qué hora deben llorar esos muchachos noruegos oyendo las viejas canciones de su país?

HELENA.—Así, muy bien. *(Consulta su reloj)*. A las once. Tiene usted cuarenta minutos.

(El Pastor *enciende las luces del espejo y se sienta a maquillarse. Uno de los libros se ilumina tres veces con una luz roja, al mismo tiempo que se oyen llamadas sordas de chicharra. Una parte de la librería comienza a abrirse lentamente hacia adentro descubriendo una entrada secreta. Pasa el* Ilusionista; *un tipo humildemente estrafalario, con una gran carrik o levita larga. Trae en la mano un racimo de globos infantiles. La puerta se cierra sola tras él).*

HELENA, PASTOR, ILUSIONISTA

ILUSIONISTA.—Salud, compañeros.

HELENA.—Salud.

ILUSIONISTA *(cuelga sus globos y pasa a dejar el sombrero de copa sobre la mesa)*.—Dígame, señora, ¿esto de los globos es absolutamente necesario?

HELENA.—¿Es otra protesta?

ILUSIONISTA.—Pregunto, simplemente. Cada uno tiene el sentido de su profesión; y esto de los globitos, la verdad, no me parece digno de una organización seria ni de mí.

HELENA.—Ah, ¿usted también? Por lo visto ya empieza a filtrarse aquí la indisciplina. Pues no, señores, no; sin autoridad y obediencia no hay lucha posible. ¡Piénselo bien antes de dar un paso más!

ILUSIONISTA.—Yo no he hecho más que preguntar.

HELENA (*autoritaria*).—¡Ni eso! El que no esté dispuesto a entregarse a la causa con el alma entera tiene abierta la puerta. Sólo se le pedirá al salir el mismo juramento que se le pidió al entrar: silencio absoluto. ¿Tienen algo más que decir?

ILUSIONISTA.—Nada.

PASTOR.—Nada.

HELENA.—Gracias. (*Sale*).

(El Pastor, *que ha completado su maquillaje con una sota-barba roja, viene al centro de la escena poniéndose la zamarra. El* Ilusionista *se sienta aburrido. Mientras habla hace las cosas más inesperadas con una naturalidad desconcertante: cada vez que busca algo en sus inmensos bolsillos van apareciendo enredados cintajos de colores, abanicos japoneses, frutas, una flauta, un trompo de música. Lo más curioso es que ni él hace el menor caso al* Pastor *mientras dialogan, ni el* Pastor *muestra la menor extrañeza ante sus trucos pueriles. Hay frente a frente un tono doctoral y una sorna plebeya resignada).*

ILUSIONISTA *y* PASTOR

PASTOR.—Cada día se está poniendo esto más duro. ¡Si no fuera porque, en el fondo, somos unos idealistas!

ILUSIONISTA.—Le diré a usted; a mí los idealismos... (*Aplasta contra el suelo su bastón y se lo guarda en el bolsillo*).

PASTOR.—¿Mucho trabajo?

ILUSIONISTA. — Nada; viejos, niños, criadas... ¡Matinée! (*Buscando algo saca una flauta en la que sopla un acorde y la pasa al otro bolsillo*). Y usted, ¿contento?

PASTOR.—Desarraigado. Yo he nacido para la Universidad. (*Nostálgico*). La Sorbona, Oxford, Bolonia...

ILUSIONISTA. — Yo para el circo: Hamburgo, Marsella, Barcelona ... (*Repite el juego con unos pañuelos que al deslizarse entre sus manos cambian de color*).

PASTOR.—La biblioteca hasta el techo, la campana, el claustro gótico...

ILUSIONISTA.—La vieja carpa de lona, los caminos...

PASTOR.—¡Cuarenta años de estudiar sentado!

ILUSIONISTA. — ¡Cuarenta países a pie!

PASTOR.—En cambio ahora...

ILUSIONISTA.—A lo que hemos llegado, compañero. ¿Una banana?

PASTOR.—No, gracias. (*El Ilusionista pela y come filosóficamente la suya*). Sé que tenemos una gran responsabilidad social. Pero esos nombres de espías... ¿Hay derecho a que un hombre como yo se llame el "F-48"?

ILUSIONISTA. — ¿Y...? Yo soy el "X-31", y me aguanto.

PASTOR.—¿Pero no siente la angustia metafísica de estar muerto debajo de esa letra y ese número?

ILUSIONISTA.—Le diré a usted: a mí la angustia metafísica... (*Come*).

PASTOR.—Mi nombre verdadero es Juan. Poca cosa, ¿verdad? ¡Pero humano, señor, humano! Millares de Juanes han escrito libros y han plantado árboles. Millones de mujeres han dicho alguna vez en cualquier rincón del mundo "te quiero, Juan". En cambio, ¿quién ha querido nunca al "F-48"? Juan sabe a pueblo y a eternidad: es el hierro, la madera de roble, el pan de trigo. "F-48" es el nylon.

(El Ilusionista *termina de comer su banana y guarda la cáscara en el bolsillo).*

ILUSIONISTA.—A mí me gusta el nylon; es cómodo y barato. ¡El porvenir! (*Se limpia con un pañuelo rojo, que, al soltarlo, vuelve rápidamente a su sitio*).

PASTOR.—¡No, no me diga que soy el único en sentir esta angustia! ¿Podría usted resignarse a ser eternamente el "X-31"?

ILUSIONISTA.—Cuesta un poco. La primera vez que me oí llamar así creí que estaban llamando a un submarino. (*Saca una especie de cigarrera que abre a resorte y se ilumina*). ¿Un cigarrillo?

PASTOR.—Tengo que acostumbrarme a esta maldita pipa. (*El* Ilusionista *enciende con un fósforo que rasca en el codo*). Y a cantar, y hasta a bailar si es preciso. ¡Pero ese nombre, ese nombre...! ¿Cómo pudo decir Guillermo que el nombre no significa nada? (*Recita*).

"¡Montesco o no Montesco, tú eres tú!
En cambio un nombre ¿qué es? Ni pie ni mano
ni brazo ni semblante
ni cosa alguna que al hombre pertenezca".

¡No estoy conforme!

ILUSIONISTA.—¿Con quién?

PASTOR.—Con Shakespeare.

ILUSIONISTA.—Le diré a usted; a mí Shakespeare...

(*Se aprieta con el índice un oído soltando por el otro un largo chorrito de agua*).

PASTOR.—¡Pero a mí sí, a mí sí! Puedo recitar sus obras completas de memoria. Algún día hasta soñé con escribirlas parecidas. (*El* Ilusionista *lanza en el suelo un trompo de música*). ¿Y en qué he venido a parar?

ILUSIONISTA (*mirándole por primera vez de frente*).—No somos nadie, hermano: usted, un catedrático sin cátedra; yo, un ilusionista sin ilusiones. Podemos tratarnos de tú.

(Recoge el trompo en la palma de la mano mirándole bailar. De pronto, oyendo la voz de la Secretaria, *que se acerca, se incorpora y lo guarda imponiendo silencio. El* Pastor *cierra apresuradamente la cortina del vestuario. Entra* Helena, *con la muchacha de los ojos tristes y la boina a la francesa. Anticipadamente la llamaremos* Isabel).

Dichos, HELENA *e* ISABEL

HELENA.—Pase, señorita. Es una verdadera alegría que se haya decidido a venir a vernos. ¿Tienen la bondad de dejarnos solas?

(El Pastor *se inclina cortés; el* Ilusionista, *como en un saludo de pista. Recoge sus globos y se encamina a la segunda izquierda detrás del* Pastor. *Se aprieta la boca del estómago con el dedo haciendo un ruido de bocina. El* Pastor *le deja paso.* Isabel *los mira salir desconcertada).*

ISABEL *y* HELENA

HELENA.—Siéntese, por favor.

ISABEL (*sin sentarse*).—¿Fue usted la que me llamó?

HELENA.—Yo no puedo tomar iniciativas; sólo obedezco órdenes. Pero estoy segura de que el señor director va a ser feliz cuando lo sepa. Un momento. (*Va al audífono*). ¡Hola! ¿Dirección?

(Se oye en un audífono la voz del Director).

VOZ.—Diga, Helena.

HELENA.—Tengo una gran noticia para usted.

VOZ.—Si quiere darme la mejor del día dígame que los ojos tristes que esperábamos acaban de llegar.

HELENA.—Efectivamente, aquí está.

VOZ.—Salúdela en mi nombre y dígale que en cuanto termine aquí tendré el mayor gusto en atenderla. De corazón.

HELENA.—A sus órdenes. (*Corta*). ¿Ha oído?

ISABEL.—Realmente no sé cómo agradecerles... Pero ¿podría saber quién me llamó y para qué me han traído aquí?

HELENA.—El señor director le explicará. ¿No quiere sentarse? Parece un poco nerviosa.

ISABEL.—Mucho. Y sobre todo, desconcertada. Fue una cita tan extraña y en un momento de mi vida tan... tan... (*Ahoga un sollozo y se deja caer en un asiento*).

HELENA.—Vamos, señorita, tranquilícese. Le aseguro que está entre amigos, ¡quién sabe si compañeros! ¿Quiere tomar algo?

ISABEL.—Nada, gracias. (*Sonríe disculpándose mientras se seca una lágrima*). Ya pasó.

ISABEL, HELENA *y* MECANÓGRAFA. *Después,* BALBOA

MECANÓGRAFA (*en la puerta*).—Hay un señor que quiere hablar con la dirección.

HELENA.—Que espere.

MECANÓGRAFA.—Viene recomendado por el doctor Ariel.

HELENA.—¿Por el doctor Ariel en persona? ¡Pero hágalo pasar inmediatamente! Adelante, señor, adelante.

(*Entra el señor* Balboa: *un anciano correctísimo y pulcro, un poco tímido. Trae en la mano una tarjeta azul*).

BALBOA.—Señorita...

HELENA. — Encantada. ¿Es usted amigo del doctor Ariel?

BALBOA.—Tengo ese honor.

HELENA.—Entonces supongo que el doctor le habrá informado ya..., ¿no?

BALBOA.—No, nada; me dio simplemente esta dirección y me dijo que aquí lo sabría todo..., si es que algo podían hacer por mí.

HELENA.—Esperemos que sí. Tome los datos, Amelia. (*La Mecanógrafa recoge la tarjeta del señor Balboa y se sienta a tomar los datos para el fichero, Helena le indica un asiento y dice, por Isabel*): No sé si tengo el derecho de hacer las presentaciones o si prefieren reservarse los nombres. En cualquier caso considérense como amigos.

BALBOA.—Honradísimo.

ISABEL.—Gracias, señor.

(*El señor* Balboa *toma asiento junto a* Isabel. *Pequeña pausa. En la segunda izquierda aparece un momento el* Pastor-Noruego).

Dichos y PASTOR

PASTOR.—Un momento, compañera; ¿basta cantar o tengo que llevar también el acordeón?

HELENA (*impaciente ante la imprudencia*).—No me parece momento oportuno para pedir instrucciones. ¡Espere ahí dentro!

PASTOR.—Perdón. (*Sale*). (*La Secretaria sonríe un poco tontamente sin saber cómo explicar la extraña aparición*).

HELENA.—Otro amigo... (*Toma de la mesa el sombrero de copa para llevárselo. Del sombrero sale un conejo blanco. Ella se apresura a esconderlo, nerviosa*). Disculpen ... ¡Estos empleados...! (*Sale con el sombrero por segunda izquierda*).

(Isabel *y el señor* Balboa, *a quienes ha sorprendido tanto el noruego como el conejo, se miran desconcertados. Después contemplan inquietos el lugar. La* Mecanógrafa *termina de anotar y devuelve la tarjeta*).

MECANÓGRAFA.—Nada más, señor; muchas gracias. (*Coloca en el clasificador la ficha que acaba de extender. Suena el teléfono; atiende mecánicamente*). Diga. Sí, yo misma. ¿Cómo? ¡Pero no! Este asunto de los niños secuestrados quedó archivado definitivamente. Resultado negativo. Ah, eso ya es otra cosa. Espere, creo que tengo aquí a mano los datos. (*Sin soltar el auricular busca en un indicador, repitiendo*): Fumadero de opio... Fumadero de opio... Fumadero... (*La Secretaria ha aparecido a tiempo de sorprender la nueva imprudencia. Avanza rápidamente*).

HELENA.—¡Deje eso! (*Toma el auricular y contesta en un tono tan amable que es evidentemente falso*). ¡Hola! ¿Ah, es usted? Encantada siempre. Lo siento, pero ahora no me es posible. No, por favor, no insista. (*Subrayando*). Le repito que en este momento es imposible. Yo la llamaré. De nada. (*Cuelga*). Vamos, señorita; el trabajo no puede esperar. Con permiso. (*Vacila un momento. Desconecta el teléfono y sale con la Mecanógrafa*).

(Isabel *y el señor* Balboa *se miran cada vez más perplejos. Él se enjuga la frente con el pañuelo; ella tamborilea los dedos, nerviosa. Sonríen forzadamente sin saber qué decirse. Por fin, el señor* Balboa *da el primer paso, confidencial).*

ISABEL *y* BALBOA

BALBOA.—Dígame, señorita, ¿usted tiene una idea aproximada de dónde estamos?

ISABEL.—Yo, no. ¿Y usted?

BALBOA. — Tampoco. ¿Es curioso, no? Ninguno de los dos sabe dónde estamos y sin embargo aquí estamos los dos.

ISABEL.—¿No habremos equivocado la dirección?

BALBOA. — Comprobemos. ¿Cuál es la suya?

ISABEL (*saca de su bolso una tarjeta azul*).—Avenida de los Aromos, 2448.

BALBOA (*mirando la suya*). — Dos, cuatro, cuatro, ocho, correcto. Es indudable que en toda la ciudad no puede haber más que una Avenida de los Aromos.

ISABEL.—Y es indudable que en toda la avenida no puede haber más que un dos, cuatro, cuatro, ocho.

BALBOA.—Entonces estamos bien, no hay discusión. ¿Pero dónde? ¿Qué significa esta mezcla de oficina y utilería?

ISABEL.—Es lo que yo me estoy preguntando desde que llegué.

BALBOA. — Y ese fumadero de opio... y esos niños secuestrados... ¡No irá a decirme que todo esto es natural!

ISABEL. — ¡Quién sabe! ¡A veces unas palabras sueltas pueden prestarse a confusiones!

BALBOA.—De acuerdo. Pero... ¿es natural criar conejos en un sombrero de copa?

ISABEL.—Eso sería lo de menos. Para mí lo más sospechoso es lo otro; lo del pescador.

BALBOA.—¿Por qué?

ISABEL.—Porque ese pescador noruego que acaba de salir, cuando entró no era noruego ni pescador. Era un pastor protestante.

BALBOA (*se levanta sobresaltado*).— —¡Demonio! ¿Quién le ha dicho eso?

ISABEL.—Yo lo vi, en un banco del parque: un pastor protestante discutiendo con una inglesa pelirroja. Es decir..., a menos que la señora estuviera disfrazada también.

BALBOA.—Pero entonces no hay duda. ¡Hemos caído en una trampa! (*Se oye dentro un golpe de acordeón*).

ISABEL.—Silencio. Ahí viene.

(Balboa *se sienta rápidamente disimulando. Cruza el* Pastor, *que ha completado su estampa nórdica de lobo de mar; viene terminando de sujetarse el acordeón en bandolera. Se detiene mirando compasivamente a uno y a otra).*

ISABEL, BALBOA *y el* PASTOR

PASTOR.—Primer día, ¿no?

BALBOA (*a ver qué sale*).—Primer día.

PASTOR (*sibilino*). — Si quieren un buen consejo, retírense ahora que todavía están a tiempo. Y si no, miren mi ejemplo: cuarenta años de estudios por un plato de lentejas... y ahora, ¡a la taberna del puerto, a cantar para esos muchachachotes rubios que lloran cerveza! (*Sale por secretaría rezongando entre dientes*). F-48... F-48 ... (*Isabel y Balboa le siguen con los ojos. Después vuelven a mirarse atónitos*).

ISABEL *y* BALBOA

BALBOA (*repite mecánicamente*). — F-48... ¿Usted ha entendido algo?

ISABEL (*resuelta*).—Yo, sí: ¡que hay que salir de aquí antes que sea tarde! (*Se levanta dispuesta a correr. Él la detiene*).

BALBOA.—¡Por ahí no! ¿Quiere meterse usted misma en la boca del lobo? Calma, señorita; mientras tengamos la cabeza sobre los hombros, usémosla fríamente. Reflexionemos. (*Respira hondo para tranquilizarse y medita en voz alta*). A primera vista, todo lo que estamos presenciando aquí sólo puede ocurrir en un teatro o en una filmadora de películas o en un circo.

ISABEL.—Ojalá no fuera más que eso.

BALBOA.—Y sin embargo es evidente que no estamos en un circo ni en un teatro ni en una filmadora.

ISABEL.—Evidente.

BALBOA.—Tampoco cabe pensar en una logia.

ISABEL.—¿Y en una secta?

BALBOA.—¿De qué?

ISABEL.—¡Qué sé yo! Una secta secreta.

BALBOA.—¿Religiosa? No es cosa de estos tiempos. ¿Política? ¿Una organización terrorista?

ISABEL.—¿Contra un viejo y una pobre mujer sola? No valdría la pena.

BALBOA (*desesperado*).—Pero entonces, ¿dónde diablos nos hemos metido? Yo soy un poco distraído y puedo equivocarme; pero usted... ¿Es posible que haya venido aquí sin saber a dónde venía?

ISABEL.—Cuando me llamaron estaba tan deseperada que no podía negarme. Si en aquel momento me hubieran citado a la puerta del infierno habría ido lo mismo.

BALBOA.—¿Quién la citó?

ISABEL.—Ni lo sé. Era un anónimo.

BALBOA.—¡Me lo estaba imaginando! ¿Con amenazas?

ISABEL.—Al contrario: con la más hermosa de las promesas.

BALBOA.—¡Haber empezado por ahí! ¿Se da cuenta ahora del peligro, criatura? Una muchacha, joven, linda, sola... ¿Cómo no sospechó esta intriga tenebrosa?

ISABEL (*aterrada, corriendo a refugiarse a su lado*). ¡No me diga! ¿Un secuestro?

BALBOA. — ¿Qué otra explicación puede haber? Pero no tenga miedo; viejo y todo, soy un caballero. ¡Que se atrevan esos rufianes!

(*En este momento el libro vuelve a encenderse tres veces, con tres llamadas de chicharra, y la puerta falsa de la librería empieza a girar. Los dos retroceden despavoridos imponiéndose silencio mutuamente y vuelven a sus asientos. Por la puerta secreta entra el* Mendigo; *una figura sórdida escapada de* La Corte de los Milagros, *con una mugrienta capa romántica, ancho fieltro y parche en un ojo).*

ISABEL, BALBOA *y el* MENDIGO

MENDIGO.—Salud.

(*Pasa con toda naturalidad, sin hacerles caso, hacia la mesa y sobre una bandeja de plata va depositando distintos objetos que extrae de sus profundos bolsillos: un collar de perlas, varios relojes con cadena, algunas carteras. Después señala un número en el teléfono interior).*

MENDIGO. — Hola. Aquí el S-S-2. Misión cumplida. Sin complicaciones. No, esté tranquilo, no me ha seguido nadie. Respondo. Gracias. (*Se quita el parche del ojo y se dirige a la segunda izquierda. De pronto se detiene contemplando admirado al señor Balboa*). ¡Exacto, exacto, exacto! Un verdadero hallazgo. (*Avanza un paso con el dedo tendido*). ¡Usted es el coronel de las siete heridas para recuerdos de guerra! ¿A que sí?

BALBOA.—¿Eh...?

MENDIGO.—¿Ah, no? ¡Qué lástima! Con una perilla blanca, era el tipo justo. (*A Isabel*). Salud, compañera. (*Sale. En cuanto se cierra la puerta el señor Balboa se levanta pálido pero iluminado*).

ISABEL *y* BALBOA. *Diálogo rapidísimo*

BALBOA.—¡Por fin! ¿Está claro ahora? ¡Hemos caído en una maffia!

ISABEL.—¡Hay que salir de esta cueva como sea!

BALBOA.—¿Por dónde? ¿No comprende que todas las puertas estarán tomadas?

ISABEL.—Puede haber una ventana. (*Descorre la cortina del vestuario, asoma la cabeza y lanza un grito. El señor Balboa se tapa los ojos dramáticamente*).

BALBOA.—¡No me diga más! ¡Un ahorcado!

ISABEL.—Un ropero: disfraces, pelucas, máscaras...

BALBOA. — Lo que me imaginaba; una banda de impostores.

ISABEL (*corre de nuevo la cortina*). —¿Y si llamáramos a la policía por teléfono?

BALBOA.—¿Cree que son tontos? Ya habrán cortado el hilo.

ISABEL.—¿Y si pidiéramos socorro a gritos? (*Va a gritar. Él la detiene bajando la voz*).

BALBOA.—¿Está loca? Se nos echarían encima ahora mismo.

ISABEL.—Quizá esta salida secreta... (*Palpando la librería*). Tiene que haber algún botón por aquí.

BALBOA.—¡Quieta! ¿Y si se equivoca de botón y saltamos hechos pedazos? Espere. Estudiemos la situación serenamente.

(Se vuelven sobrecogidos oyendo un grito tirolés que retumba en secretaría. Se abre la puerta de una patada y entra el Cazador *con dos perros de traílla. Calzón corto de pana, canana, escopeta y sombrero de pluma. Tipo de una vitalidad desbordante, entra a gritos y zancadas, chorreando júbilo).*

ISABEL, BALBOA *y el* CAZADOR

CAZADOR.—¿No lo dije? ¡Éxito total! Y yo solo, ¡solo! Para que luego digan de la iniciativa privada. ¿Me hace el favor un momento?

(Entrega el dogal de los perros al señor Balboa, *que no acierta a negarse, tan espantado de los perros como del dueño. El* Cazador *se abalanza al teléfono cantando ópera italiana).*

CAZADOR.—Fígaro cuí. Fígaro lá... ¡Hola! ¿Departamento de material? Sí, yo mismo. Feliz. ¿No se me nota en la voz? Anote rápido: para mañana al amanecer tres docenas de conejos. ¿Cómo? ¡Pero no, hombre de Dios! ¿Para qué me iban a servir muertos? ¡Vivos, vivos y coleando! De acuerdo. (*Va a colgar cantando. Se detiene de pronto*). Ah, espere, otra cosa. Necesito más perros. Todos los que pueda: ocho perros, catorce perros, ¡cincuenta perros! ¿Hambrientos? No se preocupe;

de la alimentación me encargo yo. (*Ríe*). Queda usted invitado. A las órdenes, camarada. (*Cuelga y toma rápido una nota, cantando, Comenta entusiasmado*). ¡Es prodigioso! ¡Si lo hubieran ustedes visto! Cuatro hombres felices con el mínimo de gasto. (*Cruza a recoger sus perros cantando*). "¡Lucévano le stelle!" Gracias, señor, muy amable, gracias. (*Grandes palmadas. Al notar su asombro, mira a uno y otra receloso, mira a las puertas, y baja la voz confidencial*). ¿Nuevos?

ISABEL (*sin voz*).—Nuevos.

CAZADOR.—Pero... ¿iniciados ya o en período de observación?

BALBOA.—Mitad y mitad.

CAZADOR.—Ah, ya: catecúmenos.

ISABEL.—Catecúmenos.

CAZADOR.—Ánimo, compañeros, el principio es lo único que cuesta. Después... ¡es maravilloso! (*A los perros*). ¡Quieto, Romeo! ¡Vamos, Julieta! (*Abre de otra patada la puerta de la dirección gritando*). ¡Señor director... Señor director...! (*Y desaparece con el mismo alarido gutural que anunció su llegada*).

(Isabel *queda en pie, pasmada. El señor* Balboa *cae desfallecido en un sillón).*

ISABEL y BALBOA

BALBOA.—Es inútil. Ni secta, ni logia ni maffia. Pero entonces ¿qué? ¡Una luz, Señor, una luz!

ISABEL (*se acerca con un temblor de emoción en la voz*).—¿No estaremos soñando?

BALBOA.—¿Los dos al mismo tiempo?

ISABEL.—Sin embargo, este mundo arbitrario, esta confusión de trajes y personajes, sólo puede producirse en sueños.

BALBOA (*enjugándose la frente, vencido*).—Yo no entiendo ya nada de nada. Si en este momento se abre esa puerta y entra Napoleón a preguntarme qué hora es... ni frío ni calor.

ISABEL (*obsesionada*). — Napoleón ... Napoleón... Nap... (*Con una sospecha repentina se lleva la mano a los labios ahogando un grito*). ¡Ya está!

BALBOA.—¿Qué está?

ISABEL.—¿Pero cómo no se me ocurrió antes? ¡Si no podía ser otra cosa!

BALBOA. — ¿Qué cosa? ¡Hable de una vez!

ISABEL (*aferrándole de un brazo*). —¿No ha oído contar el caso de aquel sanatorio donde un día se sublevaron todos los locos, ataron a los enfermeros y ocuparon sus puestos?

BALBOA (*se levanta estremecido*).— ¡No...!

ISABEL.—¡Aquí lo tenemos otra vez! ¡Hemos caído en una pandilla de locos sueltos! (*Se oye dentro una algarabía de perros aullando, una verdadera jauría*). ¡Los perros! ... ¡¡Los cincuenta perros hambrientos!! (*Corre aterrada a secretaría y encuentra la puerta cerrada. Golpea a gritos hasta caer sin fuerza de rodillas*). ¡Socorro! ¡Abran, por compasión! ¡Los perros!... ¡Los perros...!

(*Abre* Helena, Isabel *retrocede instintivamente. La algarabía de perros va calmándose hasta desaparecer).*

ISABEL, BALBOA, HELENA. *Luego, el* DIRECTOR

HELENA.—Pero, señorita, ¿qué gritos son éstos? ¿Ha ocurrido algo?

BALBOA.—¿Y lo pregunta usted que es la organizadora de todo? ¡Paso, señora; apártese de esa puerta!

HELENA.—No comprendo.

BALBOA. — ¡Demasiado comprende! Esta muchacha ha venido aquí engañada miserablemente; pero no está sola. Tiene derecho a salir, y saldrá conmigo. ¡Apártese!

(Se abre la primera izquierda y aparece el Director, *que dice severamente, con una autoridad tranquila).*

DIRECTOR.—¿No ha oído, Helena? Deje libre el paso.

HELENA *(se inclina respetuosa)*.— El señor Director. *(Se aparta)*.

(Isabel *y* Balboa se vuelven mirando *al* Director *que, contra lo que pudiera esperarse, es un hombre joven, sonriente, con una cordialidad llena de simpatía y una elegancia natural ligeramente bohemia. Su sola presencia calma la situación. Anticipadamente le llamaremos* Mauricio).

MAURICIO.—Seguramente ha habido alguna confusión lamentable, y el señor tiene derecho a una explicación. *(Avanza sonriente)*. Lo único que me apresuro a aclarar es que nada de lo que haya podido sospechar hasta ahora es la verdad. No está entre secuestradores, ni entre rufianes ni entre locos. En cuanto a esta señorita, no ha venido aquí engañada miserablemente, al contrario: está en el camino de su salvación. *(A ella)*. Pero si se ha arrepentido y prefiere seguir viviendo como hasta ayer, la puerta está abierta. Usted decidirá.

(Pausa de vacilación. Balboa *da un paso hacia la puerta y ofrece el brazo a* Isabel).

BALBOA.—¿Vamos?

ISABEL *(que no ha apartado los ojos un momento de Mauricio. Reacciona resuelta)*.—No. ¡Ahora necesito saber! *(Avanza hacia él)*. ¿Por qué ha dicho "si prefiere seguir viviendo como hasta ayer"? ¿Quién es usted?

MAURICIO.—¿Qué importa eso? No se trata de mi vida sino de la suya.

ISABEL.—¿Qué es lo que pretende saber de mí?

MAURICIO.—Sólo una cosa. Pero demasiado íntima para hablar delante de testigos.

(Isabel *duda un momento mirándole fijamente. Se acerca a* Balboa, *con una súplica).*

ISABEL.—Déjenos solos.

BALBOA.—¿Aquí?

ISABEL *(sin miedo)*.—Ese hombre no miente; estoy segura.

MAURICIO. — Acompañe al señor, Helena. Y nada de secretos con él; dígale lisa y llanamente toda la verdad.

BALBOA *(a Isabel)*.—La espero.

ISABEL.—Gracias. Es usted el primer hombre, el único, que ha dado un paso para defenderme. *(Le estrecha las manos)*. Gracias.

(Balboa *le besa la mano. Una leve inclinación al* Director, *y sale con la* Secretaria).

ISABEL *y* MAURICIO

MAURICIO.—¿Tranquila ya?

ISABEL.—Tranquila.

MAURICIO. — ¿De verdad no tiene miedo?

ISABEL.—No. Ahora es algo más profundo. No sé lo que va a decirme, pero siento que toda mi vida está pendiente de esas palabras. ¡Hable, por favor!

MAURICIO.—Conteste primero. *(Da un paso hacia ella)*. Señorita Quintana, ¿que le ocurrió anoche?

ISABEL *(retrocede turbada)*.—¡No, eso no! ¿Con qué derecho me lo pregunta?

MAURICIO.—Es necesario. Conteste.

ISABEL.—¡Déjeme! ¡No me obligue a recordarlo! *(Se deja caer en un asiento sollozando ahogadamente)*.

MAURICIO.—Vamos, no sea niña. Míreme a los ojos: no son los de un policía ni los de un juez. Confiese sin miedo. ¿Qué le ocurrió anoche?

ISABEL. — Estaba desesperada..., ¡no podía más! Nunca tuve una casa, ni un hermano, ni siquiera un amigo. Y sin embargo esperaba..., esperaba en aquel cuartucho de hotel, sucio y frío. Ya ni siquiera pedía que me quisieran; me hubiera bastado alguien a quien querer yo. Ayer, cuando perdí mi trabajo, me sentí de pronto tan fracasada, tan inútil. Quería pensar en algo y no podía; sólo una idea estúpida me bailaba en la cabeza: "no vas a poder dormir..., no vas a poder dormir". Fue entonces cuando se me ocurrió comprar el veronal. Seguramente las calles estaban llenas de luces y de gente como otras noches, pero yo no veía a nadie. Estaba lloviendo, pero yo no me di cuenta hasta que llegué a mi cuarto tiritando. Hasta aquel pobre vaso en que revolvía el veronal tenía rajado el vidrio. Y la idea estúpida iba creciendo: "¿Por qué una noche sola...? ¿Por qué no dormirlas todas de una vez?" Algo muy hondo se rebelaba dentro de mi sangre mientras volcaba en el vaso el tubo entero; pero ni un clavo adonde agarrarme; ni un recuerdo, ni una esperanza... Una mujer terminada antes de empezar. Había apagado la luz y sin embargo cerré los ojos. De repente sentí como una pedrada en los cristales y algo cayó dentro de la habitación. Encendí temblando... Era un ramo de rosas rojas, y un papel con una sola palabras "¡Mañana!" ¿De dónde me venía aquel mensaje? ¿Quién fue capaz de encontrar entre tantas palabras inútiles la única que podía salvarme? "Mañana". Lo único que sentí es que ya no podía morir esa noche sin saberlo. Y me dormí con la lámpara encendida, abrazada a mis rosas, ¡mías!, las primeras que recibía en mi vida... y con aquella palabra buena calándome como otra lluvia: "¡Mañana, mañana, mañana...!" (*Pausa, recobrándose*). A la mañana siguiente, cuando me desperté... (*Busca en su cartera*).

MAURICIO. — Cuando se despertó había debajo de su puerta una tarjeta azul diciendo: "No pierda su fe en la vida. La esperamos".

(Isabel *lo mira desconcertada, con su tarjeta azul en la mano. Se levanta sin voz).*

ISABEL.—¿Era usted?

MAURICIO.—Yo.

ISABEL.—¿Pero por qué? Yo no le conozco ni le he visto nunca. ¿Cómo pudo saber?

MAURICIO (*sonriente*). — Tenemos una buena información. Cuando supe que había perdido su trabajo y la vi caminar sin sentir la lluvia, comprendí que debía seguirla.

ISABEL.—Yo no lo había pensado aún. ¿Cómo adivinó lo que iba a suceder?

MAURICIO.—El tubo de veronal ya era sospechoso, pero mucho más al verla entrar en la pensión sin cerrar la puerta; cuando una mujer sola deja abierta su puerta es que ya no tiene miedo a nada.

ISABEL.—¡Por lo que más quiera, no se burle de mí! ¿Quién es usted? ¿Y qué casa es ésta donde todo parece al mismo tiempo tan natural y tan absurdo?

(Mauricio *la toma de la mano y la hace sentar).*

MAURICIO.—Ahora mismo va a saberlo. Pero, por favor, no lo tome tan dramáticamente. Sonría. No hay ninguna cosa seria que no pueda decirse con una sonrisa. (*Da unos pasos y queda de espaldas a ella, frente al retrato*). ¿Ha oído hablar alguna vez del Doctor Ariel? [1]

ISABEL.—Solamente el nombre; hace un momento.

---

[1] Véase mi comedia *Prohibido suicidarse en primavera.*

MAURICIO.—Aquí lo tiene; es el fundador de esta casa. Un hombre de una gran fortuna y una imaginación generosa, que pretende llegar a la caridad por el camino de la poesía. (*Vuelve hacia ella*). Desde que el mundo es mundo en todos los países hay organizada una beneficiencia pública. Unos tratan de revestirla de justicia, otros la aceptan como una necesidad, y algunos hasta la explotan como una industria. Pero hasta el doctor Ariel nadie había pensado que pudiera ser un arte.

ISABEL (*desilusionada*).—¿Y eso era todo? ¿Una institución de caridad? (*Se levanta digna*). Muchas gracias, señor. No era una limosna lo que yo esperaba.

MAURICIO.—Calma, no se impaciente. No se trata del asilo y el pedazo de pan. Lo que estamos ensayando aquí es una beneficiencia pública para el alma.

ISABEL (*se detiene*).—¿Para el alma?

MAURICIO.—De los males del cuerpo ya hay muchos que se ocupan. Pero ¿quién ha pensado en los que se mueren sin un solo recuerdo hermoso?, ¿en los que no han visto realizado su sueño?, ¿en los que no se han sentido estremecidos nunca por un ramalazo de misterio y de fe? No sé si empieza a ver claro.

ISABEL.—No sé. Por momentos creo que está hablando en serio, pero es tan extraño todo. Parece una página arrancada de un libro.

MAURICIO.—Precisamente a eso iba yo. ¿Por qué encerrar siempre la poesía en los libros y no llevarla al aire libre, a los jardines y a las calles? ¿Va comprendiendo ahora?

ISABEL.—La idea, quizá. Lo que no entiendo es cómo puede realizarse todo eso.

MAURICIO.—Lo entenderá en seguida. ¿Recuerda aquel fantasma que se apareció siete sábados en el Caserón de las Lilas?

ISABEL.—¿Cómo no, si fue en mi barrio? En mi taller no se habló de otra cosa en tres meses.

MAURICIO (*interesado*).—¿Y qué se decía en su taller?

ISABEL.—De todo: unos, que alucinaciones; otros, que lo habían visto con sus propios ojos. Muchos se reían, pero un poco nerviosos. Y por la noche se recordaban esas viejas historias de almas en pena.

MAURICIO.—En pena, ¡pero de almas! Un barrio de comerciantes, donde nunca se había hablado más que de números, estuvo tres meses hablando del alma. Ahí tiene el ramalazo del misterio.

ISABEL.—¡Pero no es posible! ¡Usted no puede creer que aquel fantasma se apareció de verdad!

MAURICIO. — ¡Y cómo no voy a creerlo si era yo!

(*Isabel se levanta de un salto*).

ISABEL.—¿Usted?

MAURICIO (*ríe*).—Por favor, no empecemos otra vez. Le juro que estoy hablando en serio. ¿No cree que sembrar una inquietud o una ilusión sea una labor tan digna por lo menos como sembrar trigo?

ISABEL. — Sinceramente, no. Creo que puede ser un juego divertido, pero no veo de qué manera puede ser útil.

MAURICIO.—¿No...? (*La mira fijo un momento. Baja el tono*). Dígame, ¿estaría usted aquí ahora si yo no hubiera "jugado" anoche?

ISABEL (*vacila turbada*). — Perdón. (*Vuelve a sentarse*).

MAURICIO.—Si viera nuestros archivos se asombraría de lo que puede conseguirse con un poco de fantasía... y contando, naturalmente, con la fantasía de los demás.

ISABEL.—Debe de ser un trabajo bien difícil. ¿Tienen éxito siempre?

MAURICIO.—También hemos tenido nuestros fracasos. Por ejemplo: una tarde desapareció un niño en un parque público mientras la niñera hablaba con un sargento... Al día siguiente desaparecía otro niño mientras la mademoiselle hacía su tricota. Y poco después, otro, y otro... ¿Recuerda el terror que se apoderó de toda la ciudad?

ISABEL.—¿También era usted el ladrón de niños?

MAURICIO. — Naturalmente. Eso sí, nunca estuvieron mejor atendidos que en esta casa.

ISABEL.—Pero ¿qué es lo que se proponía?

MAURICIO. — Cosas del pedagogo. Realmente era una pena ver a aquellas criaturas siempre abandonadas en manos extrañas. ¿Dónde estaban los padres? Ellos en sus tertulias, ellas en sus fiestas sociales y en sus tés. Era lógico que al producirse el pánico se aferraran desesperadamente a sus hijos, ¿verdad? ¡Desde mañana todos juntos al parque!

ISABEL.—¿Y no resultó?

MAURICIO.—Todo al revés de como estaba calculado. El pánico se produjo, pero los padres siguieron en sus tertulias, las madres en sus tés ¡y los pobres chicos en casa, encerrados con llave! ¡Un fracaso total!

ISABEL.—¡Qué lástima! Era una bonita idea.

MAURICIO.—No volverá a ocurrir: ya hemos expulsado al pedagogo y hemos tomado en su lugar a un ilusionista de circo. (*Isabel sonríe ya entregada*). Gracias.

ISABEL.—¿A mí? ¿Por qué?

MAURICIO.—Porque al fin la veo sonreír una vez. Y conste que lo hace maravillosamente bien. Usted acabará siendo de los nuestros.

ISABEL.—No creo. ¿Son ustedes muchos?

MAURICIO. — Siempre hacen falta más. Sobre todo, mujeres.

ISABEL. — Dígame... Una especie de tirolés que pasó por aquí a gritos, con unos perros...

MAURICIO.—Bah, no tiene importancia. Un aficionado.

ISABEL.—¿Pero a qué se dedica?

MAURICIO.—Anda escondido por los montes soltando conejos y perdiendo perros. Es un protector de cazadores pobres.

ISABEL.—Ya, ya, ya. ¿Y un mendigo que entró muy misterioso por esa librería, con un collar de perlas...?

MAURICIO.—¿El ladrón de ladrones? Ése es más serio. ¡Tiene unas manos de oro!

ISABEL.—¿Para qué?

MAURICIO. — Está especializado en esos muchachos que salen de los reformatorios con malas intenciones... (*Gesto de robar*). ¿Comprende?

ISABEL.—Comprendo. Cuando ellos ... ¿eh? (*Gesto de robar con los cinco dedos*). Él los sigue, y... (*repite el gesto delicadamente con el índice y el pulgar*). ¿Eh...?

MAURICIO. — ¡Exactamente! (*Ríen los dos.*) ¿Ve cómo ya va entrando?

ISABEL.—Claro, claro. ¿Y después?

MAURICIO.—Después, los objetos robados vuelven a sus dueños, y el ladronzuelo recibe una tarjeta diciendo: "Por favor, muchacho, no vuelva a hacerlo, que nos está comprometiendo". A veces da resultado.

ISABEL.—¿Sabe que tiene unos amigos muy pintorescos? Artistas profesionales, supongo.

MAURICIO.—Artistas, sí; profesionales, jamás. Los actores profesionales son muy peligrosos en los mutis, y el que menos pediría reparto francés en el cartel.

ISABEL (*mira en torno, complacida*). —Es increíble. Lo estoy viendo y no acaba de entrarme en la cabeza. (*Confidencial.*) ¿De verdad, de verdad, no están ustedes un poco...?

MAURICIO (*ríe*).—Dígalo, dígalo sin miedo; tal como va el mundo todos los que no somos imbéciles necesitamos estar un poco locos.

ISABEL.—Me gustaría ver los archivos; deben de tener historias emocionantes, ¡tan complicadas!

MAURICIO. — No lo crea; las más emocionantes suelen ser las más sencillas. Como el caso del juez Mendizábal. ¡Nuestra obra maestra!

ISABEL.—¿Puedo conocerla?

MAURICIO. — Cómo no. Una noche el juez Mendizábal iba a firmar una sentencia de muerte; ya había firmado muchas en su vida y no había peligro de que le temblara el pulso. Todos sabíamos que ni con súplicas ni con lágrimas podría conseguirse nada. El juez Mendizábal era insensible al dolor humano, pero en cambio sentía una profunda ternura por los pájaros. Frente a su ventana abierta, el juez redactaba tranquilamente la sentencia. En aquel momento, en el jardín, rompió a cantar un ruiseñor. Fue como si de pronto se oyera latir en el silencio el corazón de la noche. Y aquella mano de hielo tembló por primera vez. Sólo entonces comprendió que hasta en la vida más pequeña hay algo tan sagrado y tan alto, que jamás un hombre tendrá el derecho de quitársela a otro. Y la sentencia no se firmó.

ISABEL.—¡Ah, no, no, no, por favor, esto es demasiado! ¡No irá a decirme que también aquel ruiseñor era usted!

MAURICIO.—No, yo no he llegado a tanto. Pero tenemos un imitador de pájaros ¡prodigioso! Algunas noches de verano, en señal de gratitud, le hacemos volver a cantar al jardín de Mendizábal. ¿Está ya todo claro?

ISABEL.—Todo. Lo que no me explico es por qué tienen que esconderse, como si estuvieran haciendo algo ilegal.

MAURICIO.—Es que desdichadamente es así. No hay ninguna ley que autorice a robar niños, ni está permitido sobornar a los jueces aunque sea con el canto de un ruiseñor. (*Se le acerca, íntimo.*) Ahora, piénselo. Aquí tiene una casa, unos buenos amigos, y un hermoso trabajo. ¿Quiere quedarse con nosotros?

ISABEL.—Se lo agradezco, pero ¿qué puedo hacer yo? La más torpe, la última. Estoy cansada de oírlo cientos de veces en el taller. ¡No sirvo para nada!

MAURICIO.—Primero crea que sirve, y luego servirá. Y no piense que hacen falta grandes cosas; ya ha visto que, a veces, basta un simple ramo de rosas para salvar una vida. Usted, por lo pronto, tiene una sonrisa encantadora.

ISABEL.—Gracias, muy amable.

MAURICIO. — Cuidado, entendámonos: no es una galantería, es una definición. Le estoy hablando como director, y mi deber es convertir esa sonrisa, que no es más que encantadora, en una sonrisa útil.

ISABEL.—¿Cree que una sonrisa puede valer algo?

MAURICIO.—Quién sabe. ¿Ha pasado alguna vez por detrás de la cárcel?

ISABEL.—¿Para qué? Es un baldío triste, lleno de hierro viejo y de basura.

MAURICIO.—Pero sobre este baldío hay una reja, y aferrado a esa reja un hombre siempre solo, sin más que ese paisaje sucio delante de los ojos. Pase usted por allí mañana al mediodía, mire hacia la reja, y sonría. Nada más. Al día siguiente, vuelva a pasar a la misma hora. Y al otro, y al otro...

ISABEL.—No comprendo.

MAURICIO.—La peor angustia de la cárcel es el vacío, que hace inacabable el tiempo. Cuando ese hombre vea que el milagro se repite, hasta las noches le serán más cortas, pensando: "mañana, al mediodía..." (*Le tiende la mano.*) ¿Compañeros?

ISABEL (*resuelta*).—Compañeros.

MAURICIO.—Gracias. Estaba seguro. (*Se dirige al audífono alegremente. Dentro empieza a oírse el canto del ruiseñor.*) ¡Hola! ¿Helena? Ya puede venir. Y tráigame a ese señor.

ISABEL (*escuchando inmóvil*). — ¡Realmente es prodigioso!

MAURICIO.—¿El qué?

ISABEL.—Su imitador de pájaros.

MAURICIO.—¿Eso? Nunca. El nuestro lo hace mucho mejor; ¡un artista! (*Despectivo.*) Ese que está cantando es un ruiseñor de verdad.

(*Vuelve la* Secretaria *con el señor* Balboa.)

ISABEL, MAURICIO, HELENA, BALBOA

HELENA.—¿Todo resuelto?

MAURICIO. — Todo; la señorita se queda con nosotros.

HELENA.—¡Por fin! Felicitaciones.

MAURICIO.—Déle la habitación sobre el jardín y preséntela a todos. Va a empezar mañana mismo.

HELENA.—A sus órdenes. Por aquí, señorita. (*Se dirige a primera izquierda, Isabel estrecha las manos al señor Balboa.*)

ISABEL.—Encantada, señor. ¡Ha sido un secuestro maravilloso!

MAURICIO (*deteniéndola cuando llega a la puerta*). — Un momento, compañera; primer ensayo. Ahí, el baldío; aquí, la reja. A ver.

ISABEL (*sonríe feliz*).—¿Así?

MAURICIO.—Así. Muchas gracias.

(Isabel *sale sin dejar de mirarle y sonreír.* Mauricio *queda un momento con la mano en alto, detenido en el saludo. Parece que, contra sus teorías, la sonrisa le ha inquietado extrañamente. Trata de hojear unas carpetas distraído, silbando entre dientes pero sus ojos vuelven a la puerta. El señor* Balboa *tose ostensiblemente para llamar su atención.* Mauricio *se vuelve bruscamente.*)

MAURICIO *y* BALBOA

MAURICIO.—Oh, perdón, se me había olvidado. ¿Señor...?

BALBOA.—Balboa. Fernando Balboa.

MAURICIO.—Supongo que la secretaria le habrá puesto al corriente de todo. ¿Está tranquilo ya?

BALBOA.—Confieso que pasé lo mío. Ahora, si no fuera lo que me trae aquí, casi me darían ganas de reír; pero todavía tengo seca la garganta.

MAURICIO.—Si no es más que eso, pronto se arregla. (*Abre un pequeño bar.*) ¿Whisky...? ¿Jerez ...?

BALBOA. — Cualquier cosa húmeda. (*Mauricio sirve.*) Cuando el doctor Ariel me recomendó esta dirección vine sin grandes esperanzas. Pero después de lo que acabo de oír veo que tenía razón; si hay alguien capaz de salvarme, ese alguien es usted.

MAURICIO.—Haremos lo que se pueda. (*Le tiende la capa.*) Hábleme sin ninguna reserva. (*Mientras el señor Balboa habla, Mauricio toma alguna nota rápida.*)

BALBOA.—La historia viene de lejos pero cabe en pocos minutos. Imagínese una gran familia feliz donde la desgracia se ensaña de pronto hasta dejar solos a los dos abuelos y un nieto. El miedo de perder aquello último que nos quedaba nos hizo ser demasiado indulgentes con él. Ésa fue nuestra única culpa. Amistades sospechosas, noches enteras fuera de casa, deudas de juego. Un día desaparecía una alhaja de la abuela. "Es un cabeza loca..., no le digas nada." Cuando quise imponerme ya era tarde. Una madrugada volvió con los ojos turbios y una voz desconocida. Era apenas un muchacho y ya tenía todos los gestos del hombre perdido. Le sorprendí forzando el cajón de mi escritorio. Fue una escena que no quisiera recordar. Me insultó, llegó hasta levantar la mano contra mí. Y doliéndome en carne propia, yo mismo le crucé la cara y lo puse en la calle.

MAURICIO.—¿No volvió?

BALBOA.—Nunca. Su única virtud era el orgullo. Cuando tratamos de encontrarlo, se había embarcado como polizón en un carguero que salía para el Canadá. Hace de esto veinte años.

MAURICIO (*anota*). — Complejo de culpa. ¿Puedo anotar veinte años de remordimiento?

BALBOA.—No. Fue la noche peor de mi vida; pero si volviera a ocurrir, cien veces volvería a hacer lo mismo. El tiempo se encargó de darme la razón.

MAURICIO.—¿Tuvo noticias de él?

BALBOA. — Ojalá las hubiera tenido. De la trampa de juego pasó al contrabando y a la estafa; de la pelea de barrio a los papeles falsos y la pistola en el bolsillo. Un canalla profesional. Naturalmente, la abuela sigue sin saber nada de esto, pero nuestra casa estaba destruida. Nunca me dijo una palabra de reproche, pero aquel piano cerrado, aquel sillón vuelto de espaldas a la ventana y aquel silencio tenso de años y años eran la peor de las acusaciones; como si yo fuera el culpable. Al fin, un día llegó a sus manos una carta del Canadá.

MAURICIO (*impaciente*).—¿Pero en qué estaba usted pensando? ¿No pudo impedir que cayera en sus manos una carta así, que podía matarla?

BALBOA.—Al contrario; era la carta de la reconciliación. Mi nieto pedía perdón y llenaba tres páginas de hermosas promesas y de buenos recuerdos.

MAURICIO.—Disculpe; me había adelantado estúpidamente.

BALBOA.—No, ahora es cuando se está adelantando. Aquella carta era falsa; la había escrito yo mismo.

MAURICIO.—¿Usted?

BALBOA.—¿Qué otra cosa podía hacer? La pobre vieja se me iba muriendo en silencio día a día. Y con aquellas tres páginas el piano volvió a abrirse y el sillón volvió a mirar otra vez hacia el jardín.

MAURICIO. — Muy bien. Un poco elemental, pero eficaz. (*Anota.*) "Mentira piadosa." ¿Y después?

BALBOA.—Después no quedaba otro camino que seguir la farsa. La abuela contestaba feliz, y cada dos o tres meses, una nueva carta del Canadá para alimentar el fuego.

MAURICIO.—Comprendo; es la bola de nieve.

BALBOA.—Un día mi nieto se graduaba en la Universidad de Montreal; otro día, era un viaje en trineo por los bosques de abetos y lagos; otro, abría su estudio de arquitecto. Después se enamoraba de una muchacha encantadora. Finalmente, por mucho que traté de prolongar el noviazgo, no tuve más remedio que casarlos. Y todo era poco; las mujeres siempre quieren más, más... Y ahora... (*Le falla la voz emocionado.*)

MAURICIO.—Vamos, ánimo. Algo ha venido a trastornar sus planes, ¿verdad?

BALBOA.—La semana pasada, al volver a casa, mi mujer salió a abrazarme loca de alegría, con un cablegrama. ¡Después de veinte años de ausencia su nieto anunciaba el regreso!

MAURICIO.—Disculpe, pero ahora sí que no lo entiendo. ¿Qué diablos se proponía usted con ese cable absurdo?

BALBOA.—Yo, nada. Es que, de repente, la vida se metía en la farsa... Y el cable era verdadero.

MAURICIO.—¿De su nieto?

BALBOA.—De mi nieto. Hace ocho días se embarcó en el "Saturnia".

MAURICIO.—¡Diablo! Esto empieza a ponerse interesante. (*Anota*). "La vuelta del nieto pródigo".

BALBOA.—¿Se da cuenta de lo que habré pasado estas noches pensando en ese barco que se me venía encima? La cortina de humo iba a descorrerse y de nada valía ya cerrar los ojos. El aula de la Universidad iba a convertirse en la celda de presidio; el viaje por el bosque, en una persecución policial sobre el asfalto. ¡Y aquel muchachote alegre y sano de las cartas, en esa piltrafa del "Saturnia"!

MAURICIO (*se levanta iluminado*).—¡No me diga más! Hay que salvar la mentira cueste lo que cueste. Organizaremos una emboscada en el puerto, abordaremos el barco disfrazados... ¡Yo no sé lo que inventaremos, pero esté tranquilo: su nieto no llegará! ¿No era eso lo que venía a pedirme?

BALBOA.—No.

MAURICIO.—¿Ah, no?

BALBOA.—Para impedir que llegue mi nieto ya no hace falta inventar nada. ¿No ha leído los diarios de anoche? El "Saturnia" se ha hundido en alta mar con todo el pasaje.

MAURICIO.—¿Muerto?

BALBOA.—Muerto.

MAURICIO.—Es triste, pero es una solución. ¿Lo sabe la abuela?

BALBOA (*levantándose resuelto*). —¡Ni debe saberlo! He hecho desaparecer todos los diarios, he cortado el teléfono; si es preciso clavaré puertas y ventanas. Pero esa noticia, ¡no! ¿Sabe usted lo que es esperar veinte años para vivir un solo día y cuando ese día llega encontrarlo también negro y vacío?

MAURICIO.—Lo siento, pero ¿qué puedo hacer yo? Hasta ahora hemos inventado algunos trucos ingeniosos contra muchos males. Contra la muerte no hemos encontrado nada todavía.

BALBOA.—¿Pero es posible que no haya comprendido aún? ¿Qué importa ya el nieto de mi sangre? Al que hay que salvar es al otro; al de las cartas hermosas, al de la alegría y la fe..., ¡el único verdadero para ella! Ése es el que tiene que llegar.

MAURICIO (*comprendiendo al fin*). —¡Un momento! ¡No pretenderá que yo sea su nieto!

BALBOA.—¿Y por qué no? Cosas más difíciles ha hecho. ¿No ha sido usted ladrón de niños y fantasma de caserón y falsificador de ruiseñores?

MAURICIO.—Pero un hombre no es tan fácil de trucar como un fantasma: tiene una cara propia, y unos ojos, una voz...

BALBOA. — Afortunadamente nunca envió fotografías; y veinte años cambian completamente a un muchacho.

MAURICIO.—¿Y el naufragio?

BALBOA.—Pudo perder ese barco y tomar otro. Puede llegar mañana mismo en avión.

MAURICIO.—Aunque así fuera. Supongamos que ya llegué, ya estoy en la casa, ya pasó el primer abrazo. Y mañana, ¿qué? Yo puedo cruzar por una vida un momento, pero no puedo quedarme.

BALBOA.—Ni yo iba a pedirle tanto. Sólo una semana, unos días..., ¡una noche siquiera! (*Aferrándose a él, suplicante*). ¡No, no me diga que no! ¡O todas sus teorías son mentira, o usted no puede negarle a esa mujer una hora, una sola hora feliz, que puede ser la última.

MAURICIO. Calma, calma. No digo que sí, pero tampoco he dicho todavía que no. Déjeme despejar un poco la cabeza. (*Se desabrocha el cuello resoplando. Bebe un trago de whisky. Repasa sus notas. Finalmente mira a Balboa y sonríe volviendo a su tono jovial*). ¡Y lo peor es que el asunto me gusta de alma!

BALBOA.—¿Sí?

MAURICIO.—¡En buena nos hemos metido, amigo! Lo de la Universidad, pase. Lo de los viajes, con un poco de geografía, pase. Pero estas complicaciones inútiles... ¿Por qué tenía que hacer arquitecto a su nieto? Yo no entiendo una palabra de matemáticas.

BALBOA.—No se preocupe; la abuela tampoco.

MAURICIO.—Y, sobre todo, ¿por qué demonios tenía que casarlo? En la farsa, como en la vida, se defiende mucho mejor un soltero. ¿No podíamos inventarle un divorcio repentino?

BALBOA.—Peligroso. Sobre eso la abuela tiene ideas muy firmes.

MAURICIO.—¿Y si hiciera el viaje él solo?

BALBOA.—¿Con qué disculpa?

MAURICIO. — Cuaquiera... Complicaciones familiares.

BALBOA.—La chica no tiene familia. Al padre, que era el último, lo maté el año pasado en un accidente de caza.

MAURICIO. — Podemos organizarle otro accidente a ella. Una enfermedad.

BALBOA.—¿Y él, tan enamorado, iba a dejarla así, sola?

MAURICIO. — Cuando yo digo que esa mujer nos va a traer de cabeza. ¿Morena?

BALBOA.—Rubia.

MAURICIO.—Peor. Rubia, enamorada, huérfana... (*Da unos pasos pensativo. De pronto se fija en el impermeable que Isabel ha dejado sobre la silla. Se le iluminan los ojos*). ¡Espere! (*Se precipita al audífono*). ¡Hola! ¿Helena? ¡Por favor, aquí las dos! ¡Rápido! (*Vuelve*). ¿Se ha fijado bien en esa muchacha que llegó cuando usted? ¿Cree que podría servir?

BALBOA.—¡Justa! ¡El tipo ideal! (*Le abraza*). ¡Gracias, señor, gracias!...

MAURICIO, BALBOA, HELENA, ISABEL

HELENA.—¿Llamaba el señor director?

MAURICIO.—¡Orden urgente! Prepare un equipaje completo para la compañera; diez trajes de calle, seis de deporte y tres de noche. Unas fotos con fondo de nieve. Una rama de abeto. Y en los baúles: "Hotel Ontario, Halifax, Canadá".

HELENA.—¡Cómo! ¿La señorita va a ir al Canadá?

MAURICIO.—¡Al contrario: va a volver! Y nada de señorita. Señora: tengo el gusto de presentarle al abuelo de su esposo. (*Dentro se oye el canto del ruiseñor*).

TELÓN

ACTO SEGUNDO

En casa de la Abuela. Salón con terraza al foro sobre el jardín. Primera derecha, puerta a la cocina. Primera izquierda, a las habitaciones. Al foro derecha, un pequeño vestíbulo, en que se supone el acceso al exterior. A la izquierda, segundo término, una amplia escalera con barandal. Todo aquí tiene el encanto esfumado de los viejos álbumes y la cómoda cordialidad de las casas largamente vividas.

Genoveva —más que criada, amiga y confidente de la señora— dispone en la gran mesa los platos y cubiertos de una cena para dos. Felisa, doncella, baja la escalera con unas cortinas.

Es de noche. El jardín, en sombra.

GENOVEVA *y* DONCELLA. *Después, la* ABUELA

GENOVEVA. — ¿Colgó las cortinas nuevas?

FELISA.—Son las que acabo de quitar. ¿No eran las antiguas las que quería la señora?

GENOVEVA.—Por eso lo pregunto. ¿Puso las flores en la habitación?

FELISA.—Siete veces ya. Primero no eran bastante frescas; después que eran demasiado frescas; la señora, que rosas; el señor, que rama de pino; ella, que el aroma es lo que importa; él, que las flores de noche son malsanas. Desde hace una semana no hay manera de entenderse en esta casa.

GENOVEVA.—¿Pero qué dejo por fin?

FELISA.—De todo; que elijan ellos. Ya estoy que no puedo más de subir y bajar escaleras, de poner y quitar cortinas, de colgar y descolgar cuadros. ¿Es que no van a ponerse de acuerdo nunca?

GENOVEVA. — La cosa no es para menos, Felisa. ¿No se pone usted nerviosa cuando su novio la hace esperar media hora? ¡Imagínese lo que es esperar a un hombre veinte años! ¿Puso las sábanas de hilo crudo?

FELISA.—Las de algodón. El señor dice que las de hilo son demasiado pesadas.

GENOVEVA.—Pero la señora no quiere otras. ¿Tanto le molesta tener que cambiarlas?

FELISA.—No es por el trabajo; es que no sabe una a quién atender. Como la famosa discusión de las camas, ¿se acuerda? El señor, empeñado en que dos camas gemelas, y la señora que la cama matrimonial. ¿No sería mejor esperar a que lleguen ellos y digan de una vez lo que prefieren?

GENOVEVA.—Eso no es cuenta nuestra. Cuando la señora manda una cosa y el señor otra, se dice que sí al señor y se hace lo que manda la señora.

FELISA.—En resumen: ¿dejo las de algodón o subo las de hilo?

(Entra la Abuela, *de la cocina. Es una vieja señora llena de vida nueva pero aferrada a sus encajes, a sus nobles terciopelos y a su bastón).*

ABUELA.—Las de hilo, hija, las de hilo crudo. Las he bordado yo misma y es como poner sobre ellos algo de estas manos. ¿Comprende?

FELISA.—Ahora, sí. (*Toma las sá-*

banas de un respaldo y sube con ellas).

ABUELA.—Cierre bien la puerta de la sala y corra la cortina doble; se oye demasiado el carillón del reloj y puede despertarlos.

FELISA.—Bien, señora.

ABUELA.—En cambio, la ventana déjela abierta de par en par.

FELISA.—¿Y si entran bichos de los árboles?

ABUELA.—¡Que entre el jardín entero! (*La doncella desaparece*). De muchacho, toda su ilusión era dormir al aire libre. Algunas noches de verano, cuando creía que no le sentíamos, se descolgaba por esa rama del jacarandá que llega a la ventana. ¿Recuerda que hace años el señor quiso cortarla?

GENOVEVA.—No le faltaba razón; tapa los cristales y quita toda la luz.

ABUELA.—¡Qué importa la luz! Yo estaba segura de que había de volver, y quién sabe si alguna noche no le gustará descolgarse otra vez como entonces.

GENOVEVA.—Ahora ya no sería lo mismo. Esa rama puede resistir el peso de un chico, pero el de un hombre, no.

ABUELA.—¿Por qué? También el jacarandá tiene veinte años más. Los platos así. En las cabeceras quedan muy lejos.

GENOVEVA.—Es la costumbre.

ABUELA.—La nuestra. Ellos no hace tres años que se han casado. ¡Una luna de miel! No se enfriará el horno, ¿verdad? He dejado a media lumbre la torta de nueces. Todavía le estoy oyendo, a gritos, cuando volvía del colegio: "¡Abuela, torta de nuez con miel de abejas!" ¿Por qué mueve la cabeza así?

GENOVEVA.—La torta de nueces, el jacarandá..., siempre como si fuera un muchacho. ¿Cree que un hombre que levanta casas de treinta pisos va a acordarse de cosas tan pequeñas?

ABUELA.—¿No las recuerdo yo? Los mismos años han pasado para mí que para él.

GENOVEVA.—Los mismos, no: usted aquí, quieta; él, por el mundo.

ABUELA.—¿Que puede ocurrir que traiga una voz más ronca y unos ojos más cansados? ¿Dejará por eso de ser el mío? Por mucho que haya crecido, no será tanto que no me quepa en los brazos.

GENOVEVA.—Un hombre no es un niño más grande, señora; es otra cosa. Si lo sabré yo que tengo tres perdidos por esos mundos de Dios.

ABUELA. (*repentinamente alerta*).—¡Chist..., calle! ¿No oye un coche? (*Escuchan un momento las dos*).

GENOVEVA.—Es un poco de viento en el jardín. (*La* Abuela *se sienta respirando hondo, con la mano en el pecho*). Cuidado con esos nervios, señora.

ABUELA.—Hay que ser fuerte para una alegría así; si fuera algo malo, ya está una más acostumbrada. Un poco de agua, por favor.

GENOVEVA. — ¿Quiere tomar otra pastilla?

ABUELA.—Basta ya de remedios; el único verdadero es ése que va a llegar. ¿Cree que si no salí al puerto fue por miedo a la fatiga? Fue por no repartirlo con nadie allí entre tanta gente. De esta casa salió y aquí le espero. ¿Qué hora es?

GENOVEVA.—Temprano todavía. Son largos los últimos minutos, ¿eh?

ABUELA.—Pero llenos, como si ya fueran suyos. Muchas veces sentí esto mismo al recibir sus cartas: daba vueltas y vueltas al sobre sin abrirlo y hasta cerraba los ojos tratando de adivinar antes de leer. Parece tonto, pero así las cartas duran más. (*Alerta nuevamente*). ¿No oye?

GENOVEVA.—El viento otra vez. Ya no pueden tardar.

ABUELA.—No importa. Es como dar vueltas al sobre. (*Suspira*). ¿Cómo será ella?

GENOVEVA.—¿Quién?

ABUELA.—¿Quién va a ser? Isabel, su mujer.

GENOVEVA.—¿No le hablaba en las cartas?

ABUELA.—¿Y eso qué? Los enamorados todo lo ven como lo quisieran. No es que yo tenga nada contra ella; pero esas mujeres que vienen de lejos...

GENOVEVA.—¿Celos...?

ABUELA.—Quizá un poco. Uno los cuida, los va viendo crecer día por día, desde el sarampión hasta el álgebra, y de repente una desconocida, nada más que porque sí, viene con sus manos lavaditas y se lo lleva entero. Ojalá que, por lo menos, sea digna de él. (*Se levanta repentinamente*). ¡Y ahora! ¿Oye ahora...?

En efecto, se oye un motor acercándose.

GENOVEVA.—¡Ahora, sí!

(La luz de unos faros ilumina un momento el jardín. La doncella aparece en lo alto de la escalera. Dos bocinazos fuera, llamando).

FELISA.—Señora, señora... ¡Ya están ahí!

ABUELA.—¡Salga a abrir, Felisa! ¡Pronto! (*Detiene a* Genoveva). Usted, no. Aquí, conmigo. Sé que voy a ser fuerte, pero por si acaso.

(Campanilla, la doncella sale rápida. Se oye la voz de Mauricio *gritando alegremente).*

VOZ.—¡Abuela! ¡Abran o salto por la ventana! ¡Abuela...! (*La campanilla insiste impaciente*).

ABUELA.—¿Lo está oyendo? ¡El mismo loco de siempre!

(Entra primero Mauricio, *que se detiene un momento en el umbral. Después el señor* Balboa *e Isabel, con equipajes de mano; y finalmente la doncella con algunas maletas, que deja, volviendo a buscar el resto).*

La ABUELA, GENOVEVA, MAURICIO, BALBOA, ISABEL

ABUELA.—¡Mauricio...!

MAURICIO.—¡Abuela...!

ABUELA.—¡Por fin...!

(Se estrechan fuertemente. La Abuela *lo besa, lo mira entre risa y llanto, vuelve a abrazarlo.* Mauricio *deriva inmediatamente la situación hacia un tono jovial).*

MAURICIO.—¿Quién había dicho que estaba débil mi vieja? Todavía hay fuerza en estas manos tan delgadas. (*Se las besa*).

ABUELA.—Déjame que te vea. Mis ojos ya no me ayudan mucho, pero recuerdan, recuerdan. (*Le contempla largamente*). ¡Qué cambiado está mi muchachote!

MAURICIO.—Son veinte años, abuela. Una vida.

ABUELA.—¡Qué importa ya! Ahora es como volver a abrir un libro por la misma página. A ver... Un poco más claros los cabellos.

MAURICIO.—Algunos se habrán perdido por ahí lejos.

ABUELA.—La voz más hecha, más profunda. Y sobre todo, otros ojos..., tan distintos... pero con la misma alegría... A ver, ríete un poco.

MAURICIO (*riendo*).—¿Con los ojos?

ABUELA.—¡Así! Esa chispita de oro es lo que yo esperaba. La misma de entonces; la que me hacía perdonártelo todo... y tú lo sabías, granuja.

MAURICIO (*tranquilizado*). — Menos mal que algo queda.

ABUELA (*vuelve a abrazarlo emocionada*). — ¡Mi Mauricio...! ¡Mío, mío...!

MAURICIO.—Lágrimas, no. ¿No ha habido bastantes ya?

ABUELA.—No tengas miedo; éstas

son otras, y las últimas. Ven que te vea mejor..., aquí, a la luz...

(El señor Balboa, *que ha permanecido inmóvil junto a* Isabel, *se adelanta).*

BALBOA. — Un momento, Eugenia. Mauricio no viene solo. Ni mal acompañado.
ABUELA.—¡Oh, perdón...!
MAURICIO.—Ahí tienes a tu linda enemiga.
ABUELA.—Mi enemiga, ¿por qué?
MAURICIO.—¿Crees que no se te notaba en las cartas? "¿Quién será esa intrusa que viene a robarme lo mío?" (*Toma de la mano a Isabel, presentándola*). Pues aquí está la intrusa. La rubia, Isabel, la devoradora de hombres. ¿No se le conoce en la cara?
ABUELA.—Por favor, no vaya a hacerle caso. Es su manera de hablar.
ISABEL.—Si le conoceré yo. (*Avanza tímida y le besa las manos*). Señora...
ABUELA.—Así no; en los brazos. (*La besa en la frente*). No te extrañará que te hable de tú desde ahora mismo, ¿verdad? Así todo es más fácil.
ISABEL.—Se lo agradezco.

(La Abuela *la contempla intensamente).*

MAURICIO.—¿Qué le andas buscando? ¿Algo escondido detrás de los ojos?
ABUELA.—No; son claros, tranquilos...
MAURICIO.—Y no saben mentir; cuando te mira una vez ya lo ha dicho todo. (*Avanza sonriente hacia* Genoveva *tendiéndole la mano*). Supongo que ésta es la famosa Genoveva.
BALBOA.—La misma.
GENOVEVA. — ¿Conocía mi nombre el señor?
MAURICIO.—La abuela me escribía siempre todo lo bueno de esta casa; y entre lo bueno no podía faltar usted. Dos hijos emigrados en México, y otro en un barco del Pacífico, ¿no? ¿Todos bien?
GENOVEVA.—Bien. Muchas gracias, señor.

(Vuelve la Doncella *con el resto del equipaje).*

FELISA.—Dice el chofer que si vuelve a la aduana a buscar los baúles.
ISABEL. — Mañana; por esta noche con el equipaje de mano sobra.
MAURICIO. — Súbanlo, por favor. (*Ayudando a la* Doncella). Y entre nosotros no tiene por qué llamarle "el chofer". Llámele simplemente Manolo, como los domingos. (*Guiña un ojo. La Doncella ríe ruborizada*).
FELISA.—Gracias. (*Subiendo el equipaje con Genoveva*). Simpático, ¿eh?
GENOVEVA.—Simpático. Y señor.

(Mauricio *contempla la casa extasiado).*

MAURICIO, ISABEL, *la* ABUELA, BALBOA

MAURICIO.—La casa otra vez..., ¡por fin! Y todo como entonces: la mesa familiar de cedro, los abanicos de rigodón, la poltrona de los buenos consejos...
ABUELA.—Todo viejo; otra época. Pero a las casas les sientan los años como al vino. (*A* Isabel). ¿Te gusta?
ISABEL.—Más. Me pone no sé qué en la garganta. Una casa así es lo que yo había soñado siempre.
ABUELA.—¿Quieres conocerla toda? Te acompaño.
MAURICIO.—No hace falta; hemos hablado tanto de ella que Isabel podría recorrerla entera con los ojos cerrados.
ABUELA.—¡No...!
ISABEL.—Casi. (*Avanza hacia el centro de la escena con los ojos entornados*). Ahí la cocina de leña,

con la escalera de trampa que baja a la bodega. Allá el despacho del abuelo tallado en nogal, y la biblioteca hasta el techo. Los libros de la abuela, abajo, en el rincón de cristales. Arriba, la sala grande de los retratos y un reloj suizo de carillón que suena como una catedral pequeña. (*Se oye arriba el carillón, y luego una campanada.* Isabel *levanta los ojos emocionada*). ¡Ése! ¡Lo hubiera reconocido entre mil!

ABUELA.—¡Sigue, Isabel, sigue...!

ISABEL.—Frente al reloj, una puerta con doble cortina de terciopelo rojo. Y sobre el jardín, el cuarto de estudiante de Mauricio, con la rama del jacarandá asomada a la ventana.

ABUELA.—¿También eso?

ISABEL.—Mauricio me lo dijo tantas veces: "Si algún día regreso quiero volver a trepar por aquella rama".

ABUELA (*radiante*).—¿Lo ves, Fernando? ¿Ves cómo no se podía cortar? Ven acá, hija. ¡Dios te bendiga!

ISABEL.—¡Abuela...! (*Se echa en sus brazos. El juego la ha ganado y solloza ahogadamente*).

ABUELA.—¿Pero qué te pasa, criatura? ¿Ahora vas a llorar tú?

MAURICIO.—No hay que hacerle caso; es una sentimental. ¿No has oído que siempre había soñado una casa así?

ABUELA.—¡Y la tendrá, no faltaba más! ¿O para qué es arquitecto su marido?

MAURICIO.—Las casas viejas no las hacemos los arquitectos. Las hace el tiempo.

ABUELA.—Pon tú lo de fuera y basta. Lo de dentro ya lo pondrá ella. ¿Prometido?

MAURICIO.—Prometido.

ABUELA.—¿Así nada más? Aquí, en tu tierra, cuando un marido hace una promesa la firma de otra manera.

BALBOA.—Quizá Isabel no sepa las costumbres.

ISABEL.—Sí, abuelo. (*Besa a* Mauricio *en la mejilla*). Gracias, querido. (*A la* Abuela). ¿Así?

ABUELA (*un poco decepcionada*).—Eso, allá vosotros. Si no recuerdo mal apenas lleváis tres años de casados.

MAURICIO.—Por ahí.

ABUELA.—Por ahí, no. Tres exactamente el seis de octubre.

ISABEL.—Justo; el seis de octubre.

ABUELA.—¿Y a los tres años ya se besan así por allá? Por lo visto la tierra manda mucho.

MAURICIO.—¿Lo estás viendo? Siempre esa dichosa timidez. ¿Qué va a pensar la abuela de nosotros y del Canadá? ¡Un poco de patriotismo!

(*Vuelven a besarse, ahora apasionadamente; un poco excesivo por parte de* Isabel. *La* Abuela *sonríe encantada. Las criadas, que aparecen en lo alto de la escalera, también.* Balboa *tose inquieto, cortando*).

Dichos, GENOVEVA *y* FELISA

BALBOA.—¡Muy bien! Pacto sellado. ¿Y ahora no sería cosa de pensar algo práctico? Quizá estén cansados; quizá tengan hambre. ¡Genoveva!

(*Bajan las dos*).

MAURICIO.—Ni hablar de eso. En el barco no se hace más que comer a todas horas.

ISABEL.—Yo lo que quisiera es cambiarme un poco.

ABUELA.—¿De verdad no vais a tomar nada? Genoveva se había esmerado tanto preparando la cena.

GENOVEVA.—Después de todo, más vale así. Con tantas cosas se me había olvidado la cocina; y el ponche caliente ya estará frío y el caldo frío ya estará caliente.

ABUELA.—Por lo menos, hay una cosa que no puedes rechazarme.

¿Te acuerdas cuando volvías del colegio gritando...?

MAURICIO (*una ilusión exagerada*). —¡No...! ¿Torta de nuez con miel de abejas?

ABUELA (*feliz, a* Genoveva).—¿Lo oyes? Cosas pequeñas, ¿eh? ¡Cosas pequeñas! Pronto, sáquelas del horno, y antes que se enfríen, una dedada de miel bien fina por encima.

GENOVEVA.—En seguida.

FELISA.—¿Algo más, señora?

ABUELA.—Nada, Felisa; buenas noches.

FELISA. — Buenas noches a todos. (*Una inclinación especial a* Mauricio). Buenas noches, señor. (*Sale con* Genoveva).

La ABUELA, ISABEL, MAURICIO, BALBOA

ABUELA.—Ven, Isabel, voy a mostrarte tu cuarto. Y a ver si no me das la razón.

ISABEL.—¿En qué, abuela?

ABUELA.—Una discusión con el viejo. Imagínate que se había empeñado en poner dos camas gemelas; que si los tiempos, que si patatín, que si patatán. Pero nosotras a la antigua, ¿verdad, hija? ¡Como Dios manda!

ISABEL (*sobresaltada*).—¿A la antigua?

BALBOA (*rápido, en voz baja*).—Hay al lado otra habitación comunicada. Esté tranquila.

ABUELA.—¿No me contestas, Isabel?

ISABEL.—Sí, abuela; como manda Dios. Vamos.

BALBOA.—Despacio, Eugenia; cuidado con las escaleras.

ABUELA (*subiendo*).—Déjame ahora de monsergas. Cuando un corazón aguanta lo que ha aguantado éste, ya no hay quien pueda con él.

ISABEL.—Apóyese en mí.

ABUELA.—Eso sí. Con un brazo joven al lado, vengan años y escaleras. ¡Y sin bastón! (*Se lo da a* Isabel). Así. Con la fuerza de mis dos pies. Con la fuerza de mis dos nietos. ¡Así...! (*Sale erguida del brazo de* Isabel. Balboa *y* Mauricio, *al quedarse, respiran como quien ha salido de un trance difícil*).

MAURICIO *y* BALBOA

MAURICIO.—¿Qué tal?

BALBOA.—Asombroso. ¡Qué energía y qué fuego! ¡Es otra..., otra! (*Le estrecha las manos*). Gracias con toda el alma. Nunca podré pagarle lo que está haciendo en esta casa.

MAURICIO.—Por mi parte, encantado. En el fondo soy un artista, y no hay nada que me entusiasme tanto como vencer una dificultad. Lo único que siento es que a partir de ahora todo va a ser demasiado fácil.

BALBOA.—¿Cree que lo peor lo hemos pasado ya?

MAURICIO. — Seguro. Lo peligroso era el primer encuentro. Si en aquel abrazo me falla la emoción y la dejo mirar tranquila, estamos perdidos. Por eso la apreté hasta hacerla llorar; unos ojos turbios de lágrimas y veinte años de distancia, ayudan mucho.

BALBOA.—De usted no me extraña; tiene la costumbre y la sangre fría del artista. Pero la muchacha, una principiante, se ha portado maravillosamente.

MAURICIO (*concesivo*). — No está mal la chica. Tiene condiciones.

BALBOA. — Aquella escena del recuerdo fue impresionante: la catedral pequeña, el rincón de cristales, la rama asomada a la ventana... ¡Si a mí mismo, que le había dibujado los planos, me corrió un escalofrío!

MAURICIO.—Hasta ahí todo fue bien. Pero después... aquel sollozo cuando se echó en brazos de la abuela...

BALBOA.—¿Qué tiene que decir de aquel sollozo? ¿No le pareció natural?

MAURICIO.—Demasiado natural; eso es lo malo. Con las mujeres nunca se sabe. Les prepara usted la escena mejor calculada, y de pronto, cuando llega el momento, mezclan el corazón con el oficio y lo echan todo a perder. No hay que soltarla de la mano.

BALBOA. — Comprendo, sí; es tan nueva, tan espontánea... Puede traicionarse sin querer.

MAURICIO.—¡Y con esa memoria de la abuela! Cuanto menos la dejemos solas mejor.

BALBOA.—¿Y qué piensa hacer ahora?

MAURICIO.—Lo natural en estos casos: la velada familiar, los recuerdos íntimos, los viajes...

BALBOA (*mirando receloso a la escalera y bajando la voz*).—¿No se le habrá olvidado ningún dato?

MAURICIO.—Pierda cuidado; donde falle la geografía está la imaginación. Procure usted que la velada no sea muy larga, por si acaso. Y pasada esta primera noche, ya no hay peligro.

BALBOA (*sintiendo llegar*). — Silencio. (*Aparece la* Abuela *en lo alto de la escalera*).

BALBOA, MAURICIO, *la* ABUELA

BALBOA.—¿Sola?

ABUELA.—No le hago ninguna falta; conoce la casa mejor que yo.

MAURICIO. — ¿Qué tal la pequeña enemiga?

ABUELA (*bajando*). — Deliciosa de verdad. Sabes elegir, ¿eh? Dos cosas tiene que me encantan.

MAURICIO.—¿Dos nada más? Primera.

ABUELA.—La primera esa manera tan natural de hablar el castellano. ¿No era inglesa la familia?

MAURICIO.—Te diré; los padres, sí, eran ingleses; pero el abuelo... un abuelo, era español.

BALBOA (*apresurándose a aceptar la justificación*).—Claro, así se explica: es el idioma de la infancia, el de los cuentos...

ABUELA.—Qué infancia ni qué cuentos. Para una mujer enamorada el verdadero idioma es siempre el del marido. Eso es lo que a mí me gusta.

MAURICIO.—Bien dicho. ¿Y la otra cosa?

ABUELA.—La otra, ni tú mismo te habrás dado cuenta. Es algo que tienen muy pocas mujeres: tiene la mirada más linda que los ojos. ¿Te habías fijado?

MAURICIO (*que ni lo sospechaba*). —Ya decía yo que le notaba algo... pero no sabía qué.

ABUELA.—Pues ya sabes qué. Ahora aprende a conocer lo tuyo. (*Al* Abuelo). ¿Le has hablado ya?

BALBOA.—¿De qué?

ABUELA.—Ya me imaginaba que no ibas a tener valor. Pero es necesario... y ahora que estamos solos, mejor.

MAURICIO.—¿Algún secreto?

ABUELA.—Lo único que no me atreví a recordarte nunca en las cartas. Aquella última noche... cuando te fuiste... ¿comprendes? El abuelo no supo lo que hacía; estaba fuera de sí.

BALBOA.—Por favor, basta de recuerdos tristes.

ABUELA. — Afortundamente supiste abrirte paso. Pero un muchacho solo por el mundo... Si la vida te hubiera arrastrado por otros caminos... (*Con una mirada de reproche al* Abuelo). ¿De quién sería la culpa? Eso es lo que el abuelo no se ha atrevido a confesar en voz alta. Pero en el fondo de su conciencia yo sé que no ha dejado un solo día de pedirte perdón.

MAURICIO. — Al contrario; hizo lo

que debía. Y si a algo debo respeto y gratitud es a esta mano que me hizo hombre en una sola noche. (*Se la estrecha fuerte*). Gracias, abuelo. (*Se abrazan. La* Abuela *respira aliviada*).

Dichos, GENOVEVA *e* ISABEL

GENOVEVA (*entrando con una bandeja*).—Un poquito tostadas, pero oliendo a bueno.

MAURICIO (*a* Isabel, *que aparece en la escalera con un nuevo vestido*). —¡Pronto, Isa! ¡Han llegado las tortas de nuez con miel de abeja!

ABUELA.—La primera para ti.

ISABEL (*baja corriendo*).—¡Con lo que Mauricio me había hablado y las ganas que tenía yo de probarlas! (*Prueba la que le tiende la* Abuela).

BALBOA.—¿Te gustan?

ISABEL.—Sabrosas de verdad.

MAURICIO (*con exagerada fruición*). —¡Hum! Sabrosas es poco. Habría que inventar la palabra, y tendrían que hacerla esas mismas manos. ¿Qué te decía yo?

ISABEL.—Tenías razón: es como una comunión de campo.

ABUELA.—¿No hay de estas cosas en tu tierra?

ISABEL.—Allí hay de todo: grandes fábricas de miel, bosques enteros de nogales y millones de casas con abuelas. Pero así, todo junto, y tan nuestro... ¡así, solamente aquí!

ABUELA.—¡Adulona! (Isabel *muerde otra*).

MAURICIO.—Despacio, se te van a atragantar.

ABUELA.—Con un vinillo alegre entran mejor.

BALBOA.—Hay un Rioja claro y un buen Borgoña viejo.

MAURICIO.—De eso ya estamos cansados. ¿No hay de aquel que se hacía en casa con mosto de pasas y cáscaras de naranja?

GENOVEVA.—¿El dulce?

ABUELA (*feliz*).—¡El mío, Genoveva, el mío...! (*Genoveva lo busca en el aparador y sirve*). No es un vino de verdad; es un licor para mujeres, pero enredador como un diablo pequeño. Verás, verás.

BALBOA.—¿Vas a beber tú?

ABUELA.—Esta noche sí, pase lo que pase. Y no te enojes porque va a ser igual. (*A* Isabel). Te gusta la repostería casera, ¿verdad?

ISABEL.—A mí... la repostería...

BALBOA (*cortando*). — Le encanta. Es lo primero que me dijo al llegar al puerto.

ABUELA. — Entonces vamos a tener mucho que hacer juntas. (*Levanta su copa. Todos en pie*). ¡Por la noche más feliz de mi vida! ¡Por tu tierra, Isabel!

MAURICIO.—Todos, Genoveva. Para la abuela lo que hay debajo de su techo todo es familia.

GENOVEVA.—Gracias, señor. Salud y felicidad.

TODOS.—Salud. (*Beben*).

ABUELA.—¿Qué tal?

ISABEL. — Travieso; un verdadero diablo pequeño. Tiene que darme la receta, ¿o es un secreto de familia?

ABUELA.—Para ti ya no puede haber secretos en esta casa.

BALBOA (*a Genoveva*).—Retírese a descansar. Gracias.

GENOVEVA.—¿A qué hora el desayuno?

MAURICIO. — Nunca tenemos hora. O nos dormimos como troncos hasta media mañana o salimos al río con el sol.

GENOVEVA.—Hasta mañana, y bienvenidos.

TODOS.—Hasta mañana, Genoveva. Buenas noches. (*Sale Genoveva*).

La ABUELA, BALBOA, MAURICIO *e* ISABEL

ABUELA.—Eso del río no será verdad. Corta como un cuchillo.

MAURICIO.—¿Qué sabéis aquí lo que es el frío? (*Animando a Isabel para meterla en situación*). ¡Qué te diga Isabel si es bueno bañarse en los torrentes con espuma de nieve!

ISABEL.—¡Aquellos torrentes blancos, con los salmones saltando contra la corriente!

ABUELA.—Recuerdo; una vez me lo escribiste, cuando el viaje por el San Lorenzo. ¿No fue allí donde grabaste mi nombre en un roble?

MAURICIO.—Allí fue.

ABUELA.—¡Me gustaría tanto oírtelo a ti mismo!

MAURICIO. — ¿La excursión a los grandes lagos? ¡Algo de cuento! ¡Imagínate un trineo tirado por catorce perros con cascabeles; ahí los rebaños de ciervos; allá, los bosques de abetos como una Navidad sin fin... y al fondo el mar dulce de los cinco lagos, con las montañas altísimas metiendo la cresta de nieve en el cielo!

ABUELA.—¡Cómo! ¿Pero hay montañas en la región de los lagos? (*El Abuelo tose*).

ISABEL.—Mauricio es un optimista y a cualquier cosa llama montañas. Una vez vimos un gato montés subido a un árbol y estuvo una semana hablando del tigre y la selva.

MAURICIO.—Quise decir colinas. En Nueva Escocia, como es tan llano, cualquier colina parece una montaña.

ABUELA.—Pero Nueva Escocia está al este. ¿Qué tiene que ver con los cinco lagos que están a la otra punta?

MAURICIO (*dispuesto a discutirlo*). —¿Ah, sí? ¿De manera que está al este?

ABUELA.—¿Vas a decírmelo a mí, que he seguido todos tus viajes día por día en el atlas grande del abuelo?

BALBOA (*tose nuevamente cortando el tema*).—Un gran país el Canadá... ¡Un gran país! ¿Otra copita?

MAURICIO.—Sí, gracias.

ABUELA.—A mí también; la última.

BALBOA (*sirviendo*). — ¿Y qué tal tus negocios?

MAURICIO.—¿Cuáles?

ISABEL.—¿Cuáles van a ser? Las casas, los grandes hoteles.

ABUELA.—¿Has hecho alguna iglesia?

MAURICIO. — No; arquitectura civil nada más.

ABUELA.—¡Qué lástima! Me hubiera gustado verte resolver a ti aquel problema de las catedrales góticas; un tercio de piedra, dos tercios de cristal. ¡El trabajo que me dio a mí aquello!

MAURICIO (*inquieto*). — ¿También has estudiado arquitectura?

ABUELA.—No entendía una palabra, pero era una manera de acompañarte desde lejos, cuando los exámenes. ¿Querrás creer que todavía recuerdo algunas fórmulas? "La cúpula esférica, suspendida entre cuatro triángulos curvos, debe tener el diámetro igual a la diagonal del cuadrado del plano". ¿Qué? Por qué me miras con esa cara? ¿No es así?

MAURICIO (*al Abuelo*).—¿Es así?

BALBOA (*ríe nervioso*).—¡Qué bromista! Y me lo preguntas a mí. ¿Otra copita, Mauricio?

MAURICIO.—¡Un vaso, por favor!

ABUELA.—¡Bien dicho! A mí también.

BALBOA.—Tú, no; que se te suba a la cabeza tu nieto, pase; pero con este vino casero, cuidado.

ABUELA (*graciosamente alegre, sin perder dignidad*).—La última de verdad, Fernando, Fernandito, Fernandititito..., un dedito así no más..., así, así... (*Poniéndolo vertical poco a poco. Al ver lo que le sirve*). ¡Tacaño!

MAURICIO.—De manera que la cúpula esférica suspendida entre cuatro triángulos curvos... ¡Eres formidable, abuela!

ABUELA.—Y si un día estudiaras medicina, yo venga microbos. Y si estudiaras astronomía, yo con un gorro de punta y un telescopio así. Pero no; tu oficio es el mejor de todos: los hombres, a hacer casas; las mujeres, a llenarlas... (*Levanta su copa*). ¡Y viva la arquitectura civil!

ISABEL.—Vamos, abuela; han sido demasiados nervios, y hay que descansar.

ABUELA.—¿Esta noche? ¿Dormir yo esta noche después de veinte años esperándola? ¡Esta noche no me lleva a mí a la cama ni la guardia montada del Canadá! (*Bebe*).

BALBOA.—Eugenia, por tu bien...

ABUELA.—¡Y ahora, música, Isabel! Las ganas que tenía yo de oírte tocar aquella balada irlandesa: "My heart is waiting for you".

ISABEL.—¿Qué?

ABUELA.—"My heart is waiting for you". ¿No se dice así en inglés?

ISABEL (*aterrada*). — Oh, yes..., yes...

ABUELA.—Es la canción que más me gusta. La misma que tú estabas tocando el día que te conoció Mauricio, ¿no te acuerdas?

ISABEL (*con mayor soltura*).—¡Oh, yes, yes, yes!

ABUELA. — ¡Al piano, querida, al piano! (*Va al piano sin abandonar su copa, abre la tapa y quita el paño*).

BALBOA.—No seas loca, ¡música a estas horas!

MAURICIO (*rápido a Isabel, tomándola de un brazo*).—¿Sabes tocar el piano?

ISABEL.—¡El "Bolero" de Ravel, con un dedo!

MAURICIO.—¡Qué espanto! Esta noche no, abuela; Isabel está rendida del viaje.

ABUELA.—No hay descanso como la música. ¡Vamos, vamos!

MAURICIO.—Mañana, otro día...

ABUELA.—¿Y por qué no ahora?

MAURICIO. — Serán supersticiones, pero siempre que Isabel se ha puesto a tocar esa balada, siempre ha ocurrido algo malo. (*En este momento, se oye el cristal de una copa que se rompe. Isabel, que se ha acercado a la mesa, de espaldas al público, da un grito y retira la mano*). ¿No te dije? ¿Qué ha sido?

ISABEL.—Nada..., el cristal...

ABUELA.—¿Te has herido la mano?

ISABEL.—No tiene importancia; un arañazo apenas.

BALBOA.—Pronto: alcohol, una venda...

ABUELA.—Deja; con el licor y el pañuelo es lo mismo. (*Empapa su pañuelo en el licor y le venda la mano*). Así..., pobre hija; ¿te duele?

ISABEL.—Les juro que no es nada. Lo único que siento es que hemos dejado a la abuela sin música.

MAURICIO.—Eso no. Tocaré yo algo mío.

ABUELA.—¿Pero tú compones también?

MAURICIO.—A ratos..., tonterías para vengarme de los números. Como ésta. (*Se sienta al piano y juega ágilmente los dedos como improvisando*). El mes de abril en el bosque..., está empezando el deshielo. Éste es el deshielo. (*Acordes en los graves*). Las ardillas saltan de rama en rama. Éstas son las ardillas. (*Arpegios saltarines en los agudos*). Y el canto del cuco anuncia el buen tiempo. Aquí está el cuco. (*canta*).

Cucú, cucú,
cucú, cucú,
cu-cuando salga el sol
cucú, cucú,
cucú, cucú,
florecerá el amor.

El sol dijo "quizá";
la noche dijo "no".
¿Cu-cuándo dirá "sí"
el cuco del amor?
Cucú, cucú,
cucú, cucú,
¿cu-cuando dirá sí
cucú, cucú,
cucú, cucú,
tu co-co-corazón?

¿Te gusta?

ABUELA.—¡Tuya tenía que ser! (*Levanta su copa*). Por el nieto más nieto de todos los nietos... ¡y viva la música civil¡ ¡¡Hoopy!! (*Risas*). A ver, otra vez. ¡Todos! El deshielo; primero el deshielo. Las ardillas: ahora las ardillas. ¡Y ahí sale el cuco! (*Repiten la canción, llevando Mauricio la voz cantante, y contestando ellos al canto del cuco y coreando los versos pares, Risas. Aplausos*). Otro dedito, Fernando. Por el cuco del buen tiempo. El último, último, últ... (*Desfallece un momento llevándose la mano al corazón. Isabel corre a sostenerla*).

ISABEL.—¡Abuela!

BALBOA.—Basta, Eugenia. A descansar.

ABUELA (*se recobra. Sonríe*).—No ha sido nada. Este maldito pequeño que me da todo lo bueno y todo lo malo. Pero no vayáis a creer que estoy mareada. Un poco de niebla, eso sí... ¿Tengo que acostarme ya, tan pronto?

ISABEL.—Es mejor así. Mañana seguiremos.

ABUELA.—¡Mañana! Con lo largas que son las noches. Que descanses, Mauricio. Hasta mañana, hija. (*La abraza. Isabel la acompaña hasta la puerta*).

BALBOA (*a Mauricio*). — Si tienes costumbre de leer antes de dormir ya sabes dónde está la biblioteca. ¿Quieres algún libro?

MAURICIO.—¡Un tratado de arquitectura y un atlas del Canadá!

ABUELA.—¿Vamos, Fernando? Mañana, la balada irlandesa, ¿eh? Y a ver si sois capaces de soñar algo mejor que vosotros mismos.

(*Sale con el* Abuelo, *riendo feliz y repitiendo el estribillo. Al quedarse solos,* Mauricio *resopla desabrochándose el cuello.* Isabel *se deja caer agotada en un sillón*).

ISABEL *y* MAURICIO

MAURICIO. — Vaya, por fin salimos del paso.

ISABEL.—Ojalá terminara todo aquí. Yo no he sentido una angustia más grande en mi vida; es como esos equilibristas que andan descalzos entre cuchillos.

MAURICIO.—Realmente la señora es peligrosa. ¡Tiene una memoria inexorable!

ISABEL.—Son años y años de no pensar en otra cosa. ¿Qué sería de esa pobre mujer si de pronto descubriera la verdad?

MAURICIO.—De nosotros depende. Nos hemos metido en este callejón y ya es tarde para volverse atrás.

ISABEL.—¿Y mañana esta farsa otra vez? ¿Y hasta cuándo?

MAURICIO. — Solamente unos días. Después, un falso cable llamándonos urgentemente, y ahí queda el recuerdo para siempre.

ISABEL.—¿Por qué me encargó a mí esto? ¡No puedo, Mauricio, no puedo!

MAURICIO.—¿Tanto miedo tienes?

ISABEL.—Por ella. Será hermoso lo que estamos haciendo, pero al verla entregada como una niña feliz, tuve que hacer un esfuerzo para no gritar la verdad y pedirle perdón. Es un juego demasiado cruel.

MAURICIO.—Lo que yo me temía: el corazón metiéndose en la comedia. Así no iremos a ninguna parte.

ISABEL.—He hecho todo lo que pude. ¿No me he portado bien?

MAURICIO.—Al principio, sí; aquella timidez de la llegada, aquella escena de la evocación, muy bien. Pero después, aquel sollozo cuando te echaste en sus brazos...

ISABEL.—No podía más. También yo sé lo que es vivir sola, y esperando.

MAURICIO.—Eso es lo que hay que corregir desde el principio. El arte no se hace aquí, señorita. (*El corazón*). Se hace aquí, aquí. (*La frente*).

ISABEL.—¿Usted no se emocionó ni un momento?

MAURICIO.—La emoción verdadera nunca es artística. Por ejemplo: ¿te fijaste con qué ilusión me comí las tortas de nuez con miel? Pues si hay dos cosas que yo no puedo aguntar son la miel y las nueces. Esto es lo que yo llamo una conciencia artística. (*Dando por hecho que no*). ¿A ti te gustaron?

ISABEL.—¡Deliciosas!

MAURICIO.—Es una opinión.

ISABEL. — ¿Entonces aquel temblor en la voz al verla por primera vez...?

MAURICIO.—Es un recurso elemental; hasta los racionistas de teatro lo saben.

ISABEL.—¿Y aquel abrazo, largo y en silencio, hasta hacerla llorar...?

MAURICIO.—Todo estaba previsto: con lágrimas en los ojos es más difícil ver claro. ¿Comprendes ahora?

(Isabel *lo mira como si hubiera descendido de estatura)*.

ISABEL.—Ahora, sí. Por lo visto, tengo mucho que aprender.

MAURICIO.—Bastante; pero tú llegarás, Isabel.

ISABEL.—¿Por qué me sigue llamando Isabel si nadie nos oye? Mi nombre es Marta.

MAURICIO.—Aquí no. Estamos viviendo otra vida y hay que olvidar completamente la nuestra. Nada de confusiones.

ISABEL.—Está bien. Dígame las faltas de esta noche para corregirlas.

MAURICIO.—Por lo pronto, el beso. Mejor dicho, los dos besos. El primero demasiado...

ISABEL.—¿Fraternal?

MAURICIO.—Fraternal. Tres años de matrimonio no es tiempo bastante para esa frialdad. En cambio el segundo..., ¡el segundo tampoco era un beso de tres años!

ISABEL.—¿Demasiado fuerte?

MAURICIO.—Demasiado. En arte, la medida es el todo.

ISABEL. — Disculpe; no volverá a ocurrir.

MAURICIO.—Así lo espero. Segundo: no me trates nunca de usted. Recuerda que soy tu marido.

ISABEL.—Pero estando solos...

MAURICIO.—Ni estando solos; hay que acostumbrarse. ¿Tú sabes lo que hacen los amantes inteligentes cuando tienen que vivir en sociedad? Se acostumbran a tratarse de usted en la intimidad para no equivocarse luego en público. Nosotros tenemos que hacer lo mismo, al revés.

ISABEL.—Perdón, no sabía. Y lo del idioma, ¿cómo lo arreglamos?

MAURICIO.—¿Qué idioma?

ISABEL.—El mío, el inglés. La abuela ya has visto que lo sabe. Y yo, por muy básico que sea, no pretenderás que me lo estudie en una noche.

MAURICIO. — Habrá que hacer un esfuerzo. Hoy el inglés se ha convertido en un idioma tan importante que hasta los norteamericanos van a tener que aprenderlo.

ISABEL.—Oh, yes, yes.

MAURICIO.—¿Te estás burlando?

ISABEL.—¿Del maestro? Sería una falta de respeto imperdonable.

MAURICIO.—No, no, sin ironías; a ti te está pasando algo. Desde hace un momento no me miras como antes. Pareces otra.

ISABEL.—¿No serás tú el que me está pareciendo otro a mí? (*Se acerca amistosa*). Escucha, Mauricio: el otro día, cuando me dijiste que tu imitador de pájaros cantaba mejor que el ruiseñor verdadero, hablabas en serio, ¿no?

MAURICIO. — Completamente en serio. Un simple animal, por maravilloso que sea, no puede compararse nunca con un artista.

ISABEL.—Entonces, ¿de verdad crees que el arte vale más que la vida?

MAURICIO.—Siempre. Mira ese jacarandá del jardín: hoy vale porque da flor y sombra, pero mañana, cuando se muera como mueren los árboles, en silencio y de pie, nadie volverá a acordarse de él. En cambio, si lo hubiera pintado un gran artista, viviría eternamente. ¿Algo más?

ISABEL.—Nada más. Es todo lo que quería saber. (*Se dirige a la escalera*).

MAURICIO. — Un momento. Hasta ahora sólo te he corregido los errores; pero no sería justo si no elogiara también los acietros.

ISABEL.—¿He tenido algún acierto? Menos mal.

MAURICIO.—Uno sobre todo: el truco para no tocar el piano.

ISABEL.—Ah, lo de la mano herida. ¿Estuvo bien?

MAURICIO.—Ni yo mismo lo hubiera hecho mejor. ¿Con qué te pintaste el rojo de la sangre? ¿Con la barra de los labios?

ISABEL.—Con la barra de los labios.

MAURICIO.—Me lo imaginé en seguida. ¡Felicitaciones! (*Le estrecha la mano. Isabel reprime una queja retirando la mano. Mauricio la mira sorprendido*). ¿Qué te pasa?

ISABEL.—Nada..., los nervios. (*Va a la escalera. Mauricio la detiene imperativo y le arranca el pañuelo*).

MAURICIO.—¡Espera! ¿Pero te has clavado el cristal de verdad?

ISABEL.—No se me ocurrió otra cosa. Una mentira hay que inventarla; en cambio la verdad es tan fácil. Buenas noches. (*Vuelve a ponerse el pañuelo y comienza a subir*).

MAURICIO.—¿No te ofenderás si te digo una cosa?

ISABEL.—Di.

MAURICIO.—Tienes demasiado corazón. Nunca serás una verdadera artista.

ISABEL.—Gracias. Es lo mejor que me has dicho esta noche. (*Va a seguir. Se vuelve*). ¿Y tú no te ofendes si yo te digo otra?

MAURICIO.—Di.

ISABEL.—Si algún día tuvieran que desaparecer del mundo todos los árboles menos uno..., a mí me gustaría que fuera ese jacarandá. ¿Perdonada?

MAURICIO.—Perdonada.

ISABEL.—Buenas noches, Mauricio.

MAURICIO.—Hasta mañana... Marta-Isabel.

(Queda apoyado en la baranda mirándola subir. Arriba vuelve a oírse el carillón).

TELÓN

ACTO TERCERO

PRIMER CUADRO

En el mismo lugar, unos días después. Tarde. La escena, sola. Llama el teléfono, y a poco acude la Doncella. Mauricio baja la escalera.

FELISA y MAURICIO

FELISA.—¡Hola! ¿Cómo? Pero no, señorita, ha marcado mal otra vez. De nada.

MAURICIO.—¿Quién era?

FELISA.—Número equivocado. Ya van tres veces que llama la misma voz y preguntando por la misma dirección.

MAURICIO.—Habrá un cruce en la línea. ¿Por quién pregutaba?

FELISA.—Avenida de los Aromos, dos, cuatro, cuatro, ocho. ¡Imagínese, al otro extremo! (*Mauricio toma una manzana del frutero, la limpia con la manga y la muerde*). ¿Necesita algo el señor?

MAURICIO.—Nada, gracias.

FELISA.—¿Le traigo un cuchillo y un plato?

MAURICIO. — ¡Nunca! Con plato y cuchillo sería un alimento; así es una naturaleza muerta.

FELISA.—¿Cómo?

MAURICIO.—Nada, Felisa. Hasta luego.

FELISA.—Para servirle, señor.

(Mauricio *espera a que salga y luego acude al teléfono. Habla mientras come su manzana).*

MAURICIO.—¡Hola! ¿Helena? Sí, claro que comprendí. ¿Alguna novedad? ¡Ajá! Supongo que el "F-48" estará contento con esos dos barcos griegos: ¡su idioma predilecto! Pero, por favor, que no les hable a los muchachos del Partenón. Por aquí, espléndido; salvo la primera noche, que hubo sus tropiezos, todo sobre ruedas. La abuela, un encanto; si uno pudiera elegir yo no elegiría otra. ¿Quién, Isabel? Feliz y progresando día por día; va a ser una colaboradora excelente. Por ella, aquí nos quedaríamos toda la vida, pero ha llegado la hora de echar este telón. Prepáreme un cable del Canadá con el siguiente texto: "Aprobado oficialmente proyecto casas baratas barriada obrera urge presencia inmediata". Firma... Hamilton. Repita. De acuerdo. Hágamelo llegar mañana temprano. Y para la tarde dos falsos pasajes de avión. Nada más. Gracias. Hasta mañana.

(Cuelga y sale hacia el jardín silbando su canción. Por izquierda entra la Abuela, *nerviosa, seguida por* Genoveva).

La ABUELA y GENOVEVA

ABUELA. — No, no, Genoveva, no puede ser; por más vueltas que le doy no acaba de entrarme en la cabeza. ¿Está usted segura?

GENOVEVA. — Tampoco yo quería creerlo; pero cuando le digo que lo he visto con mis propios ojos.

ABUELA.—¿Por qué no me avisó antes?

GENOVEVA.—La verdad, no me atreví; son cosas tan delicadas. Si la señora no me hubiera acorralado a preguntas, nunca habría dicho una palabra.

ABUELA.—Mal hecho; hay que poner eso en claro de una vez, y cuanto antes mejor.

GENOVEVA.—¿Y si fuera yo la que está equivocada?

ABUELA.—No sería usted sola. También yo he ido atando cabos todos estos días, y por todas partes salimos a lo mismo. Ya me decía el corazón que algo extraño había aquí.

GENOVEVA.—¿La señora sospechaba también?

ABUELA.—Desde la primera noche: una mirada aquí, una palabra suelta allá... Pero cualquier cosa podía imaginar menos esto. ¿Dónde está Isabel?

GENOVEVA.—¿Va a hablarle?

ABUELA.—Y ahora mismo. ¿Le parece que soy yo mujer para andar espiando la verdad por detrás de las puertas? ¿Dónde está Isabel?

GENOVEVA. — Regando las hortensias.

ABUELA.—Llámela.

GENOVEVA. — Por favor, señora, piénselo...

ABUELA.—¡Que la llame, digo! (*Genoveva se asoma al jardín llamando*).

GENOVEVA.—¡Isabel...! ¡Niña Isabel...! Ya viene.

ABUELA.—Déjenos solas.

(Sale Genoveva *hacia la cocina. Llega* Isabel *con un brazado de hortensias).*

La ABUELA *e* ISABEL

ISABEL.—¿Me llamaba?

ABUELA. — Acércate. Mírame de frente y contesta sin vacilar. ¿Qué me andas ocultando todos estos días?

ISABEL.—¿Yo?

ABUELA.—Los dos.

ISABEL.—¡Abuela!

ABUELA.—Sin desviar los ojos. ¡Contesta!

ISABEL.—No la entiendo.

ABUELA.—De sobra me entiendes, y es inútil seguir fnigiendo. Comprendo que es una confesión demasiado íntima, quizá dolorsa, pero no estoy hablando como una abuela a una nieta. De mujer a mujer, Isabel, ¿qué pasa entre Mauricio y tú?

ISABEúL.—Por lo que más quiera, ¿qué es lo que está sospechando?

ABUELA.—No son sospechas, hija; es la realidad. Esta mañana, cuando Genoveva subió el desayuno, tú estabas dormida en tu cuarto sola. Mauricio estaba durmiendo en la habitación de al lado. ¿Puedes explicarme qué significa eso?

ISABEL (*aliviada*).—¿Lo de las habitaciones...? ¿Y eso era todo? (*Ríe, nerviosa*).

ABUELA.—No veo que tenga ninguna gracia; al contrario. Esa misma risa nerviosa, ¿no quiere decir nada?

ISABEL.—Nada. Es que me hablaba usted en un tono... como si hubiera descubierto algo terrible.

ABUELA.—¿Te parece poco? Por lo pronto, un matrimonio que duerme separado es una inmoralidad. Pero puede significar algo peor: un amor terminado.

ISABEL.—¡Pero no, abuela! ¿Cómo puede ni pensarlo siquiera?

ABUELA.—¿No tendría motivos?

ISABEL.—Ninguno. Simplemente, lo que pasa es que por la ventana del jardín entran mosquitos. Mauricio no puede resistirlos.

ABUELA.—¿Y tú, sí? ¿Qué matrimonio es éste que se deja separar por un mosquito?

ISABEL.—No era uno, ni dos, ni tres. ¡Era una plaga!

ABUELA.—¡Ni aun así! Cuando yo tenía tu edad no me hubieran separado de mi marido ni las diez plagas de Egipto. Tienes que prometerme que no volverá a ocurrir.

ISABEL.—Pierda cuidado. ¿Pero qué importancia tiene una separación de momento?

ABUELA.—No es un momento lo que me preocupa, son todos los minutos de toda la vida. Cuando se llega a mi edad ya no hay más felicidad posible que presenciar la de los otros; y sería muy triste que por verme feliz a mí estuvieras fingiendo algo que no sentís.

ISABEL.—¿Ha llegado a pensar que Mauricio y yo no nos queremos?

ABUELA.—Delante de mí, demasiado; pero después... Ayer, cuando tomabais el té en el jardín, yo estaba en la ventana. Ni una mirada, ni una palabra entre los dos; él pensaba en sus cosas, tú revolviendo tu té con los ojos bajos. Cuando fuiste a tomarlo, ya estaba frío.

ISABEL.—Un silencio no quiere decir nada. Hay tantas maneras de estar juntos un hombre y una mujer.

ABUELA.—¿Podrías jurarme, con la mano en el corazón, que eres completamente feliz?

ISABEL.—¿Por qué me lo pregunta?

ABUELA.—No sé... Hay algo raro entre vosotros. Te noto acobardada delante de él, como si él fuera el que manda. Y en el verdadero amor no manda nadie; obedecen los dos.

ISABEL.—¡Mauricio es tan superior a mí en todo! No necesita mandar para que yo sea feliz obedeciendo.

ABUELA.—Malo es que lo pienses, pero por Dios, que no lo sepa él o estás perdida. Siempre se ha dicho que el amor es un poco como esos carritos chinos: uno muy cómodo, sentado dentro, y el otro tirando. Por lo visto, esta vez te ha tocado a ti tirar del carrito.

ISABEL.—¡Y qué importa si es mío lo que va dentro! Ojalá fuera más pesada la carga y más duro el camino para merecerlo mejor a la llegada.

ABUELA.—¡Pero qué estás diciendo! Hablas de tu marido como si no fuera tuyo; como si tuvieras que ganártelo aún.

ISABEL. — Es que usted no puede imaginar todo lo que es Mauricio para mí. Es más que el amor, es la vida entera. El día que le conocí estaba tan desesperada que me habría dejado morir en un rincón como un perro con frío. Él pasó junto a mí con un ramo de rosas y una palabra; y aquella palabra sola me devolvió de golpe todo lo que creía perdido. En aquel momento comprendí desde dentro que iba a ser suya para siempre, aunque fuera de lejos, aunque él no volviera a mirarme nunca más. ¡Y aquí me tiene, atada a su carro, pero feliz porque es suyo!

ABUELA.—¿Tan loca estás, hija?

ISABEL.—Si la locura es eso, bendita sea la locura. Benditos los ojos que me miran aunque no me vean. Bendita su mano en mi cintura aunque no sea más que un sueño. Escuche, abuela... (*Se arrodilla a su lado*). El otro día me preguntaba usted por qué no quería hablar otro idioma que el de Mauricio. ¿Comprende ahora por qué? Un idioma no son las palabras, son las cosas, es la vida misma. Cuando yo era niña, mi madre me decía "querida"; era una palabra. Cuando iba a la escuela, la maestra me decía "querida"; era otra palabra. Pero la primera vez que Mauricio, sin voz casi, me dijo "¡querida!", aquello ya no era una palabra: era una cosa viva que se abrazaba a las entrañas y hacía temblar las rodillas. Era como si fuera el primer día del mundo y nunca se hubiera querido nadie antes que nosotros. Por la noche no podía dormir. "¡Querida, querida, querida ...!" Allí estaba la palabra viva rebotándome en los oídos, en la almohada, en la sangre. ¡Qué importa ahora que Mauricio no me mire si él me llena los ojos! ¡Qué me importa que el ramo de rosas siga diciendo "mañana" si él me dio fuerzas para esperarlo todo! Si no hace falta que nos quieran.., ¡si basta querer para ser feliz, abuela, feliz, feliz...! (*Ha ido exaltándose con sus propias palabras hasta terminar llorando en el regazo*).

ABUELA.—Basta, criatura, basta. La verdad es que no sabe una a qué carta quedarse. Hace un momento tenía la preocupación de que no le querías bastante y ahora casi me da miedo verte quererle tanto. Pero de esto ni una palabra a él, ¿lo oyes? Aprovecha ahora que eres joven para subirte al carro, y que tire él un poquito, que para eso es hombre.

(*Vuelve* Mauricio. Isabel *se levanta.*)

La ABUELA, ISABEL, MAURICIO

MAURICIO. — ¿Confidencias de suegra y nuera? Malo para el marido.

ABUELA.—¿Por qué supones que estábamos hablando de ti? ¿No hay otras cosas de qué hablar en el mundo?

MAURICIO.—Desde luego, y mucho más importantes. ¿Puedo saber cuáles?

ISABEL.—No vale la pena; cosas de mujeres.

MAURICIO.—Me lo imaginé. Hablando de trapos; seguro.

ABUELA.—Seguro. Dios te conserve el olfato, hijo. A los hombres tan inteligentes como tú no les vendría mal de vez en cuando bajar de las nubes... (*Mirando a Isabel*) y darse una vuelta por esta pobre tierra.

MAURICIO.—¿Isabel te ha dicho algo contra mí?

ISABEL.—Al contrario; le estaba contando todo lo feliz que soy.

MAURICIO.—Ya. ¿Y por eso has llorado?

ABUELA. — Algunas mujeres tienen una extraña manera de ser felices. Aprende tú, que estás demasiado acostumbrado a que todo te caiga de arriba. Y ojo cómo la tratas en adelante, que no está sola; ahora ya somos dos. (*Saca del armario una cajita de cartón.*) Toma, hijo; por si te hace falta.

MAURICIO.—¿Qué es esto?

ABUELA. — Contra los mosquitos.

(*Sale al jardín.*)

ISABEL *y* MAURICIO

MAURICIO.—¿Qué mosquitos?

ISABEL.—Unos que he tenido que inventar. Esta mañana Genoveva te encontró durmiendo en la habitación de huéspedes.

MAURICIO.—¡Tenía que ser! El único día que se me olvidó echar la llave.

ISABEL.—No te preocupes, que ya está arreglado.

MAURICIO. — ¿Seguro? ¿No habrá sospechado nada?

ISABEL.—Nada. A tu lado se aprende a mentir con tanta naturalidad.

MAURICIO.—Es una manera muy delicada de llamarme embustero.

ISABEL.—Imaginativo. Era un elogio profesional.

MAURICIO.—Supongo que habrás pasado un mal rato de nervios, como siempre.

ISABEL.—A todo se acostumbra una.

MAURICIO. — Afortunadamente ya queda poco. Tengo una gran noticia para ti.

ISABEL.—Menos mal.

MAURICIO.—Mañana temprano recibiremos un cable del Canadá, y por la tarde dos pasajes de avión.

ISABEL (*se estremece*). — ¡No...! ¿Quieres decir que nos vamos ya?

MAURICIO.—Ya. Helena se encarga de todo.

ISABEL.—¿Y ésa era la gran noticia?

MAURICIO.—Si te parece poco. Se acabaron los sobresaltos y esa especie de remordimiento que no te dejaba dormir. Ahora, la última velada familiar, una despedida llena de promesas... ¡y al aire libre otra vez! Misión cumplida. ¿No estás contenta?

ISABEL.—Mucho..., muy contenta.

MAURICIO.—Con esa cara nadie lo diría.

ISABEL.—Así, de pronto, duele un poco...

MAURICIO.—No pensarías que íbamos a quedarnos toda la vida. Tú misma me has dicho muchas veces que era una farsa cruel, superior a tus fuerzas.

ISABEL.—Así era al principio. Sólo yo sé lo que me costó entrar en esto; veremos ahora lo que me cuesta salir. ¿Mañana?

MAURICIO.—Mañana.

ISABEL.—¿No podrías esperar un poco más, un día siquiera?

MAURICIO. — ¿Para qué? Todo lo que podía hacerse por esa mujer está hecho ya.

ISABEL.—No es por ella, Mauricio; ahora es por mí. Necesito acostumbrarme a la idea.

MAURICIO. — Cada vez te entiendo menos. Te he dado para empezar uno de los trabajos más difíciles; lo has hecho con una naturalidad pasmosa, como una recién casada feliz de verdad. Y ahora, cuando ya está cayendo el telón, ¿vas a temblar otra vez?

ISABEL. — No sé... Me da miedo eso que tú llamarías la gran escena final.

MAURICIO. — ¿La despedida? Es la más fácil de todas: un pequeño temblor al hacer los baúles, largas miradas a la casa como si fueras acariciando uno por uno todos los rincones... Ni siquiera es necesario hablar. De vez en cuando deja caer algo de las manos, así como sin querer: una cosa que cae en silencio tiene más emoción que una palabra. ¿Por qué me miras así?

ISABEL.—Te admiro.

MAURICIO.—¿Ironías otra vez?

ISABEL.—Sin ironías: te admiro de verdad. Es asombrosa esa manera que tenéis los soñadores de no ver claro más que lo que está lejos. Dime, Mauricio, ¿de qué color son los ojos de la Gioconda?

MAURICIO.—Aceituna oscura.

ISABEL.—¿De qué color son los ojos de las sirenas?

MAURICIO.—Verde mar.

ISABEL.—¿De qué color son los míos?

MAURICIO.—¿Los tuyos...? (*Duda. Se acerca a mirar. Ella entorna los párpados. Sonríe desconcertado.*) No lo tomes a mal. Parecerá una desatención, pero te juro que en este momento tampoco sabría decirte cómo son los míos.

ISABEL.—Pardos, tirando a avellana. Con una chispita de oro cuando te ríes. Con una niebla gris cuando hablas y estás pensando en otra cosa.

MAURICIO.—Perdona.

ISABEL. — De nada. (*Sonríe, dominándose.*) Y si mañana, al hacer los baúles, se me resbala algo de entre las manos, "así como sin querer", pierde cuidado que no será la emoción; sólo será porque he tenido un buen maestro. Gracias, Mauricio.

(*Sale al jardín. Ha ido oscureciendo. Fuera, las sombras largas de la tarde.* Mauricio *enciende pensativo un cigarrillo. Se oye la campanilla de la calle, y a poco la* Doncella *cruza a abrir. El señor* Balboa *viene de sus habitaciones, con un libro en la mano.*)

MAURICIO, FELISA, BALBOA

BALBOA.—Si son los diarios, páselos a mi despacho sin abrir.

FELISA.—Bien, señor. (*Sale al vestíbulo.*)

BALBOA.—¿No era éste el libro que andabas buscando? "Los últimos descubrimientos de la arqueología".

MAURICIO. — No tiene interés. He hecho yo uno más sensacional.

BALBOA.—¡Tú! ¿Cuándo?

MAURICIO.—Ahora mismo. Después de largas excavaciones, acabo de descubrir que soy un perfecto imbécil. (*Tira el cigarrillo que acaba de encender y sale al jardín llamando.*) ¡Isabel...!

(Vuelve la Doncella.)

FELISA.—Es una visita para el señor.

BALBOA.—¡A estas horas! No espero a nadie, ni estoy para nadie.

(La Doncella *va a obedecer. El* Otro *aparece en el umbral.)*

BALBOA *y el* OTRO

OTRO.—Para mí, sí. He hecho un viaje demasiado largo para que se me cierre esta puerta.

BALBOA.—¿Con qué derecho entra así en mi casa? Déjenos, Felisa. (*La Doncella sale. Balboa enciende las luces.*) ¿Quién es usted?

OTRO (*avanza unos pasos. Tira el sombrero sobre un sillón*).—¿Tanto he cambiado en estos veinte años?

BALBOA (*inmóvil, sin voz*).—¡Mauricio...!

OTRO.—No veo que sea para asombrarse así, como si fuera un fantasma. ¿No recibiste mi cable anunciando el viaje?

BALBOA.—No es posible... El "Saturnia" se hundió en alta mar con todo el pasaje.

OTRO.—Y tú te alegraste al saberlo, ¿verdad? Es natural; la mancha de la familia lavada lejos y para siempre. Pero ya ves que no; cuando se lleva una vida como la mía nunca se viaja en el barco que se anuncia; ni con el nombre propio. ¡La policía suele ser tan curiosa!

BALBOA.—Basta, Mauricio. ¿A qué vienes?

OTRO. — ¿Y necesitas preguntarlo? ¡Qué falta de imaginación! Por lo menos no supondrás que vengo a ponerme de rodillas y a llorar sobre mis pecados.

BALBOA.—No; te conozco bien. He seguido toda tu vida y sé lo que puede esperarse de ti.

OTRO. — Me alegro; así se ahorran muchas explicaciones enojosas. Sobre todo para ti.

BALBOA.—¿Para mí?

OTRO.—Es lo menos que podía esperar. ¿No te has sentido responsable en ningún momento de esa vida que yo arrastraba lejos de mi casa?

BALBOA.—No trates de descargar tus culpas sobre los demás. Todo lo que has hecho allá, ya lo habías empezado aquí.

OTRO.—¿De manera que la conciencia tranquila?

BALBOA.—Hice lo que debía, y si es necesario volvería a hacerlo cien veces.

OTRO. — Por tu gusto, quizá; pero ahora me temo que no vas a poder. Aquel muchacho de entonces está ya un poco duro.

BALBOA.—¿Es una amenaza?

OTRO.—Una advertencia simplemente. Sé por experiencia que no hay caminos hechos para nadie; cada uno tiene que abrirse el suyo como pueda. Y el mío, hoy, pasa por esta casa.

BALBOA. — De una vez, por favor, ¿qué es lo que vienes a buscar?

OTRO.—Si fuera a reclamar mis derechos, todo lo que tú me quitaste en una noche: una vida regalada, una buena mesa, una familia honorable.

BALBOA.—¡No habrás pensado quedarte a vivir aquí!

OTRO. — No, estate tranquilo. Eso que tú llamas el hogar no se ha hecho para mí, y sería demasiado incómodo para los dos.

BALBOA.—¿Qué pretendes, entonces?

OTRO.—Te he dicho primero todo lo que podría exigir. Pero soy razonable y voy a conformarme sólo con una parte. En una palabra, abuelo, necesito dinero.

BALBOA.—No podía ser otra cosa. ¿Cuánto?

OTRO.—Ahí está lo malo, que por mucho que lo sienta no puedo hacerte un precio de amigos. (*Dejando repentinamente el tono irónico.*) Estoy comprometido gravemente, ¿sabes? No con la policía, que a eso ya estoy acostumbrado. Ahora es con los compañeros, y esos no perdonan.

BALBOA.—No te pido explicaciones. ¿Cuánto?

OTRO.—¿Te parecería mucho doscientos mil?

BALBOA.—¿Estás loco? ¿De dónde piensas que puedo sacar yo esa cantidad?

OTRO. — Desde luego no esperaba que la tuvieras ahí en el bolsillo. Pero puedes encontrarla; y sin ir muy lejos..., sin salir de aquí. Si no he calculado mal, solamente la casa vale el doble.

BALBOA. — ¡La casa! ¿Vender esta casa?

OTRO.—Para dos viejos solos es demasiado grande.

BALBOA.—¿Serías capaz de dejarnos en la calle?

OTRO (*rencoroso*).—¿No me dejaste tú a mí hace veinte años? Todavía recuerdo aquel porrazo, y a veces todavía me arden tus dedos aquí. Fue la primera y la última vez que alguien se atrevió a ponerme la mano en la cara.

BALBOA. — Eso es lo que te trajo, ¿verdad? ¡Qué bien te comprendo ahora! No es sólo el dinero; es toda esa resaca turbia de la venganza y el resentimiento.

OTRO.—Sería cosa de discutirlo, pero no tengo tiempo. Necesito esa cantidad mañana mismo. ¿Hecho?

BALBOA.—¡Ni mañana ni nunca!

OTRO. — Piénsalo despacio, abuelo. Por mí ya sé que no te importaría. Pero tú tienes un nombre intachable. ¿Te gustaría verlo en letras de escándalo en los periódicos y en las fichas policiales?

BALBOA.—No puedo. Aunque quisiera, te juro que no puedo.

OTRO.—De ti no me extraña; siempre te costó trabajo abrir la caja de hierro. Pero hay alguien que no me dejará morir estúpidamente junto a un farol, pudiendo salvarme. ¿Dónde está la abuela?

BALBOA.—¡No! ¡La abuela, no! Pediré a mis amigos, reuniré lo que pueda. Llévate los valores, las alhajas...

OTRO.—No he venido a pedir limosna. Vengo a buscar lo mío, y tú sabes muy bien que la abuela no sería capaz de negármelo. ¿Por qué no quieres que hable con ella?

BALBOA. — Escucha, Mauricio, por piedad. La abuela no sabe nada de tu verdadera vida. Para ella aquel muchacho loco de hace veinte años es ahora un hombre feliz que vuelve lleno de recuerdos a casa de los suyos.

OTRO.—¡Ajá! Una historieta ejemplar. Lo malo es que ya pasé la edad y no me gustan las historietas. ¿Dónde está la abuela? (*Avanza. El abuelo le corta el paso.*)

BALBOA. — ¡Piensa en todo lo que puedes destruir en un momento!

OTRO.—No tengo tiempo que perder. ¡Aparta!

BALBOA.—¡No! ¡De aquí no pasas!

OTRO (*sujetándole*). — No habrás pensado que puedes levantarme la mano otra vez. Eso es fácil con un niño; con un hombre ya no es lo mismo. ¡Aparta, digo! (*Lo aparta bruscamente y llama en voz alta.*) ¡Abuela!...

(*A la última réplica aparece* Mauricio *en la terraza. Avanza resuelto, con una ira contenida que le asorda la voz.*)

Dichos y MAURICIO. *Después, la* ABUELA *e* ISABEL

MAURICIO.—Sin voces. Cuando un

hombre está dispuesto a todo no grita. Salga de esta casa conmigo.

OTRO.—¿Puedo saber quién es usted?

MAURICIO.—Después. Ahora, en este mismo momento, la abuela va a entrar por esa puerta, ¿lo oye bien? Si pronuncia delante de ella una palabra, una palabra sola, lo mato.

OTRO.—¿A mí...?

MAURICIO (*cortando*).—¡Por mi alma que lo mato aquí mismo! (*Se oye reír llegando.*) Silencio. (*Entra la Abuela con Isabel.*)

ABUELA.—En mi vida había oído un disparate igual. ¿Serás tonta? Ir a decirme a mí que esa lucecita verde que encienden las luciérnagas... Oh, perdón; creí que estaban solos.

MAURICIO.—No es nada. El señor, que no conoce bien esto y se había confundido. (*Con intención.*) Yo voy a indicarle el camino. (*Desde la puerta.*) ¿Vamos?

OTRO (*avanzando resuelto*). — Vamos.

ISABEL (*con un presentimiento ante el tono de desafío que traslucen las palabras de los hombres*). — ¡Mauricio! (*El Otro se vuelve sorprendido al oír su nombre. Mira fijamente a Isabel y a Mauricio.*)

MAURICIO.—Es un momento, Isabel. En seguida vuelvo. Por aquí... (*El Otro vacila. Por fin se inclina levemente.*)

OTRO. — Disculpen, Señor... (*Sigue a Mauricio. Isabel y la Abuela quedan inmóviles mirándoles salir.*)

TELÓN

SEGUNDO CUADRO

En el mismo lugar al día siguiente. En un rincón un baúl abierto. Sobre la mesa una maleta y ropa blanca. Isabel dobla la ropa en silencio. Genoveva termina de hacer el baúl.

ISABEL *y* GENOVEVA

GENOVEVA. — Los zapatos abajo, ¿verdad?

ISABEL. (*ausente*).— Abajo.

GENOVEVA. — Y los vestidos, ¿van bien, doblados así?

ISABEL.—Es igual.

GENOVEVA.—Igual, no; usted lo sabrá mejor que yo, que no he viajado nunca. ¿Es así?

ISABEL (*sin mirar*).—Así.

(Genoveva *suspira resignada y cierra la lona. Se oye arriba el carillón.* Isabel *levanta los ojos escuchando. Cuatro campanadas*).

GENOVEVA. — Por su bien, ¿no ve que es peor callar? ¡Diga algo, por favor!

ISABEL.—¿Qué puedo decir?

GENOVEVA. — Cualquier cosa, aunque no venga a cuento; como cuando una tiene que pasar por un sitio oscuro y se pone a cantar. Con este silencio parece un entierro.

ISABEL.—Algo hay de eso. ¿Cuántos vestidos ha metido en ese baúl?

GENOVEVA.—Siete.

ISABEL.—Siete vestidos pueden ser toda una vida: el claro de la primera mañana, el de regar las hortensias, el azul de tirar piedras al río, el de aquella noche que se quemó el mantel de fiesta con un cigarrillo. Ahora, ahí apretados, ya no hay fietas ni hortensias ni río. Sí, Genoveva, hacer un equipaje es como enterrar algo.

GENOVEVA.—Lo malo no es para los que se van. Ustedes vuelven a lo suyo, con toda la vida por delante. Pero la señora...

ISABEL.—¿Habló con ella?

GENOVEVA.—Ni yo ni nadie; ahí sigue encerrada en su cuarto sin mover una mano ni despegar los labios.

ISABEL.—¿Pero por qué ese silencio como una protesta? Ya sabía que tarde o temprano tenía que llegar este momento. ¿Es mía la culpa?

GENOVEVA.—La culpa es del tiempo, que siempre anda a contramano. Recuerdo, cuando el barco iba llegando, que cada minuto parecía un siglo en esta casa. "¡El lunes, Genoveva, el lunes!" Y aquel lunes no llegaba nunca. En cambio, ahora, ¿cuándo pasó aquel día y el siguiente y los otros? Mi madre lo decía: hay un reloj de esperar y otro de despedirse; el de esperar siempre atrasa. (*Se le resbalan de entre las manos unos pañuelos*). Disculpe; no sé dónde tengo las manos.

ISABEL.—Al contrario. Gracias, Genoveva.

GENOVEVA.—¿Gracias por qué?

ISABEL.—Por nada; son cosas mías.

(*Llega* Mauricio *de la calle, preocupado*).

GENOVEVA.—Volveré a lavarlos. Todavía pueden secarse. (*Sale hacia la cocina.* Isabel *se dirige impaciente a Mauricio*).

ISABEL *y* MAURICIO

ISABEL.—¿Hay alguna esperanza de arreglo?

MAURICIO.—Ninguna. Todo lo que que se le podía ofrecer se ha hecho ya sin resultado. Dentro de unos minutos va a venir él mismo con la última palabra.

ISABEL.—¿Y vas a permitirle entrar en esta casa?

MAURICIO.—Desgraciadamente es la suya. Ni razones ni súplicas ni amenazas valen nada con él. Ese hombre viene dispuesto a todo y no dará un paso atrás.

ISABEL.—Es decir, que toda nuestra obra va a ser destruida en un minuto, delante de nosotros, ¿y vamos a presenciarlo con los brazos cruzados?

MAURICIO.—Es inútil que tú tengas la razón. Él trae la fuerza y la verdad.

ISABEL.—No te reconozco. Oyéndote hablar el primer día parecías un domador de milagros, con una magia nueva en las manos. No había una sola cosa fea que tú no pudieras embellecer; ni una triste realidad que tú no fueras capaz de burlar con un juego de imaginación. Por eso te seguí a ojos cerrados. Y ahora llega a tu puerta una verdad, que ni siquiera tiene la disculpa de su grandeza... ¡y ahí estás frente a ella, atado de pies y manos!

MAURICIO.—¿Qué puedo hacer? Al descubrir el juego hemos puesto todas las cartas en su mano. Ahora ya no necesita pedir; puede jugar tranquilamente al chantaje. No hay nada que esperar, Isabel. Nada.

ISABEL.—Aún puedes hacer un bien en esta casa; el último. Confiésale tú mismo a la abuela toda la verdad.

MAURICIO.—¿Qué ganaríamos con eso?

ISABEL.—Es como quitar una venda. Tú puedes hacerlo poco a poco, con el alma en los dedos. No esperes a que él se la arranque de un tirón.

MAURICIO.—No puedo, no tendría valor. No quiero ver una herida que yo mismo he contribuido a abrir y que no soy capaz de curar. ¡Vámonos de aquí cuanto antes!

ISABEL.—¿A tu casa cómoda y tranquila? ¿A divertirnos fabricando sueños que tienen este despertar? No, Mauricio; vuelve tú solo.

MAURICIO. — ¡No habrás pensado quedarte aquí!

ISABEL.—Ojalá pudiera. Pero tampoco quiero salir de esta vida inventada para volver contigo a otra tan falsa como ésta.

MAURICIO. — ¿A dónde, entonces? ¿Piensas volver a tu vida de antes?

ISABEL.—Parece increíble, ¿verdad? Y sin embargo ésa es la gran lección que he aprendido aquí. Mi cuarto era estrecho y pobre, pero no hacía falta más: era mi talla. En el invierno entraba el frío por los cristales, pero era un frío limpio, ceñido a mí como un vestido de casa. Tampoco había rosas en la ventana; sólo unos geranios cubiertos de polvo. Pero todo a medida, y todo mío: mi pobreza, mi frío, mis geranios.

MAURICIO.—¿Y es a aquella miseria a donde quieres volver? No lo harás.

ISABEL.—¿Quién va a impedírmelo?

MAURICIO.—Yo.

ISABEL.—¿Tú? Escucha, ahora ya no hay maestro ni discípula; vamos a hablarnos por primera vez de igual a igual, y voy a contarte mi historia como si no fuera mía para que la veas más clara. Un día la muchacha sola fue sacada de su mundo y llevada a otro maravilloso. Todo lo que no había tenido nunca se le dio allí de repente: una familia, una casa con árboles, un amor de recién casada. Sólo se trataba, naturalmente, de representar una farsa, pero ella "no sabía medir" y se entregó demasiado. Lo que debía ser un escenario se convirtió en su casa verdadera. Cuando decía "abuela" no era una palabra recitada, era un grito que le venía de dentro y desde lejos. Hasta cuando el falso marido la besaba le temblaban las gracias en los pulsos. Siete días duró el sueño, y aquí tienes el resultado: ahora ya sé que mi soledad va a ser más difícil, y mis geranios más pobres y mi frío más frío. Pero son mi única verdad, y no quiero volver a soñar nunca por no tener que despertar otra vez. Perdóname si te parezco injusta.

MAURICIO.—Solamente en una parte. ¿Por qué te empeñas en pensar que esa historia es la tuya sola? ¿No puede ser la de los dos?

ISABEL.—¿Qué quieres decir?

MAURICIO.—Que también yo he necesitado esta casa para descubrir mi verdad. Ayer no había aprendido aún de qué color son tus ojos. ¿Quieres que te diga ahora cómo son a cada hora del día, y cómo cambian de luz cuando abres la ventana y cuando miras al fuego, y cuando yo llego y cuando yo me voy?

ISABEL.—¡Mauricio!

MAURICIO.—Siete noches te he sentido dormir a través de mi puerta. No eras mía, pero me gustaba oírte respirar bajo el mismo techo. Tu aliento se me fue haciendo costumbre, y ahora lo único que sé es que ya no podría vivir sin él; lo necesito junto a mí y para siempre, contra mi propia almhoda. En tu casa o en la mía, ¡qué importa! Cualquiera de las dos puede ser la nuestra. Elige tú.

ISABEL. — ¡Mauricio...! (*Se echa en sus brazos*).

MAURICIO.—¡Marta-Isabel! ¡Mi verdad! (*La besa largamente. Se oye la campanilla del vestíbulo. Se miran en sobresalto, abrazados. La campanilla vuelve a sonar, impaciente*). Ahí está. (*Va a salir a su encuentro. Ella lo detiene*).

ISABEL.—¡Tú, no! ¡Déjame sola con él!

MAURICIO.—¿Estás loca?

(*La* Doncella *pasa a abrir).*

ISABEL. — Quizá una mujer pueda conseguir lo que no has conseguido tú. ¡Déjame! (*Se besan nuevamente, rápidos*).

MAURICIO.—Estaré cerca.

ISABEL.—No tengas miedo; ahora soy fuerte por los dos.

(Mauricio *sale al jardín. Vuelve la* Doncella).

FELISA.—Es el mismo hombre de anoche. Pregunta por la señora.

ISABEL.—Dígale que pase.

(La Doncella *va a obedecer. El* Otro *aparece en el umbral).*

FELISA.—No hace falta; por lo visto es su costumbre. (*El* Otro *le ordena salir con un gesto. Después avanza. Mira a* Isabel *de arriba abajo*).

ISABEL *y el* OTRO

OTRO.—Mi falsa esposa, ¿no?

OTRO.—Mucho gusto. Por lo menos no han elegido mal.

ISABEL.—Gracias.

OTRO.—Ya sé todo el tinglado que han armado aquí; las cartas, el matrimonio feliz, la emoción de la abuela. Una bonita fábula con moraleja y todo. Lástima que se acabe tan estúpidamente.

ISABEL.—No se ha acabado todavía.

OTRO. — Por mi parte, si quieren ustedes seguirla, ya saben el precio.

ISABEL.—Demasiado alto. Malvender esta casa; lo único que les queda a esos dos viejos para morir en paz.

OTRO.—También yo puedo caer en una esquina si vuelvo sin dinero. Mis amigos no entienden de fantasías, y en cambio tiran bien.

ISABEL.—¿Es su última palabra?

OTRO.—¿Otra vez? Su novio me pidió anoche un plazo para arreglar. Les he dado hasta ahora, y basta de largas. ¿Hay plata o no hay plata?

ISABEL.—Usted sabe tan bien como yo que es imposible.

OTRO.—Eso pronto vamos a verlo. Supongo que a la vieja la tienen encerrada en su cuarto, ¿verdad? No se moleste; conozco el camino. (*Avanza.* Isabel *le cierra el paso*).

ISABEL.—¡Quieto! ¡Ni un paso más!

OTRO.—Le advierto que a mí no me han detenido nunca las mujeres que se ofrecen; las que amenazan, mucho menos. ¡Aparte!

ISABEL.—¡Por lo más sagrado, piénselo antes que sea demasiado tarde! ¿Sabe que una sola palabra suya puede matar a esa mujer?

OTRO.—No será para tanto.

ISABEL.—Desgraciadamente, sí. Sólo esta ilusión la mantenía de pie, y un golpe así puede serle fatal.

OTRO.—¿Tanto le interesa la vida de esa mujer?

ISABEL.—Más que la mía propia.

OTRO.—Entonces, ¿para qué perder tiempo? Podemos plantear las cosas como a mí me gusta; como un negocio redondo. Doscientos mil pesos vale la vida de la abuela. Barato, ¿no?

ISABEL.—¡Canalla...!

(Avanza con la mano crispada. Se abre la puerta de la izquierda y aparece la Abuela).

El OTRO, ISABEL, *la* ABUELA

ABUELA.—¿Qué pasa aquí, Isabel?

ISABEL (*corriendo a ella*).—¡Abuela...!

ABUELA.—Si no me equivoco, el señor es el mismo que estuvo aquí anoche. (*Avanza unos pasos*). ¿Busca a alguien en esta casa?

ISABEL.—A nadie. Sólo venía a despedirse. (*Suplicante*). ¿Verdad que se iba ya, señor?

OTRO.—No he hecho un viaje tan largo para volverme con las manos vacías.

ISABEL.—¡Mentira! ¡No le escuche, abuela, no le escuche!

ABUELA.—¿Pero estás loca? ¿Qué manera es ésta de recibir a nadie? Discúlpela; está un poco nerviosa.

Déjanos; parece que el señor tiene algo importante que decirme.

ISABEL.—¡Él no! ¡Se lo diré yo después, solas las dos!

ABUELA (*enérgica*).—¡Basta, Isabel! Sal al jardín y no vuelvas con ninguna disculpa hasta que yo te llame, ¿lo oyes? ¡Con ninguna disculpa! Déjanos.

(Isabel *sale rápida ocultando el rostro. Pausa. La* Abuela *mira largamente al desconocido y avanza serena*).

La ABUELA *y el* OTRO

ABUELA.—Por lo visto debe de ser cosa grave. (*Se sienta*). ¿Quiere sentarse?

OTRO.—No, gracias. Con pocas palabras va a ser bastante.

ABUELA.—¿De modo que ha hecho un largo viaje para hablar conmigo? ¿De dónde?

OTRO.—Del Canadá.

ABUELA.—Un hermoso país. Mi nieto llegó también de allá hace unos días. ¿Conoce a mi nieto?

OTRO.—Mucho. Por lo que veo, mucho mejor que usted misma.

ABUELA.—Es posible. ¡Yo he estado separada de él tanto tiempo! Cuando se fue de esta casa...

OTRO.—Cuando lo expulsaron sin razón.

ABUELA.—Exacto. Cuando el abuelo lo expulsó de esta casa, tuve miedo por él. Era un cabeza loca; pero yo estaba segura de su corazón. Sabía que le bastaría acordarse de mí para no dar un mal paso. Y así fue. Después vinieron las cartas, la nueva vida, y por fin él mismo.

OTRO.—Conozco el cuento; lo que no me explico es cómo ha podido tragárselos a sus años.

ABUELA.—No comprendo.

OTRO.—Dígame, señora, ¿no se le ocurrió nunca sospechar que esas cartas pudieron ser falsas?

ABUELA.—¿Falsas las cartas?

OTRO. (*brusco*).—¡Todo! Las cartas, y esa historia ridícula, ¡y hasta su nieto en persona! ¿Es que se ha vuelto ciega o es que está jugando a cerrar los ojos?

ABUELA (*se levanta*).—¿Pero qué es lo que pretende insinuar? ¿Que ese muchacho alegre y feliz que está viviendo bajo mi techo no es mi nieto? ¿Que el mío verdadero, la última gota de mi sangre..., es este pobre canalla que está delante de mí? ¿Era eso lo que venías a decirme, Mauricio?

OTRO.—¡Abuela...!

ABUELA.—¿Y para dar este golpe a una pobre mujer has atravesado el mar? Puedes estar orgulloso. ¡Es una hazaña de hombre!

OTRO. — ¡Acabáramos! ¿De manera que también tú estabas metida en la farsa?

ABUELA.—No. Yo no lo supe hasta anoche. Aquel segundo que te vi aquí me abrió los ojos de repente; después no me costó trabajo obligar al abuelo a confesar. ¡Era algo tan atroz que mis entrañas se negaban a creerlo! Sólo una esperanza me quedaba ya: "por lo menos, delante de mí no se atreverá". Y he esperado hasta el último momento una palabra buena, un gesto de piedad, una vacilación siquiera... ¡algo a qué poder aferrarme para perdonarte aún! Pero no. Has ido directamente a la llaga con tus manos sucias... ¡adonde más dolía!

OTRO.—No podía hacer otra cosa, abuela. ¡Necesio ese dinero para salvar la piel!

ABUELA.—Conozco la cifra; acabo de oírtela a ti mismo: doscientos mil pesos vale la vida de la abuela. No, Mauricio, no vale tanto. Por una sola lágrima te la hubiera dado entera. Pero ya es tarde para llorar. ¿Qué esperas ahora? ¡Ni un centavo por esa piel que no tiene dentro nada mío!

OTRO.—¿Vas a dejarme morir en la calle como un perro?

ABUELA.—¿No es tu ley? Ten por lo menos la dignidad de caer en ella.

OTRO (*con una angustia ronca*).—¡Piensa que no solamente pueden matarme; que puedo tener que matar yo!

ABUELA.—¡Por tu alma, Mauricio, basta! Si algo te queda de hombre, si algo quieres hacer aún por mí, sal de esta casa ahora, ¡ahora mismo!

OTRO.—¿Tanto te estorba mi presencia?

ABUELA.—¡Ni un momento más! No ves que se me acaban las fuerzas, que me están temblando las rodillas... ¡y que no quiero caer delante de ti! ¡Fuera!

OTRO.—¡Tuya será la culpa!

ABUELA.—¡Fuera! (*El* Otro, *con un gesto crispado, sale bruscamente. La* Abuela, *vencida, cae sollozando en su poltrona*). ¡Cobarde...! ¡Cobarde...!

(*Pausa. Entra el señor* Balboa *y acude a ella*).

BALBOA.—Mi pobre Eugenia... ¿No te dije que iba a ser superior a ti?

ABUELA.—Ya ves que no. El dolor fuerte pasó ya. Lo malo es la huella que deja; esa pena que viene después en silencio y que te va envolviendo lenta, lenta... Pero a ésa ya estoy acostumbrada; somos viejas amigas. (*Se rehace*). Los muchachos no habrán oído nada, ¿verdad?

BALBOA.—¿No piensas decírselo?

ABUELA.—Nunca. Les debo los días mejores de mi vida. Y ahora soy yo la que puede hacer algo por ellos. (*Se levanta. Llama en voz alta*). ¡Mauricio! ¡Isabel...!

BALBOA.—¿Pero de dónde vas a sacar fuerzas?

ABUELA.—Es el último día, Fernando. Que no me vean caída. Muerta por dentro, pero de pie. Como un árbol.

(*Entran* Isabel *y* Mauricio).

BALBOA, *la* ABUELA, ISABEL, MAURICIO

ABUELA.—¿Qué caras tristes son ésas? Ya habrá tiempo mañana.

ISABEL.—¿Se fue ese hombre?

ABUELA.—En este momento. ¡Qué tipo extraño! Dice que ha hecho un viaje largo para hablarme, se queda mirándome en silencio, y al final se va como había venido.

MAURICIO.—¿Sin hablar?

ABUELA.—Parecía que iba a decir algo importante, pero de pronto se le quebró la voz y no pudo seguir.

ISABEL.—¿Y no dijo nada? ¿Ni una palabra siquiera?

ABUELA.—Una sola: perdón. ¿Tú lo entiendes? Algún loco suelto. ¿Cerraste el equipaje?

ISABEL.—Todavía hay tiempo.

ABUELA (*al* Abuelo).—Córtales un tallo del jacarandá; les gustará llevárselo como recuerdo. De la ventana. (*Balboa sube lentamente la escalera*). Ah, y la receta del licor, no se nos vaya a olvidar a última hora. ¿Tienes lápiz y papel?

MAURICIO.—Sí, abuela. (*Se lo entrega a* Isabel, *que se sienta a escribir a la mesa*).

ABUELA.—Anota, hija, y a ver cómo te sale. Todas las mujeres de esta casa lo hemos hecho bien. Anota: agua destilada y alcohol a partes iguales. (*Tono íntimo*). ¿Cuándo sale el avión?

MAURICIO.—Mañana al amanecer.

ABUELA.—¡Mañana...! Mosto de uva pasa, un cuarto, Moscatel si puede ser. (*Vuelve al tono íntimo*). ¿Me seguirás escribiendo, Isabel?

ISABEL.—Sí, abuela, siempre, siempre.

ABUELA.—¡Me gustaría ver los grandes bosques y los trineos...! Dos claras batidas a punto de nieve. Y el día de mañana..., cuando tengáis un hijo... ¿Un hijo...? (*Queda como ausente en la promesa lejana,* Isabel *suelta el lápiz y oculta el rostro contra el brazo,* Mauricio *le aprieta los hombros en silencio y le devuelve el lápiz*). Cáscara de naranja amarga, bien macerada... Una corteza de canela en rama para perfumar... Dos gotas de esencia de romero...

TELÓN FINAL

ÍNDICE

Se terminó de imprimir esta obra
el día 21 de agosto de 1998 en los talleres de

IMPRESORES ALDINA, S. A.
Obrero Mundial, 201 - 03100 México, D. F.

COLECCION "SEPAN CUANTOS..."

Los números que aparecen a la izquierda corresponden a la numeración de la Colección

128. **ALARCON, Pedro A. de:** *El Escándalo.* Prólogo de Juana de Ontañón. .... $ 25.00
134. **ALARCON, Pedro A. de**: *El niño de la bola. El sombrero de tres picos. El capitán veneno.* Notas preliminares de Juana de Ontañón. 25.00
225. **ALAS "Clarín", Leopoldo:** *La Regenta.* Introducción de Jorge Ibargüengoitia. 45.00
449. **ALAS "Clarín", Leopoldo:** *Cuentos. Pipá. Zurita. Un candidato. El rana. Adiós "Cordera". Cambio de luz. El gallo de Sócrates. El Sombrero del Cura y 35 cuentos más.* Prólogo de Guillermo de la Torre. 25.00
572. **ALAS "Clarín", Leopoldo:** *Su único hijo. Doña Berta. Cuervo. Superchería.* Prólogo de Ramón Pérez de Ayala. 25.00

ALCEO. Véase: **PINDARO**

126. **ALCOTT, Louisa M.:** *Mujercitas. Más cosas de Mujercitas.* 25.00
273. **ALCOTT, Louisa M.:** *Hombrecitos.* 25.00
182. **ALEMAN, Mateo:** *Guzmán de Alfarache.* Introducción de Amancio Bolaño e Isla. 35.00
609. **ALENCAR, José Martiniano de:** *El guaraní.* Novela indigenista brasileña. . 30.00

ALFAU DE SOLALINDE, Jesusa. Véase: **ARROYO, Anita**

229. **ALFONSO EL SABIO:** *Antología. Cantigas de Santa María. Cantigas profanas. Primera crónica general. General e grand storia. Espéculo. Las siete partidas. El setenario. Los libros de astronomía. El lapidario. Libros de ajedrez, dados y tablas. Una carta y dos testamentos.* Con un estudio preliminar de Margarita Peña y un vocabulario. 30.00
15. **ALIGHIERI, Dante:** *La Divina Comedia. La vida nueva.* Introducción de Francisco Montes de Oca. 30.00
61. **ALTAMIRANO, Ignacio M.:** *El zarco. La navidad en las montañas.* Introducción de María del Carmen Millán. 20.00
62. **ALTAMIRANO, Ignacio M.:** *Clemencia. Cuentos de invierno. Julia. Antonia. Beatriz. Atenea.* 20.00
275. **ALTAMIRANO, Ignacio M.:** *Paisajes y leyendas. Tradiciones y costumbres de México.* Introducción de Jacqueline Covo. 35.00
43. **ALVAR, Manuel:** *Poesía tradicional de los judíos españoles.* 30.00
122. **ALVAR, Manuel:** *Cantares de Gesta medievales. Cantar de Roncesvalles. Cantar de los siete infantes de Lara. Cantar del cerco de Zamora. Cantar de Rodrigo y el rey Fernando. Cantar de la campana de Huesca.* 25.00
151. **ALVAR, Manuel:** *Antigua poesía española lírica y narrativa. Jarchas. Libro de la infancia y muerte de Jesús. Vida de Santa María Egipciaca. Disputa del alma y el cuerpo. Razón de amor con los denuestos del agua y el vino. Elena y María (disputa del clérigo y el caballero). El planto. ¡Ay Jerusalén! Historia troyana en prosa y verso.* 30.00
174. **ALVAR, Manuel:** *El romancero viejo y tradicional.* 35.00

PRECIOS SUJETOS A VARIACION SIN PREVIO AVISO

ALVAREZ QUINTERO, Hnos. Véase: **TEATRO ESPAÑOL CONTEMPORANEO**

244. **ALVAREZ QUINTERO, Serafín y Joaquín:** *Malvaloca. Amores y amoríos. Puebla de las mujeres. Doña Clarines. El genio alegre.* Prólogo de Ofelia Garza de del Castillo. .... $ 25.00

131. **AMADIS DE GAULA.** Introducción de Arturo Souto A. 35.00

157. **AMICIS, Edmundo de:** *Corazón. Diario de un niño.* Prólogo de María Elvira Bermúdez. 25.00

505. **AMIEL, Enrique Federico:** *Fragmentos de un diario íntimo.* Prólogo de Bernard Bouvier. 30.00

ANACREONTE. Véase: **PINDARO.**

83. **ANDERSEN, Hans Christian:** *Cuentos.* Prólogo de María Edmée Alvarez. .. 25.00

ANDREYEV. Véase: **CUENTOS RUSOS**

636. **ANDREYEV, Leónidas:** *Los siete ahorcados. Saschka Yegulev.* Prólogo de Ettore Lo Gato. 35.00

428. **ANONIMO:** *Aventuras del Pícaro Till Eulenspiegel.* **WICKRAM, Jorge:** *El librito del carro.* Versión y prólogo de Marianne Oeste de Bopp. 25.00

432. **ANONIMO:** *Robin Hood.* Introducción de Arturo Souto A. 25.00

635. **ANTOLOGIA DE CUENTOS DE MISTERIO Y DE TERROR.** Selección e introducción de Ilán Stavans. 40.00

661. **APPENDINI, Guadalupe:** *Leyendas de provincia* 50.00

APULEYO. Véase: **LONGO**

674. **APPENDINI, Guadalupe:** *Refranes populares de México* 50.00

301. **AQUINO, Tomás de:** *Tratado de la ley. Tratado de la justicia. Opúsculo sobre el gobierno de los príncipes.* Traducción y estudio introductivo por Carlos Ignacio González, S.J. 45.00

317. **AQUINO, Tomás de:** *Suma contra los gentiles.* Traducción y estudio introductivo por Carlos Ignacio González, S.J. 60.00

406. **ARCINIEGAS, Guzmán:** *Biografía del Caribe.* 35.00

76. **ARCIPRESTE DE HITA:** *Libro de buen amor.* Versión antigua, con prólogo y versión moderna de Amancio Bolaño e Isla. 30.00

ARENAL, Concepción. Véase: **FABULAS**

67. **ARISTOFANES:** *Las once comedias.* Versión directa del griego con introducción de Angel María Garibay K. 35.00

70. **ARISTOTELES:** *Etica Nicomaquea. Política.* Versión española e introducción de Antonio Gómez Robledo. 30.00

120. **ARISTOTELES:** *Metafísica.* Estudio introductivo, análisis de los libros y revisión del texto por Francisco Larroyo. 25.00

124. **ARISTOTELES:** *Tratados de lógica. (El organón).* Estudio introductivo, preámbulo a los tratados y notas al texto por Francisco Larroyo. 40.00

ARQUILOCO. Véase: **PINDARO**

82. **ARRANGOIZ, Francisco de Paula:** *México desde 1808 hasta 1867.* Prólogo de Martín Quirarte. 120.00

103. **ARREOLA, Juan José:** *Lectura en voz alta.* 30.00

638. **ARRILLAGA TORRENS, Rafael:** *Grandeza y decadencia de España en el siglo XVI.* 35.00

195. **ARROYO, Anita:** *Razón y pasión de Sor Juana.* Refutación a Pfandl. *El Barroco en la vida de Sor Juana,* por Jesusa Alfau de Solalinde. 30.00

ARTSIBASCHEV. Véase: **CUENTOS RUSOS**

431. **AUSTEN, Jane:** *Orgullo y prejuicio.* Prólogo de Sergio Pitol. 35.00

327. **AUTOS SACRAMENTALES.** (El auto sacramental antes de Calderón). **LOAS:** *Dice el sacramento. A un pueblo. Loa del auto de acusación contra el género humano.* **LOPEZ DE YANGUAS:** *Farsa sacramental de 1521. Los amores del alma con el príncipe de la luz. Farsa sacramental*

de la residencia del hombre. Auto de los hierros de Adán. Farsa del sacramento del entendimiento niño. **SANCHEZ DE BADAJOZ:** *Farsa de la iglesia.* **TIMONEDA:** *Auto de la oveja perdida. Auto de la fuente de los siete sacramentos. Farsa del sacramento llamado premática del pan. Auto de la fe.* **LOPE DE VEGA:** *La adúltera perdonada. La ciega. El pastor lobo y cabaña celestial.* **VALDIVIELSO:** *El hospital de los locos. La amistad en el peligro. El peregrino. La Serena de Plasencia.* **TIRSO DE MOLINA:** *El colmenero divino. Los hermanos parecidos.* **MIRA DE AMESCUA:** *Pedro Telonario.* Selección, introducción y notas de Ricardo Arias. .... $ 35.00

675. **AVITIA HERNÁNDEZ, Antonio:** *Corrido Histórico Mexicano. Tomo I.* 50.00
676. **AVITIA HERNÁNDEZ, Antonio:** *Corrido Histórico Mexicano. Tomo II.* ... 50.00
677. **AVITIA HERNÁNDEZ, Antonio:** *Corrido Histórico Mexicano. Tomo III.* .. 50.00
678. **AVITIA HERNÁNDEZ, Antonio:** *Corrido Histórico Mexicano. Tomo IV.* ... 50.00
679. **AVITIA HERNÁNDEZ, Antonio:** *Corrido Histórico Mexicano. Tomo V.* 50.00
625. **BABEL, Isaac:** *Caballería roja. Cuentos de Odesa.* Prólogo de Ilán Stavans. 35.00
293. **BACON, Francisco:** *Instauratio Magna. Novum Organum. Nueva Atlántida.* Estudio introductivo y análisis de las obras por Francisco Larroyo. 35.00
649. **BAINVILLE, Jacques:** *Napoleón.* El hombre del mundo por Ralph Waldo Emerson. 50.00
200. **BALBUENA, Bernardo de:** *La grandeza mexicana y compendio apologético en alabanza de la poesía.* Prólogo de Luis Adolfo Domínguez. 25.00
53. **BALMES, Jaime L.:** *El criterio.* Estudio preliminar de Guillermo Díaz-Plaja. 20.00
241. **BALMES, Jaime L.:** *Filosofía elemental.* Estudio preliminar por Raúl Cardiel. 30.00
112. **BALZAC, Honorato de:** *Eugenia Grandet. La piel de Zapa.* Prólogo de Carmen Galindo. 25.00
314. **BALZAC, Honorato de:** *Papá Goriot.* Prólogo de Rafael Solana. 20.00
442. **BALZAC, Honorato de:** *El lirio en el valle.* Prólogo de Jaime Torres Bodet. 25.00

BAQUILIDES. Véase: **PINDARO**

580. **BAROJA, Pío:** *Desde la última vuelta del camino. (Memorias). El escritor según él y según los críticos. Familia. Infancia y juventud.* Introducción de Néstor Luján. 40.00
581. **BAROJA, Pío:** *Desde la última vuelta del camino. (Memorias). Final del siglo XIX y principios del siglo XX. Galería de tipos de la época.* 40.00
582. **BAROJA, Pío:** *Desde la última vuelta del camino. (Memorias). La intuición y el estilo. Bagatelas de otoño.* 40.00
592. **BAROJA, Pío:** *Las inquietudes de Shanti Andia.* 35.00
335. **BARREDA, Gabino:** *La educación positivista.* Selección, estudio introductivo y preámbulos por Edmundo Escobar. 35.00
334. **BATALLAS DE LA REVOLUCION Y SUS CORRIDOS.** Prólogo y preparación de Daniel Moreno. 25.00
426. **BAUDELAIRE, Carlos:** *Las flores del mal. Diarios íntimos.* Introducción de Arturo Souto Alabarce. 30.00
17. **BECQUER, Gustavo Adolfo:** *Rimas, leyendas y narraciones.* Prólogo de Juana de Ontañón. 30.00

BENAVENTE. Véase: **TEATRO ESPAÑOL CONTEMPORANEO**

35. **BERCEO, Gonzalo de:** *Milagros de Nuestra Señora. Vida de Santo Domingo de Silos. Vida de San Millán de la Cogolla. Vida de Santa Oria. Martirio de San Lorenzo.* Prólogo y versión moderna de Amancio Bolaño e Isla. 35.00
491. **BERGSON, Henry:** *Introducción a la metafísica. La Risa. Filosofía de Bergson* por Manuel García Morente. 40.00
590. **BERGSON, Henry:** *Las dos fuentes de la moral y de la religión.* Introducción de John M. Oesterreicher. 40.00

PRECIOS SUJETOS A VARIACION SIN PREVIO AVISO

BERLER, Beatrice: *La Conquista de México.* Versión abreviada de la Historia de William A. Prescott. Traducción de Magdalena Ruiz de Cerezo .... $ 30.00

BERMUDEZ, Ma. Elvira. Véase: VERNE, Julio

BESTEIRO, Julián. Véase: HESSEN, Juan

500. **BIBLIA DE JERUSALEN.** Nueva edición totalmente revisada y aumentada. Tela. 150.00

380. **BOCCACCIO:** *El Decamerón.* Prólogo de Francisco Montes de Oca. 35.00

487. **BOECIO, Severino:** *La consolación de la filosofía.* Prólogo de Gustave Bardy. 25.00

522. **BOISSIER, Gastón:** *Cicerón y sus Amigos. Estudio de la sociedad Romana del tiempo de César.* Prólogo de Augusto Rostagni. 25.00

495. **BOLIVAR, Simón:** *Escritos políticos. El espíritu de Bolívar* por Rufino Blanco y Fombona. 25.00

BOSCAN, Juan. Véase: **VEGA, Garcilaso de la**

278. **BOTURINI BENADUCI, Lorenzo:** *Idea de una nueva historia general de la América Septentrional.* Estudio preliminar por Miguel León-Portilla 35.00

420. **BRONTE, Carlota:** *Jane Eyre.* Prólogo de Marga Sorensen. 35.00

119. **BRONTE, Emily:** *Cumbres Borrascosas.* Prólogo de Sergio Pitol. 25.00

584. **BRUYERE, LA:** *Los caracteres. Precedidos de los caracteres de Teofrasto.* 30.00

667. **BUCK, Pearl S.:** *La buena tierra.* 40.00

516. **BULWER-LYTTON.** *Los últimos días de Pompeya.* Prólogo de Santiago Galindo. 25.00

441. **BURCKHARDT, Jacob:** *La Cultura del Renacimiento en Italia.* Prólogo de Werner Kaegi. 35.00

606. **BURGOS, Fernando:** *Antología del cuento hispanoamericano.* 60.00

104. **CABALLERO, Fernan:** *La gaviota. La familia de Alvareda.* Prólogo de Salvador Reyes Nevares. 30.00

222. **CALDERON, Fernando:** *A ninguna de las tres. El torneo. Ana Bolena. Herman o la vuelta del cruzado.* Prólogo de María Edmée Alvarez. 25.00

74. **CALDERON DE LA BARCA, Madame:** *La vida en México.* Traducción y prólogo de Felipe Teixidor. 40.00

41. **CALDERON DE LA BARCA, Pedro:** *La vida es sueño. El alcalde de Zalamea.* Prólogo de Guillermo Díaz-Plaja. 25.00

331. **CALDERON DE LA BARCA, Pedro:** *Autos Sacramentales: La cena del Rey Baltasar. El gran Teatro del Mundo. La hidalga del valle. Lo que va del hombre a Dios. Los encantos de la culpa. El divino Orfeo. Sueños hay que verdad son. La vida es sueño. El día mayor de los días.* Selección, introducción y notas de Ricardo Arias. 35.00

CALVO SOTELO. Véase: **TEATRO ESPAÑOL CONTEMPORÁNEO**

252. **CAMOENS, Luis de:** *Los Lusiadas.* Traducción, prólogo y notas de Ildefonso Manuel Gil. 25.00

329. **CAMPOAMOR, Ramón de:** *Doloras. Poemas.* Introducción de Vicente Gaos. 50.00

668. **CANELLA Y SECADES, Fermín:** *Historia de Llanes y su Concejo* 40.00

435. **CANOVAS DEL CASTILLO, Antonio:** *La campana de Huesca.* Prólogo de Serafín Estébanez Calderón. 25.00

285. **CANTAR DE LOS NIBELUNGOS.** Traducción al español e introducción de Marianne Oeste de Bopp. 25.00

279. **CANTAR DE ROLDAN, EL.** Versión de Felipe Teixidor. 20.00

624. **CAPELLAN, Andrés El:** *Tratado del amor cortés.* Traducción, introducción y notas de Ricardo Arias y Arias. 35.00

640. **CARBALLO, Emmanuel:** *Protagonistas de la literatura mexicana.* José Vasconcelos. Genaro Martínez McGregor. Martín Luis Guzmán. Julio Torri. Alfonso Reyes. Artemio de Valle-Arizpe. Julio Jiménez Rueda. Octavio G. Barreda. Carlos Pellicer. José Gorostiza. Jaime Torres Bodet. Salvador

Novo. Rafael F. Muñoz. Agustín Yáñez. Mauricio Magdaleno. Nellie Campobello. Ramón Rubín. Juan Rulfo. Juan José Arreola. Elena Garro. Rosario Castellanos. Carlos Fuentes. .... $ 65.00

307. **CARLYLE, Tomás:** *Los Héroes. El culto a los héroes y lo heroico de la historia.* Estudio preliminar de Raúl Cardiel Reyes. 25.00

215. **CARROLL, Lewis:** *Alicia en el país de las maravillas. Al otro lado del espejo.* Ilustrado con grabados de John Tenniel. Prólogo de Sergio Pitol. 30.00

57. **CASAS, Fr. Bartolomé de las:** *Los Indios de México y Nueva España. Antología.* Edición, prólogo, apéndices y notas de Edmundo O'Gormann. Con la colaboración de Jorge Alberto Manrique. 30.00

318. **CASIDAS DE AMOR PROFANO Y MISTICO.** Ibn Zaydum. Ibn Arabi. Estudio y traducción de Vicente Cantarino. 25.00

223. **CASONA, Alejandro:** *Flor de leyendas. La sirena varada. La dama del alba. La barca sin pescador.* Prólogo de Antonio Magaña Esquivel. 20.00

249. **CASONA, Alejandro:** *Otra vez el diablo. Nuestra Natacha. Prohibido suicidarse en primavera. Los árboles mueren de pie.* Prólogo de Antonio Magaña Esquivel. 25.00

357. **CASTELAR, Emilio:** *Discursos. Recuerdos de Italia. Ensayos.* Selección e introducción de Arturo Souto A. 25.00

372. **CASTRO, Américo:** *La realidad histórica de España.* 50.00

268. **CASTRO, Guillén de:** *Las mocedades del Cid.* Prólogo de María Edmée Alvarez. 25.00

643. **CELLINI, Benvenuto:** *Autobiografía.* Prólogo de Manuel Ramírez. Rústica. 50.00

25. **CERVANTES DE SALAZAR, Francisco:** *México en 1554 y Túmulo Imperial.* Edición, prólogo y notas de Edmundo O'Gorman. 30.00

6. **CERVANTES SAAVEDRA, Miguel de:** *El ingenioso hidalgo Don Quijote de la Mancha.* Prólogo y esquema biográfico por Américo Castro. 40.00

9. **CERVANTES SAAVEDRA, Miguel de:** *Novelas ejemplares.* Comentario de Sergio Fernández. 30.00

98. **CERVANTES SAAVEDRA, Miguel de:** *Entremeses.* Introducción de Arturo Souto A. 20.00

422. **CERVANTES SAAVEDRA, Miguel de:** *Los trabajos de Persiles y Segismunda.* Prólogo de Mauricio Serrahima. 25.00

578. **CERVANTES SAAVEDRA, Miguel de:** *Don Quijote de la Mancha.* Edición abreviada. Introducción de Arturo Uslar Pietri. 25.00

20. **CESAR, Cayo Julio:** *Comentarios de la guerra de las Galias y Guerra Civil.* Prólogo dc Xavier Tavera. 25.00

320. **CETINA, Gutierre de:** *Obras.* Introducción de D. Joaquín Hazañas y la Rúa. Presentación de Margarita Peña. 55.00

230. **CICERON:** *Los oficios o los deberes. De la vejez. De la amistad.* Prólogo de Joaquín Antonio Peñalosa. 25.00

234. **CICERON:** *Tratado de la República. Tratado de las leyes Catilinarias.* 25.00

CID: Véase: **POEMA DE MIO CID**

137. **CIEN MEJORES POESIAS LIRICAS DE LA LENGUA CASTELLANA, LAS.** Selección y advertencia preliminar de Marcelino Menéndez Pelayo. 25.00

29. **CLAVIJERO, Francisco Javier:** *Historia antigua de México.* Edición y prólogo de Mariano Cuevas. 40.00

143. **CLAVIJERO, Francisco Javier:** *Historia de la Antigua o Baja California.* **PALOU, Fr. Francisco:** *Vida de Fr. Junípero Serra y Misiones de la California Septentrional.* Estudios preliminares de Miguel León-Portilla. 45.00

60. **COLOMA, P. Luis:** *Boy.* Prólogo de Joaquín Antonio Peñalosa. 20.00

91. **COLOMA, P. Luis:** *Pequeñeces. Jeromín.* Prólogo de Joaquín Antonio Peñalosa. 25.00

167. **COMENIO, Juan Amós:** *Didáctica Magna.* Prólogo de Gabriel de la Mora. 30.00

PRECIOS SUJETOS A VARIACION SIN PREVIO AVISO

340. **COMTE, Augusto:** *La filosofía positiva.* Proemio, estudio introductivo, selección y un análisis de los textos por Francisco Larroyo. .... $ 30.00

7. **CORTES, Hernán:** *Cartas de relación.* Nota preliminar de Manuel Alcalá. Ilustraciones. Un mapa plegado. 25.00

313. **CORTINA, Martín:** *Un rosillo inmortal. (Leyendas de los llanos). Un tlacuache vagabundo. Maravillas de Altepepan (leyendas mexicanas).* Introducción de Andrés Henestrosa. 35.00

181. **COULANGES, Fustel de:** *La ciudad antigua. (Estudio sobre el culto. El derecho y las instituciones de Grecia y Roma).* Estudio preliminar de Daniel Moreno. 30.00

662. **CRONIN, A. J.,** *Las llaves del reino* 40.00

663. **CRONIN, A. J.,** *La Ciudadela.* 40.00

100. **CRUZ, Sor Juana Inés de la:** *Obras completas.* Prólogo de Francisco Monterde. 80.00

121. **CUENTOS DE GRIMM.** Prólogo y selección de María Edmée Alvarez. 25.00

342. **CUENTOS RUSOS:** *Gógol. Turguéñev. Dostoievski. Tolstoi. Garin. Chéjov. Gorki. Andréiev. Kuprín. Artsibáshchev. Dímov. Tasin. Surguchov. Korolenko. Goncharóv. Sholojov.* Introducción de Rosa Ma. Phillips. 30.00

256. **CUYAS ARMENGOL, Arturo:** *Hace falta un muchacho.* Libro de orientación en la vida para los adolescentes. Ilustrada por Juez. 30.00

382. **CHATEAUBRIAND, René:** *El genio del cristianismo.* Introducción de Arturo Sotuo A. 40.00

524. **CHATEAUBRIAND, René:** *Atala. René. El último Abencerraje. Páginas autobiográficas.* Prólogo de Armando Rangel. 25.00

623. **CHAUCER, Geoffrey:** *Cuentos de Canterbury.* Prólogo de Raymond Las Vergnas. 35.00

148. **CHAVEZ, Ezequiel A.:** *Sor Juana Inés de la Cruz.* Ensayo de psicología y de estimación del sentido de su vida para la historia de la cultura y de la formación de México. 30.00

CHEJOV, Antón: Véase: **CUENTOS RUSOS**

411. **CHEJOV, Antón:** *Cuentos escogidos.* Prólogo de Sommerset Maugham. 30.00

454. **CHEJOV, Antón:** *Teatro: La gaviota. Tío Vania. Las tres hermanas. El jardín de los cerezos.* Prólogo de Máximo Gorki. 30.00

633. **CHEJOV, Antón:** *Novelas cortas. Mi vida. La sala número seis. En el barranco. Campesinos. Un asesino. Una historia aburrida.* Prólogo de Marc Slonim. 40.00

478. **CHESTERTON, Gilbert K.:** *Ensayos.* Prólogo de Hilario Belloc. 30.00

490. **CHESTERTON, Gilbert K.:** *Ortodoxia. El hombre eterno.* Prólogo de Augusto Assia. 30.00

42. **DARIO, Rubén:** *Azul... El salmo de la pluma. Cantos de vida y esperanza. Otros poemas.* Edición de Antonio Oliver. 25.00

385. **DARWIN, Carlos:** *El origen de las especies.* Introducción de Richard W. Leakey. 40.00

377. **DAUDET, Alfonso:** *Tartarín de Tarascón. Tartarín en los Alpes. Port-Tarascón.* Prólogo de Juan Antonio Guerrero. 25.00

140. **DEFOE, Daniel:** *Aventuras de Robinson Crusoe.* Prólogo de Salvador Reyes Nevares. 20.00

154. **DELGADO, Rafael:** *La calandria.* Prólogo de Salvador Cruz. 25.00

280. **DEMOSTENES:** *Discursos.* Estudio preliminar de Francisco Montes de Oca. 30.00

177. **DESCARTES:** *Discurso del método. Meditaciones metafísicas. Reglas para la dirección del espíritu. Principios de la filosofía.* Estudio introductivo, análisis de las obras y notas al texto por Francisco Larroyo. 30.00

604. **DIAZ COVARRUBIAS, Juan:** *Gil Gómez el Insurgente o la hija del médico.* Apuntes biográficos de Antonio Carrión. *Los mártires de Tacubaya* por Juan A. Mateos e Ignacio M. Altamirano. 35.00

PRECIOS SUJETOS A VARIACION SIN PREVIO AVISO

5. **DIAZ DEL CASTILLO, Bernal:** *Historia verdadera de la conquista de la Nueva España.* Introducción y notas de Joaquín Ramírez Cabañas. Con un mapa. .... $ 35.00

127. **DICKENS, Carlos:** *David Copperfield.* Introducción de Sergio Pitol. 40.00

310. **DICKENS, Carlos:** *Canción de Navidad. El grillo del hogar. Historia de dos ciudades.* Estudio preliminar de María Edmée Alvarez. 25.00

362. **DICKENS, Carlos:** *Oliver Twist.* Prólogo de Rafael Solana. 30.00

648. **DICKENS, Carlos:** *Almacén de antigüedades.* Prólogo de Juan Diego Mayoux. 40.00

DIMOV. Véase: **CUENTOS RUSOS**

28. **DON JUAN MANUEL:** *El Conde Lucanor.* Versión antigua y moderna e introducción de Amancio Bolaño e Isla. 25.00

DOSTOIEVSKI, Fedor M.: Véase: **CUENTOS RUSOS**

84. **DOSTOIEVSKI, Fedor M.:** *El Príncipe idiota. El sepulcro de los vivos.* Notas preliminares de Rosa María Phillips. 25.00

106. **DOSTOIEVSKI, Fedor M.:** *Los hermanos Karamazov.* Prólogo de Rosa María Phillips. 40.00

108. **DOSTOIEVSKI, Fedor M.:** *Crimen y castigo.* Introducción de Rosa María Phillips. 35.00

259. **DOSTOIEVSKI, Fedor M.:** *Las noches blancas. El jugador. Un ladrón honrado.* Prólogo de Rosa María Phillips. 20.00

341. **DOYLE, Conan Arthur:** *Aventuras de Sherlock Holmes: Un crimen extraño. El intérprete griego. Triunfos de Sherlock Holmes: Los tres estudiantes. El mendigo de la cicatriz. K.K.K. La muerte del coronel. Un protector original. El novio de Miss Sutherland. Las aventuras de una ciclista. El misterio de Boscombe. Policía fina. El casado sin mujer. La diadema de Berilos. El carbuclo azul. "Silver Blaze". Un empleo extraño. El ritual de los Musgrave. El "Gloria Scott". El documento robado.* Prólogo de María Elvira Bermúdez. 30.00

343. **DOYLE, Conan Arthur:** *Aventuras de Sherlock Holmes: El perro de Baskerville. La marca de los cuatro. El pulgar del ingeniero. La banda moteada.* **Nuevos triunfos de Sherlock Holmes:** *El ingenio de Napoleón. El campeón de "Foot-Ball". El cordón de la campanilla. Los Cunningham's. Las dos manchas de sangre.* 30.00

345. **DOYLE, Conan Arthur:** *Aventuras de Sherlock Holmes: La resurrección de Sherlock Holmes: Nuevas y últimas aventuras de Sherlock Holmes. La caja de laca. El embudo de cuero, etc.* 30.00

73. **DUMAS, Alejandro:** *Los tres mosqueteros.* Prólogo de Salvador Reyes Nevares. 35.00

75. **DUMAS, Alejandro:** *Veinte años después.* 35.00

346. **DUMAS, Alejandro:** *El Conde de Monte-Cristo.* Prólogo de Mauricio González de la Garza. 50.00

364-365. **DUMAS, Alejandro:** *El Vizconde de Bragelonne.* 2 tomos. 100.00

407. **DUMAS, Alejandro:** *El paje del Duque de Saboya.* 30.00

415. **DUMAS, Alejandro:** *Los cuarenta y cinco.* 30.00

452. **DUMAS, Alejandro:** *La dama de Monsoreau.* 30.00

502. **DUMAS, Alejandro:** *La Reina Margarita.* 30.00

504. **DUMAS, Alejandro:** *La mano del muerto.* 30.00

601. **DUMAS, Alejandro:** *Mil y un fantasmas.* Traducción de Luisa Sofovich. 30.00

349. **DUMAS, Alejandro (hijo):** *La dama de las Camelias.* Introducción de Arturo Souto A. 20.00

309. **ECA DE QUEIROZ:** *El misterio de la carretera de Cintra. La ilustre casa de Ramíres.* Prólogo de Monserrat Alfau. 30.00

PRECIOS SUJETOS A VARIACION SIN PREVIO AVISO

444. **ECKERMANN:** *Conversaciones con Goethe.* Introducción de Rudolf K. Goldschmith Jentner. .... $ 35.00

596. **EMERSON, Ralph Waldo:** *Ensayos.* Prólogo de Edward Tinker. 30.00

283. **EPICTETO:** *Manual y máximas.* **MARCO AURELIO:** *Soliloquios.* Estudio preliminar de Francisco Montes de Oca. 30.00

99. **ERCILLA, Alonso de:** *La Araucana.* Prólogo de Ofelia Garza de del Castillo. 29.00

ESOPO: Véase: **FABULAS**

233. **ESPINEL, Vicente:** *Vida de Marcos Obregón.* Prólogo de Juan Pérez de Guzmán. 25.00

202. **ESPRONCEDA, José de.** *Obras poéticas. El pelayo, Poesías líricas. El estudiante de Salamanca. El diablo mundo.* Prólogo de Juana de Ontañón. 15.00

11. **ESQUILO:** *Las siete tragedias.* Versión directa del griego, con una introducción de Angel María Garibay K. 25.00

24. **EURIPIDES:** *Las diecinueve tragedias.* Versión directa del griego, con una introducción de Angel María Garibay K. 30.00

602. *Evangelios Apócrifos.* Introducción de Daniel Rops. 30.00

16. **FABULAS.** *(Pensador mexicano, Rosas Moreno, La Fontaine, Samaniego Iriarte, Esopo, Fedro, etc.).* Selección y notas de María de Pina. 30.00

FEDRO. Véase: **FABULAS**

593. **FEIJOO, Benito Jerónimo:** *Obras escogidas.* Introducción de Arturo Souto Alabarce. 35.00

387. **FENELON:** *Aventuras de Telémaco.* Introducción de Jeanne Renée Becker. 30.00

503. **FERNANDEZ DE AVELLANEDA, Alonso:** *El ingenioso hidalgo Don Quijote de la Mancha. Que contiene su tercera salida y que es la quinta parte de sus aventuras.* Prólogo de Marcelino Menéndez Pelayo. 30.00

1. **FERNANDEZ DE LIZARDI, José Joaquín:** *El Periquillo sarniento.* Prólogo de J. Rea Spell. 35.00

71. **FERNANDEZ DE LIZARDI, José Joaquín:** *La Quijotita y su prima.* Introducción de María del Carmen Ruiz Castañeda. 25.00

173. **FERNANDEZ DE MORATIN, Leandro:** *El sí de las niñas. La comedia nueva o el café. La derrota de los pedantes. Lección poética.* Prólogo de Manuel de Ezcurdia. 20.00

521. **FERNANDEZ DE NAVARRETE, Martín:** *Viajes de Colón.* 35.00

211. **FERRO GAY, Federico:** *Breve historia de la literatura italiana.* 40.00

512. **FEVAL, Paul:** *El jorobado o Enrique de Lagardere.* 30.00

641. **FICHTE, Johann Gottlieb:** *El destino del hombre.* Introducciones a la teoría de la ciencia. Prólogo de Federico Jodl. 40.00

FILOSTRATO. Véase: **LAERCIO, Diógenes**

352. **FLAUBERT, Gustavo:** *Madame Bovary. Costumbres de provincia.* Prólogo de José Arenas. 30.00

FRANCE, Anatole: Véase: **RABELAIS**

375. **FRANCE, Anatole:** *El crimen de un académico. La azucena roja. Tais.* Prólogo de Rafael Solana. 40.00

399. **FRANCE, Anatole:** *Los dioses tienen sed. La rebelión de los ángeles.* Prólogo de Pierre Josserand. 35.00

654. **FRANK, Ana:** *Diario.* Prólogo de Daniel Rops 30.00

391. **FRANKLIN, Benjamín:** *Autobiografía y otros escritos.* Prólogo de Arturo Uslar Pietri. 30.00

92. **FRIAS, Heriberto:** *Tomóchic.* Prólogo y notas de James W. Brown. 20.00

494. **FRIAS, Heriberto:** *Leyendas históricas mexicanas y otros relatos.* Prólogo de Antonio Saborit. 35.00

534. **FRIAS, Heriberto:** *Episodios militares mexicanos. Principales campañas, jornadas, batallas, combates y actos heroicos que ilustran la historia del* *ejército nacional desde la Independencia hasta el triunfo definitivo de la República.* .... $ 30.00

670. **FUENTES DÍAZ, Vicente:** *Valentín Gómez Farías-Santos Degollado.* 70.00

608. **FURMANOV, Dimitri:** *Chapáev.* Prólogo de Dionisio Rosales. 40.00

354. **GABRIEL Y GALAN, José María:** *Obras completas.* Introducción de Arturo Souto A. 35.00

311. **GALVAN, Manuel de J.:** *Enriquillo. Leyenda histórica dominicana (1503-1533).* Con un estudio de Concha Meléndez. 18.00

305. **GALLEGOS, Rómulo:** *Doña bárbara.* Prólogo de Ignacio Díaz Ruiz. 30.00

368. **GAMIO, Manuel:** *Forjando patria.* Prólogo de Justino Fernández. 25.00

251. **GARCIA LORCA, Federico:** *Libro de poemas. Poema del Canto Jondo. Romancero Gitano. Poeta en Nueva York. Odas. Llanto por Sánchez Mejías. Bodas de Sangre. Yerma.* Prólogo de Salvador Novo. 25.00

255. **GARCIA LORCA, Federico:** *Mariana Pineda. La zapatera prodigiosa. Así que pasen cien años. Doña Rosita la soltera. La casa de Bernarda Alba. Primeras canciones. Canciones.* Prólogo de Salvador Novo. 30.00

164. **GARCIA MORENTE, Manuel:** *Lecciones preliminares de filosofía.* 25.00

621. **GARCIA MORENTE, Manuel:** *Estudios y ensayos.* Prólogo de Luis Aguirre Pardo. 35.00

GARCILASO DE LA VEGA. Véase: **VEGA, Garcilaso de la**

22. **GARIBAY K., Angel María:** *Panorama literario de los pueblos nahuas.* 25.00

31. **GARIBAY K., Angel María:** *Mitología griega. Dioses y héroes.* 25.00

626. **GARIBAY K., Angel María:** *Historia de la literatura Náhuatl.* Prólogo por Miguel León-Portilla. 65.00

GARIN. Véase: **CUENTOS RUSOS**

373. **GAY, José Antonio:** *Historia de Oaxaca.* Prólogo de Pedro Vázquez Colmenares. 45.00

433. **GIL Y CARRASCO, Enrique:** *El señor de Bembibre. El lago de Carucedo. Artículos de costumbres.* Prólogo de Arturo Souto A. 25.00

21. **GOETHE, J. W.:** *Fausto. Werther.* Introducción de Francisco Montes de Oca. 25.00

400. **GOETHE, J. W.:** *De mi vida. Poesía y verdad.* Prólogo de Ernst Robert Curtius. 50.00

132. **GOGOL, Nikolai V.:** *Las almas muertas. La tercera orden de San Vladimiro. (Fragmentos de comedia inconclusa).* Prólogo de Rosa María Phillips. . 25.00

457. **GOGOL, Nikolai V.:** *Taras Bulba. Relatos de Mirgorod.* Prólogo de Emilia Pardo Bazán. 25.00

627. **GOGOL, Nikolai V:** *Novelas breves petersburguesas. Diario de un loco. La nariz. El copete. El retrato. El carruaje. La perspectiva Nevski.* Prólogo de Pablo Schostakovski. 35.00

GOGOL, Nikolai V. Véase: **CUENTOS RUSOS**

461. **GOMEZ ROBLEDO, Antonio:** *El magisterio filosófico y jurídico de Alonso de la Veracruz. Con una antología de textos.* 25.00

GONCHAROV. Véase: **CUENTOS RUSOS**

262. **GONGORA:** *Poesías. Romances. Letrillas. Redondillas. Décimas. Sonetos atribuidos. Poemas. Soledades. Polifemo y Galatea. Panegírico. Poesías sueltas.* Prólogo de Anita Arroyo. 30.00

568. **GONZALEZ OBREGON, Luis:** *Las calles de México. Leyendas y sucedidos. Vida y costumbres de otros tiempos.* Prólogo de Carlos G. Peña y Luis G. Urbina. 25.00

44. **GONZALEZ PEÑA, Carlos:** *Historia de la literatura mexicana. (Desde los orígenes hasta nuestros días).* 30.00

254. **GORKI, Máximo:** *La madre. Mis confesiones.* Prólogo de Rosa María Phillips. 25.00

397. **GORKI, Maximo:** *Mi infancia. Por el mundo. Mis universidades.* Prólogo de Marc Slonim. 35.00

PRECIOS SUJETOS A VARIACION SIN PREVIO AVISO

118. **GOYTORTUA SANTOS, Jesús:** *Pensativa.* Premio "Lanz Duret" 1944. ..... $ 30.00
315. **GRACIAN, Baltasar:** *El discreto. El criticón. El héroe.* Introducción de Isabel C. Tarán. 40.00
GUILLEN DE NICOLAU, Palma. Véase: **MISTRAL, Gabriela**
169. **GÜIRALDES, Ricardo:** *Don segundo sombra.* Prólogo de María Edmée A. 30.00
GUITTON, Jean. Véase: **SERTILANGES, A. D.**
19. **GUTIERREZ NAJERA, Manuel:** *Cuentos y cuaresmas del Duque Job. Cuentos frágiles. Cuentos de color de humo. Primeros cuentos. Ultimos cuentos.* Prólogo y capítulo de novelas. Edición e introducción de Francisco Monterde. 35.00
438. **GUZMAN, Martín Luis:** *Memorias de Pancho Villa.* 68.00
508. **HAGGARD, Henry Rider:** *Las minas del Rey Salomón.* Introducción de Allan Quatermain. 35.00
396. **HAMSUN, Knut:** *Hambre. Pan.* Prólogo de Antonio Espina. 30.00
631. **HAWTHORNE, Nathaniel:** *La letra escarlata.* Prólogo de Ludwig Lewisohn. 35.00
484. **HEBREO, León:** *Diálogos de Amor.* Traducción de Garcilaso de la Vega, El Inca. 30.00
187. **HEGEL:** *Enciclopedia de las ciencias filosóficas.* Estudio introductivo y análisis de la obra por Francisco Larroyo. 35.00
429. **HEINE, Enrique:** *Libro de los cantares. Prosa escogida.* Prólogo de Marcelino Menéndez Pelayo. 25.00
599. **HEINE, Enrique:** *Alemania. Cuadros de viaje.* Prólogo de Maxime Alexandre. 35.00
HENRIQUEZ UREÑA, Pedro. Véase: **URBINA, Luis G.**
271. **HEREDIA, José María:** *Poesías completas.* Estudio preliminar de Raimundo Lazo. 25.00
216. **HERNANDEZ, José:** *Martín Fierro.* Estudio preliminar por Raimundo Lazo. 20.00
176. **HERODOTO:** *Los nueve libros de la historia.* Introducción de Edmundo O'Gorman. 50.00
323. **HERRERA Y REISSIG, Julio:** *Poesías.* Introducción de Ana Victoria Mondada. 25.00
206. **HESIODO:** *Teogonía. Los trabajos y los días. El escudo de Heracles. Idilios de Bión. Idilios de Mosco. Himnos órficos.* Prólogo de Manuel Villálaz. 20.00
607. **HESSE, Hermann:** *El lobo estepario. Relatos autobiográficos.* Prólogo de F. Martini. 35.00
630. **HESSE, Hermann:** *Demian. Siddhartha.* Prólogo de Ernest Robert Curtius. . 25.00
351. **HESSEN, Juan:** *Teoría del conocimiento.* **MESSER, Augusto:** *Realismo crítico.* **BESTEIRO, Julian:** *Los juicios sintéticos "A priori".* Preliminar y estudio introductivo por Francisco Larroyo. 30.00
156. **HOFFMAN, E. T. G.:** *Cuentos.* Prólogo de Rosa María Phillips. 30.00
2. **HOMERO:** *La Ilíada.* Traducción de Luis Segala y Estalella. Prólogo de Alfonso Reyes. 25.00
4. **HOMERO:** *La Odisea.* Traducción de Luis Segala y Estalella. Prólogo de Manuel Alcalá. 25.00
240. **HORACIO:** *Odas y épodos. Sátiras. Epístolas. Arte poética.* Estudio preliminar de Francisco Montes de Oca. 30.00
77. **HUGO, Víctor:** *Los miserables.* Nota preliminar de Javier Peñalosa. 70.00
294. **HUGO, Víctor:** *Nuestra Señora de París.* Introducción de Arturo Souto A. .. 35.00
586. **HUGO, Víctor:** *Noventa y tres.* Prólogo de Marcel Aymé. 35.00
274. **HUGON, Eduardo:** *Las veinticuatro tesis tomistas. Incluye, además Encíclica Aeterni Patris, de León XIII. Motu Propio Doctoris Angelici, de Pío X. Motu Propio non multo post, de Benedicto XV. Encíclica Studiorum Ducem, de Pío XI.* Análisis de la obra precedida de un estudio sobre los orígenes y desenvolvimiento de la Neoescolástica, por Francisco Larroyo. 30.00
HUIZINGA, Johan. Véase: **ROTTERDAM, Erasmo de**

PRECIOS SUJETOS A VARIACION SIN PREVIO AVISO

39. **HUMBOLDT, Alejandro de:** *Ensayo político sobre el reino de la Nueva España.* Estudio preliminar, cotejos, notas y anexos de Juan A. Ortega y Medina. .. $ 90.00

326. **HUME, David:** *Tratado de la naturaleza humana. Ensayo para introducir el método del razonamiento humano en los asuntos morales.* Estudio introductivo y análisis de la obra por Francisco Larroyo. 35.00

587. **HUXLEY, Aldous:** *Un mundo feliz. Retorno a un mundo feliz.* Prólogo de Theodor W. Adorno. 35.00

78. **IBARGÜENGOITIA, Antonio:** *Filosofía mexicana. En sus hombres y en sus textos.* 35.00

348. **IBARGÜENGOITIA CHICO, Antonio:** *Suma filosófica mexicana. (Resumen de historia de la filosofía en México).* 30.00

303. **IBSEN, Enrique:** *Peer Gynt. Casa de muñecas. Espectros. Un enemigo del pueblo. El pato silvestre. Juan Gabriel Borkman.* Versión y prólogo de Ana Victoria Mondada. 30.00

47. **IGLESIAS, José María:** *Revistas históricas sobre la intervención francesa en México.* Introducción e índice de materias de Martín Quirarte. 70.00

63. **INCLAN, Luis G.:** *Astucia. El jefe de los hermanos de la hoja o los charros contrabandistas de la rama.* Prólogo de Salvador Novo. 40.00

207. **INDIA LITERARIA, LA.** *Mahabarata. Bagavad Gita. Los vedas. Leyes de Manú. Poesía. Teatro. Cuentos. Apología y leyendas.* Antología, introducciones históricas, notas y un vocabulario del hinduismo por Teresa E. Rohde. 30.00

270. **INGENIEROS, José:** *El hombre mediocre.* Introducción de Raúl Carrancá y Rivas. 25.00

IRIARTE. Véase: **FABULAS**

79. **IRVING, Washington:** *Cuentos de la Alhambra.* Introducción de Ofelia Garza de del Castillo. 22.00

46. **ISAACS, Jorge:** *María.* Introducción de Daniel Moreno. 25.00

245. **JENOFONTE:** *La expedición de los diez mil. Recuerdos de Sócrates. El banquete. Apología de Sócrates.* Estudio preliminar de Francisco Montes de Oca. 25.00

66. **JIMENEZ, Juan Ramón:** *Platero y yo. Trescientos poemas (1903-1953).* ... 25.00

374. **JOSEFO, Flavio:** *La guerra de los judíos.* Prólogo de Salvador Marichalar. . 30.00

448. **JOVELLANOS, Gaspar Melchor de:** *Obras históricas. Sobre la legislación y la historia. Discursos sobre la geografía y la historia. Sobre los espectáculos y diversiones públicas. Descripción del Castillo de Bellver. Disciplina eclesiástica sobre sepulturas.* Edición y notas de Elvira Martínez. . 35.00

23. **JOYAS DE LA AMISTAD ENGARZADAS EN UNA ANTOLOGIA.** Selección y nota preliminar de Salvador Novo. 25.00

390. **JOYCE, James:** *Retrato del artista adolescente. Gente de Dublín.* Prólogo de Antonio Marichalar. 22.00

467. **KAFKA, Franz:** *La metamorfosis. El proceso.* Prólogo de Milán Kundera. ... 25.00

486. **KAFKA, Franz:** *El castillo. La condena. La gran Muralla China.* Introducción de Theodor W. Adorno. 25.00

656. **KAFKA, Franz:** *Carta al padre y otros relatos.* Prólogo de José Ma. Alfaro 30.00

203. **KANT, Manuel:** *Crítica de la razón pura.* Estudio introductivo y análisis de la obra por Francisco Larroyo. 35.00

212. **KANT, Manuel:** *Fundamentación de la metafísica de las costumbres. Crítica de la razón práctica. La paz perpetua.* Estudio introductivo y análisis de las obras por Francisco Larroyo. 30.00

246. **KANT, Manuel:** *Prolegómenos a toda metafísica del porvenir. Observaciones sobre el sentimiento de lo bello y lo sublime. Crítica del juicio.* Estudio preliminar de las obras por Francísco Larroyo. 35.00

30. **KEMPIS, Tomás de:** *Imitación de Cristo.* Introducción de Francisco Montes de Oca. 25.00

PRECIOS SUJETOS A VARIACION SIN PREVIO AVISO

204. **KIPLING, Rudyard:** *El libro de las tierras vírgenes.* Introducción de Arturo Souto Alabarce. .... $ 30.00

545. **KOROLENKO, Vladimir G.:** *El sueño de Makar. Malas compañías. El clamor del bosque. El músico ciego y otros relatos.* Introducción por A. Jrabrovitski. 25.00

KOROLENKO: Véase: **CUENTOS RUSOS**

637. **KRUIF, Paul de:** *Los cazadores de microbios.* Introducción de Irene E. Motts. 35.00

598. **KUPRIN, Alejandro:** *El desafío.* Introducción de Ettore Lo Gatto. 30.00

KUPRIN: Véase: **CUENTOS RUSOS**

427. **LAERCIO, Diógenes:** *Vidas de los filósofos más ilustres.* **FILOSTRATO:** *Vidas de los sofistas.* Traducciones y prólogos de José Ortiz Sanz y José M. Riaño. 35.00

LAERCIO, Diógenes. Véase: **LUCRECIO CARO, Tito**

LAFONTAINE. Véase: **FABULAS.**

520. **LAFRAGUA, José María y OROZCO Y BERRA, Manuel:** *La ciudad de México.* Prólogo de Ernesto de la Torre Villar. Con la colaboración de Ramiro Navarro de Anda. 50.00

155. **LAGERLOFF, Selma:** *El maravilloso viaje de Nils Holgersson.* Introducción de Palma Guillén de Nicolau. 30.00

549. **LAGERLOFF, Selma:** *El carretero de la muerte. El esclavo de su finca y otras narraciones.* Prólogo de Agustín Loera y Chávez. 30.00

272. **LAMARTINE, Alfonso de:** *Graziella. Rafael.* Estudio preliminar de Daniel Moreno. 25.00

93. **LARRA, Mariano José de. "Fígaro":** *Artículos.* Prólogo de Juana de Ontañón. 40.00

459. **LARRA, Mariano José de. "Fígaro":** *El doncel de Don Enrique. El doliente. Macías.* Prólogo de Arturo Souto A. 30.00

333. **LARROYO, Francisco:** *La filosofía Iberoamericana. Historia, formas, temas, polémica, realizaciones.* 35.00

34. **LAZARILLO DE TORMES, EL.** (Autor desconocido). *Vida del buscón Don Pablos* de **FRANCISCO DE QUEVEDO.** Estudio preliminar de ambas obras por Guillermo Díaz-Plaja. 25.00

38. **LAZO, Raimundo:** *Historia de la literatura hispanoamericana. El período colonial (1492-1780).* 40.00

65. **LAZO, Raimundo:** *Historia de la literatura hispanoamericana. El siglo XIX (1780-1914).* 40.00

179. **LAZO, Raimundo:** *La novela Andina. (Pasado y futuro. Alcides. Arguedas. César Vallejo. Ciro Alegría. Jorge Icaza. José María Arguedas. Previsible misión de Vargas Llosa y los futuros narradores).* 25.00

184. **LAZO, Raimundo:** *El romanticismo. (Lo romántico en la lírica hispanoamericana, del siglo XVI a 1970).* 30.00

226. **LAZO, Raimundo:** *Gertrudis Gómez de Avellaneda. La mujer y la poesía lírica.* 25.00

LECTURA EN VOZ ALTA. Véase: **ARREOLA, Juan José**

247. **LE SAGE:** *Gil Blas de Santillana.* Traducción y prólogo de Francisco José de Isla. Y un estudio de Sainte-Beuve. 45.00

321. **LEIBNIZ, Godofredo G.:** *Discurso de metafísica. Sistema de la naturaleza. Nuevo tratado sobre el entendimiento humano. Monadología. Principios sobre la naturaleza y la gracia.* Estudio introductivo y análisis de las obras por Francisco Larroyo. 40.00

145. **LEON, Fray Luis de:** *La perfecta casada. Cantar de los cantares. Poesías originales.* Introducción y notas de Joaquín Antonio Peñalosa. 25.00

632. **LESSING, G. E.:** *Laocoonte.* Introducción de Wilhelm Dilthey. 35.00

PRECIOS SUJETOS A VARIACION SIN PREVIO AVISO

48. *Libro de los Salmos.* Versión directa del hebreo y comentarios de José González Brown. .... $ 35.00

304. **LIVIO, Tito:** *Historia Romana. Primera década.* Estudio preliminar de Francisco Montes de Oca. 35.00

671. **LOCKE, Jonh:** *Ensayo sobre el gobierno civil* 35.00

276. **LONDON, Jack:** *El lobo de mar. El mexicano.* Introducción de Arturo Souto A. 25.00

277. **LONDON, Jack:** *El llamado de la selva. Colmillo blanco.* 30.00

284. **LONGO:** *Dafnis y Cloé.* **APULEYO:** *El asno de oro.* Estudio preliminar de Francisco Montes de Oca. 30.00

12. **LOPE DE VEGA Y CARPIO, Félix:** *Fuente ovejuna. Peribáñez y el comendador de ocaña. El mejor alcalde, el Rey. El caballero de Olmedo.* Biografía y presentación de las obras por J. M. Lope Blanch. 30.00

LOPE DE VEGA. Véase: **AUTOS SACRAMENTALES**

657. **LOPE DE VEGA.** *Poesía líricas.* Prólogo de Alfonso Junes 65.00

566. **LOPEZ DE GOMARA, Francisco:** *Historia de la conquista de México.* Estudio preliminar de Juan Miralles Ostos. 50.00

LOPEZ DE YANGUAS. Véase: **AUTOS SACRAMENTALES**

298. **LOPEZ-PORTILLO Y ROJAS, José:** *Fuertes y débiles.* Prólogo de Ramiro Villaseñor y Villaseñor. 30.00

LOPEZ RUBIO. Véase: **TEATRO ESPAÑOL CONTEMPORANEO**

574. **LOPEZ SOLER, Ramón:** *Los bandos de Castilla. El caballero del cisne.* Prólogo de Ramón López Soler. 30.00

218. **LOPEZ Y FUENTES, Gregorio:** *El indio. (Novela mexicana.)* Prólogo de Antonio Magaña Esquivel. 20.00

297. **LOTI, Pierre:** *Las desencantadas.* Introducción de Rafael Solana. 20.00

LUCA DE TENA. Véase: **TEATRO ESPAÑOL CONTEMPORANEO**

485. **LUCRECIO CARO, Tito:** *De la naturaleza.* **LAERCIO, Diógenes:** *Epicuro.* Prólogo de Concetto Marchessi. 35.00

353. **LUMMIS, Carlos F.:** *Los exploradores españoles del siglo XVI.* Prólogo de Rafael Altamira. 25.00

595. **LLUL, Ramón:** *Blanquerna. El doctor iluminado* por Ramón Xirau. 35.00

639. **MACHADO DE ASSIS, Joaquín María:** *El alienista y otros cuentos.* Prólogo de Ilán Stavans. 35.00

324. **MAETERLINCK, Maurice:** *El pájaro azul.* Introducción de Teresa del Conde. 20.00

664. **MANN, Thomas:** *La Montaña mágica* 70.00

178. **MANZONI, Alejandro:** *Los novios. (Historia milanesa del siglo XVIII).* Con un estudio de Federico Baraibar. 30.00

152. **MAQUIAVELO, Nicolás:** *El príncipe.* Precedido de Nicolás Maquiavelo en su quinto centenario por Antonio Gómez Robledo. 20.00

MARCO AURELIO: Véase: **EPICTETO**

192. **MARMOL, José:** *Amalia.* Prólogo de Juan Carlos Ghiano. 35.00

652. **MARQUES DE SANTILLANA — GOMEZ MANRIQUE — JORGE MANRIQUE.** *Poesía.* Introducción de Arturo Souto A. 35.00

367. **MARQUEZ STERLING, Carlos:** *José Martí. Síntesis de una vida extraordinaria.* 22.00

MARQUINA. Véase: **TEATRO ESPAÑOL CONTEMPORÁNEO**

141. **MARTI, José:** *Sus mejores páginas.* Estudio, notas y selección de textos, por Raimundo Lazo. 30.00

236. **MARTI, José:** *Ismaelillo. La edad de oro. Versos sencillos.* Prólogo de Raimundo Lazo. 25.00

338. **MARTINEZ DE TOLEDO, Alfonso:** *Arcipreste de Talavera o Corbacho.* Introducción de Arturo Souto A. Con un estudio del vocabulario del Corbacho y colección de refranes y locuciones contenidos en el mismo por A. Steiger. 30.00

PRECIOS SUJETOS A VARIACION SIN PREVIO AVISO

214. **MARTINEZ SIERRA. Gregorio:** *Tú eres la paz. Canción de cuna.* Prólogo de María Edmée Alvarez. .... $ 25.00

193. **MATEOS, Juan A.:** *El cerro de las campanas. (Memorias de un guerrillero).* Prólogo de Clementina Díaz y de Ovando. 35.00

197. **MATEOS, Juan A.:** *El sol de mayo. (Memorias de la intervención).* Nota preliminar de Clementina Díaz y de Ovando. 30.00

514. **MATEOS, Juan A.:** *Sacerdote y caudillo. (Memorias de la insurrección).* ... 35.00

573. **MATEOS, Juan A.:** *Los insurgentes.* Prólogo y epílogo de Vicente Riva Palacio. 35.00

344. **MATOS MOCTEZUMA, Eduardo:** *El negrito poeta mexicano y el dominicano. ¿Realidad o fantasía?* Exordio de Antonio Pompa y Pompa. 25.00

565. **MAUGHAM W., Somerset:** *Cosmopolitas. La miscelánea de siempre.* Estudio sobre el cuento corto de W. Somerset Maugham. 30.00

665. **MAUGHAM W., Somerset:** *Servidumbre humana* 60.00

410. **MAUPASSANT, Guy de:** *Bola de sebo. Mademoiselle Fifi. Las hermanas Rondoli.* 30.00

423. **MAUPASSANT, Guy de:** *La becada. Claror de luna. Miss Harriet.* Introducción de Dana Lee Thomas. 35.00

642. **MAUPASSANT, Guy de:** *Bel-Ami.* Introducción de Miguel Moure. Traducción de Luis Ruiz Contreras. 40.00

506. **MELVILLE, Herman:** *Moby Dick o la ballena blanca.* Prólogo de W. Somerset Maugham. 40.00

336. **MENENDEZ, Miguel Angel:** *Nayar.* (Novela). Ilustró Cadena M. 29.00

370. **MENENDEZ PELAYO, Marcelino:** *Historia de los heterodoxos españoles. Erasmistas y protestantes. Sectas místicas. Judaizantes y moriscos. Artes mágicas.* Prólogo de Arturo Farinelli. 60.00

389. **MENENDEZ PELAYO, Marcelino:** *Historia de los heterodoxos españoles. Regalismo y enciclopedia. Los afrancesados y las Cortes de Cádiz. Reinados de Fernando VII e Isabel II. Krausismo y Apologistas católicos.* Prólogo de Arturo Ferinelli. 65.00

405. **MENENDEZ PELAYO, Marcelino:** *Historia de los heterodoxos españoles. Epocas romana y visigoda. Priscilianismo y adopcionismo. Mozárabes. Acordobeses. Panteísmo semítico. Albigenses y valdenses. Arnaldo de Vilanova. Raimundo Lulio. Herejes en el siglo XV.* Advertencia y discurso preliminar de Marcelino Menéndez Pelayo. 60.00

475. **MENENDEZ PELAYO, Marcelino:** *Historia de las ideas estéticas en España. Las ideas estéticas entre los antiguos griegos y latinos. Desarrollo de las ideas estéticas hasta fines del siglo XVII.* 65.00

482. **MENENDEZ PELAYO, Marcelino:** *Historia de las ideas estéticas en España. Reseña histórica del desarrollo de las doctrinas estéticas durante el siglo XVIII.* 65.00

483. **MENENDEZ PELAYO, Marcelino:** *Historia de las ideas estéticas en España. Desarrollo de las doctrinas estéticas durante el siglo XIX.* 65.00

MESSER, Augusto: Véase: **HESSEN, Juan**

MIHURA: Véase: **TEATRO ESPAÑOL CONTEMPORANEO**

18. **MIL Y UN SONETOS MEXICANOS.** Selección y nota preliminar de Salvador Novo. 35.00

136. **MIL Y UNA NOCHES, LAS.** Prólogo de Teresa E. de Rhode. 30.00

194. **MILTON, John:** *El paraíso perdido.* Prólogo de Joaquín Antonio Peñalosa. . 30.00

MIRA DE AMEZCUA: Véase: **AUTOS SACRAMENTALES**

109. **MIRO, Gabriel:** *Figuras de la pasión del Señor. Nuestro Padre San Daniel.* Prólogo de Juana de Ontañón. 30.00

68. **MISTRAL, Gabriela:** *Lecturas para mujeres. Gabriela Mistral (1922-1924).* Por Palma Guillén de Nicolau. 25.00

250. **MISTRAL, Gabriela:** *Desolación. Ternura. Tala. Lagar.* Introducción de Palma Guillén de Nicolau. 30.00

PRECIOS SUJETOS A VARIACION SIN PREVIO AVISO

144. **MOLIERE:** *Comedias. Tartufo. El burgués gentilhombre. El misántropo. El enfermo imaginario.* Prólogo de Rafael Solana. .... $ 25.00

149. **MOLIERE:** *Comedias. El avaro. Las preciosas ridículas. El médico a la fuerza. La escuela de las mujeres. Las mujeres sabias.* Prólogo de Rafael Solana. 25.00

32. **MOLINA, Tirso de:** *El vergonzoso en palacio. El condenado por desconfiado. El burlador de Sevilla. La prudencia en la mujer.* Edición de Juana de Ontañón. 25.00

MOLINA, Tirso de: Véase: **AUTOS SACRAMENTALES**

600. **MONTAIGNE:** *Ensayos completos.* Notas prologales de Emiliano M. Aguilera. Traducción del francés de Juan G. de Luaces. 65.00

208. **MONTALVO, Juan:** *Capítulos que se le olvidaron a Cervantes.* Estudio introductivo de Gonzalo Zaldumbide. 30.00

501. **MONTALVO, Juan:** *Siete tratados.* Prólogo de Luis Alberto Sánchez. 35.00

381. **MONTES DE OCA, Francisco:** *Poesía hispanoamericana.* 35.00

191. **MONTESQUIEU:** *Del espíritu de las leyes.* Estudio preliminar de Daniel Moreno. 50.00

282. **MORO, Tomás:** *Utopía.* Prólogo de Manuel Alcalá. 25.00

129. **MOTOLINIA, Fray Toribio:** *Historia de los indios de la Nueva España.* Estudio crítico, apéndices, notas e índice de Edmundo O'Gorman. 30.00

588. **MUNTHE, Axel:** *La historia de San Michele.* Introducción de Arturo Uslar-Pietri. 35.00

286. **NATORP, Pablo:** *Propedéutica filosófica. Kant y la escuela de Marburgo. Curso de pedagogía social.* Presentación introductiva. (El autor y su obra). Y preámbulos a los capítulos por Francisco Larroyo. 25.00

527. **NAVARRO VILLOSLADA, Francisco:** *Amaya o los Vascos en el siglo VIII.* 45.00

171. **NERVO, Amado:** *Plenitud, perlas negras. Místicas. Los jardines interiores. El estanque de los Lotos.* Prólogo de Ernesto Mejía Sánchez. 25.00

175. **NERVO, Amado:** *La amada inmóvil. Serenidad. Elevación. La última luna.* Prólogo de Ernesto Mejía Sánchez. 30.00

443. **NERVO, Amado:** *Poemas: Las voces. Lira heroica. El éxodo y las flores del camino. El arquero divino. Otros poemas. En voz baja. Poesías varias.* .. 30.00

NEVILLE. Véase: **TEATRO ESPAÑOL CONTEMPORANEO**

395. **NIETZSCHE, Federico:** *Así hablaba Zaratustra.* Prólogo de E. W. F. Tomlin. 30.00

430. **NIETZSCHE, Federico:** *Más allá del bien y del mal. Genealogía de la moral.* Prólogo de Johann Fischl. 25.00

576. **NUÑEZ CABEZA DE VACA, Alvar:** *Naufragios y comentarios. Apuntes sobre la vida del adelantado* por Enrique Vedia. 35.00

356. **NUÑEZ DE ARCE, Gaspar:** *Poesías completas.* Prólogo de Arturo Souto A. 30.00

45. **O'GORMAN, Edmundo:** *Historia de las divisiones territoriales en México.* 50.00

8. **OCHO SIGLOS DE POESIA EN LENGUA ESPAÑOLA.** Introducción y Compilación de Francisco Montes de Oca. 100.00

OLMO: Véase: **TEATRO ESPAÑOL CONTEMPORANEO**

ONTAÑON, Juana de: Véase: **SANTA TERESA DE JESUS**

462. **ORTEGA Y GASSET, José:** *En torno a Galileo. El hombre y la gente.* Prólogo de Ramón Xirau. 40.00

488. **ORTEGA Y GASSET, José:** *El tema de nuestro tiempo. La rebelión de las masas.* Prólogo de Fernando Salmerón. 30.00

497. **ORTEGA Y GASSET, José:** *La deshumanización del arte e ideas sobre la novela. Velázquez. Goya.* 30.00

499. **ORTEGA Y GASSET, José:** *¿Qué es filosofía? Unas lecciones de metafísica.* Prólogo de Antonio Rodríguez Huescar. 40.00

436. **OSTROVSKI, Nicolai:** *Así se templó el acero.* Prefacio de Ana Karevåeva. . 25.00

PRECIOS SUJETOS A VARIACION SIN PREVIO AVISO

316. **OVIDIO:** *Las metamorfosis.* Estudio preliminar de Francisco Montes de Oca. $ 30.00
213. **PALACIO VALDES, Armando:** *La hermana San Sulpicio.* Introducción de Joaquín Antonio Peñalosa. 25.00
125. **PALMA, Ricardo:** *Tradiciones peruanas.* Estudio y selección por Raimundo Lazo. 25.00
PALOU, Fr. Francisco: Véase: **CLAVIJERO, Francisco Xavier**
421. **PAPINI, Giovanni:** *Gog. El libro negro.* Prólogo de Ettore Allodoli. 40.00
424. **PAPINI, Giovanni:** *Historia de Cristo.* Prólogo de Victoriano Capánaga. 25.00
644. **PAPINI, Giovanni:** *Los operarios de la viña y otros ensayos.* 40.00
266. **PARDO BAZAN, Emilia:** *Los pazos de Ulloa.* Introducción de Arturo Souto A. 25.00
358. **PARDO BAZAN, Emilia:** *San Francisco de Asís. (Siglo XIII).* Prólogo de Marcelino Menéndez Pelayo. 35.00
496. **PARDO BAZAN, Emilia:** *La madre naturaleza.* Introducción de Arturo Souto A. 25.00
577. **PASCAL, Blas:** *Pensamientos y otros escritos.* Aproximaciones a Pascal de R. Guardini. F. Mauriac, J. Mesner y H. Küng. 40.00
PASO: Véase: **TEATRO ESPAÑOL CONTEMPORANEO**
3 **PAYNO, Manuel:** *Los bandidos de Río Frío.* Prólogo de Antonio Castro Leal. 40.00
80. **PAYNO, Manuel:** *El fistol del diablo. (Novela de costumbres mexicanas.)* Texto establecido y estudio preliminar de Antonio Castro Leal. 65.00
605. **PAYNO, Manuel:** *El hombre de la situación. Retratos históricos. Moctezuma II. Cuauhtémoc. La Sevillana. Alfonso de Avila. Don Martín Cortés. Fray Marcos de Mena. El Tumulto de 1624. La Familia Dongo. Allende. Mina. Guerrero. Ocampo. Comonfort.* Prólogo de Luis González Obregón. 30.00
622. **PAYNO, Manuel:** *Novelas cortas.* Apuntes biográficos por Alejandro Villaseñor y Villaseñor. 35.00
PEMAN: Véase: **TEATRO ESPAÑOL CONTEMPORANEO**
PENSADOR MEXICANO: Véase: **FABULAS**
64. **PEREDA, José María de:** *Peñas arriba. Sotileza.* Introducción de Soledad Anaya Solórzano. 30.00
165. **PEREYRA, Carlos:** *Hernán Cortés.* Prólogo de Martín Quirarte. 25.00
493. **PEREYRA, Carlos:** *Las huellas de los conquistadores.* 30.00
498. **PEREYRA, Carlos:** *La conquista de las rutas oceánicas. La obra de España en América.* Prólogo de Silvio Zavala. 35.00
188. **PEREZ ESCRICH, Enrique:** *El mártir del Gólgota.* Prólogo de Joaquín Antonio Peñalosa. 35.00
69. **PEREZ GALDOS, Benito:** *Miau. Marianela.* Prólogo de Teresa Silva Tena. 35.00
107. **PEREZ GALDOS, Benito:** *Doña perfecta. Misericordia.* 30.00
117. **PEREZ GALDOS, Benito:** *Episodios nacionales: Trafalgar. La corte de Carlos IV.* Prólogo de María Eugenia Gaona. 30.00
130. **PEREZ GALDOS, Benito:** *Episodios nacionales: 19 de marzo y el 2 de mayo. Bailén.* 30.00
158. **PEREZ GALDOS, Benito:** *Episodios nacionales: Napoleón en Chamartín. Zaragoza.* Prólogo de Teresa Silva Tena. 30.00
166. **PEREZ GALDOS, Benito:** *Episodios nacionales: Gerona. Cádiz.* Nota preliminar de Teresa Silva Tena. 30.00
185. **PEREZ GALDOS, Benito:** *Fortunata y Jacinta. (Dos historias de casadas).* Introducción de Agustín Yáñez. 50.00
289. **PEREZ GALDOS, Benito:** *Episodios nacionales: Juan Martín el Empecinado. La batalla de los Arapiles.* 30.00
378. **PEREZ GALDOS, Benito:** *La desheredada.* Prólogo de José Salavarría. 35.00
383. **PEREZ GALDOS, Benito:** *El amigo manso.* Prólogo de Joaquín Casalduero. 25.00
392. **PEREZ GALDOS, Benito:** *La fontana de oro.* Introducción de Marcelino Menéndez Pelayo. 30.00

PRECIOS SUJETOS A VARIACION SIN PREVIO AVISO

446. **PEREZ GALDOS, Benito:** *Tristana. Nazarín.* Prólogo de Ramón Gómez de la Serna. .... $ 25.00
473. **PEREZ GALDOS, Benito:** *Angel Guerra.* Prólogo de Emilia Pardo Bazán. . 35.00
489. **PEREZ GALDOS, Benito:** *Torquemada en la hoguera. Torquemada en la cruz. Torquemada en el purgatorio. Torquemada y San Pedro.* Prólogo de Joaquín Casalduero. 35.00
231. **PEREZ LUGIN, Alejandro:** *La casa de la Troya. Estudiantina.* 25.00
235. **PEREZ LUGIN, Alejandro:** *Currito de la Cruz.* 25.00
263. **PERRAULT, CUENTOS DE:** *Griselda. Piel de asno. Los deseos ridículos. La bella durmiente del bosque. Caperucita roja. Barba azul. El gato con botas. Las hadas. Cenicienta. Riquete el del copete. Pulgarcito.* Prólogo de María Edmée Alvarez. 25.00
308. **PESTALOZZI, Juan Enrique:** *Cómo Gertrudis enseña a sus hijos. Cartas sobre la educación de los niños. Libros de educación elemental.* Prólogos, estudio introductivo y preámbulos de las obras por Edmundo Escobar. 30.00
369. **PESTALOZZI, Juan Enrique:** *Canto del cisne.* Estudio preliminar de José Manuel Villalpando. 25.00
492. **PETRARCA:** *Cancionero. Triunfos.* Prólogo de Ernst Hatch Wilkins. 35.00
221. **PEZA, Juan de Dios:** *Hogar y patria. El arpa del amor.* Noticia preliminar de Porfirio Martínez Peñalosa. 20.00
224. **PEZA, Juan de Dios:** *Recuerdos y esperanzas. Flores del alma y versos festivos.* 35.00
557. **PEZA, Juan de Dios:** *Leyendas históricas tradicionales y fantásticas de las calles de la ciudad de México.* Prólogo de Isabel Quiñonez. 35.00
594. **PEZA, Juan de Dios:** *Memorias. Reliquias y retratos.* Prólogo de Isabel Quiñonez. 35.00
248. **PINDARO:** *Odas. Olímpicas. Píticas. Nemeas. Istmicas y fragmentos de otras obras de Píndaro. Otros líricos griegos: Arquíloco. Tirteo. Alceo. Safo. Simónides de Ceos. Anacreonte. Baquílides.* Estudio preliminar de Francisco Montes de Oca. 25.00
13. **PLATON:** *Diálogos.* Estudio preliminar de Francisco Larroyo. 50.00
139. **PLATON:** *Las leyes. Epinomis. El político.* Estudio introductivo y preámbulos a los diálogos de Francisco Larroyo. 40.00
258. **PLAUTO:** *Comedias: Los mellizos. El militar fanfarrón. La olla. El gorgojo. Anfitrión. Los cautivos.* Estudio preliminar de Francisco Montes de Oca. 25.00
26. **PLUTARCO:** *Vidas paralelas.* Introducción de Francisco Montes de Oca. 40.00
564. **POBREZA Y RIQUEZA.** En obras selectas del cristianismo primitivo por Carlos Ignacio González S. J. 30.00
210. **POE, Edgar Allan:** *Narraciones extraordinarias. Aventuras de Arturo Gordon. Pym. El cuervo.* Prólogo de Ma. Elvira Bermúdez. 30.00
85. **POEMA DE MIO CID.** Versión antigua, con prólogo y versión moderna de Amancio Bolaño e Isla. Seguida del **ROMANCERO DEL CID**. 25.00
102. **POESIA MEXICANA.** Selección de Francisco Montes de Oca. 40.00
371. **POLO, Marco:** *Viajes.* Introducción de María Elvira Bermúdez. 25.00
510. **PONSON DU TERRAIL, Pierre Alexis:** *Hazañas de Rocambole.* Tomo I. . 40.00
511. **PONSON DU TERRAIL, Pierre Alexis:** *Hazañas de Rocambole.* Tomo II. 40.00
518. **PONSON DU TERRAIL, Pierre Alexis:** *La resurrección de Rocambole. Tomo I.* Continuación de "Hazañas de Rocambole". 40.00
519. **PONSON DU TERRAIL, Pierre Alexis:** *La resurrección de Rocambole. Tomo II.* Continuación de "Hazañas de Rocambole". 40.00
36. **POPOL VUH.** Antiguas historias de los indios quichés de Guatemala. Ilustradas con dibujos de los códices mayas. Advertencia, versión y vocabulario de Albertina Saravia E. 25.00
150. **PRESCOTT, William H.:** *Historia de la conquista de México.* Anotada por Don Lucas Alamán. Con notas, críticas y esclarecimientos de Don José Fernando Ramírez. Prólogo y apéndices por Juana A. Ortega y Medina. 80.00

PRECIOS SUJETOS A VARIACION SIN PREVIO AVISO

198. **PRIETO, Guillermo:** *Musa callejera.* Prólogo de Francisco Monterde. .... $ 25.00

450. **PRIETO, Guillermo:** *Romancero nacional.* Prólogo de Ignacio M. Altamirano. 35.00

481. **PRIETO, Guillermo:** *Memorias de mis tiempos.* Prólogo de Horacio Labastida. 60.00

54. **PROVERBIOS DE SALOMON Y SABIDURIA DE JESUS DE BEN SIRAK.** Versión directa de los originales por Angel María Garibay K. 30.00

QUEVEDO, Francisco de: Véase: **LAZARILLO DE TORMES**

646. **QUEVEDO, Francisco de:** *Poesía.* Introducción de Jorge Luis Borges. 35.00

332. **QUEVEDO Y VILLEGAS, Francisco de:** *Sueños. El sueño de las calaveras. El alguacil alguacilado. Las zahurdas de Plutón. Visita de los chistes. El mundo por dentro. La hora de todos y la fortuna con seso. Poesías.* Introducción de Arturo Souto A. 30.00

97. **QUIROGA, Horacio:** *Cuentos.* Selección, estudio preliminar y notas críticas e informativas por Raimundo Lazo. 30.00

347. **QUIROGA, Horacio:** *Más cuentos.* Introducción de Arturo Souto A. 30.00

360. **RABELAIS:** *Gargantúa y Pantagruel. Vida de Rabeláis* por Anatole France. Ilustraciones de Gustavo Doré. 45.00

219. **RABINAL-ACHI:** *El varón de Rabinal. Ballet-drama de los indios quichés de Guatemala.* Traducción y prólogo de Luis Cardoza y Aragón. 15.00

RANGEL, Nicolás. Véase: **URBINA, Luis G.**

366. **REED, John:** *México insurgente. Diez días que estremecieron al mundo.* Prólogo de Juan de la Cabada. 35.00

669. **REMARQUE, Erick María:** *Sin novedad en el frente.* Etiología y cronología de la Primera Guerra Mundial 30.00

597. **RENAN, Ernesto:** *Marco Aurelio y el fin del mundo antiguo.* Precedido de la plegaria sobre la acrópolis. 35.00

101. **RIVA PALACIO, Vicente:** *Cuentos del general.* Prólogo de Clementina Díaz y de Ovando. 25.00

474. **RIVA PALACIO, Vicente:** *Las dos emparedadas. Memorias de los tiempos de la inquisición.* 25.00

476. **RIVA PALACIO, Vicente:** *Calvario y Tabor.* 30.00

507. **RIVA PALACIO, Vicente:** *La vuelta de los muertos.* 30.00

162. **RIVA, Duque de:** *Don Alvaro o la fuerza del Sino. Romances históricos.* Prólogo de Antonio Magaña Esquivel. 25.00

172. **RIVERA, José Eustasio:** *La vorágine.* Prólogo de Cristina Barros Stivalet. .. 25.00

ROBIN HOOD. Véase: **ANONIMO**

87. **RODO, José Enrique:** *Ariel. Liberalismo y Jacobinismo. Ensayos: Rubén Darío, Bolívar, Montalvo.* Estudio preliminar, índice biográfico-cronológico y resumen bibliográfico por Raimundo Lazo. 30.00

115. **RODO, José Enrique:** *Motivos de Proteo y nuevos motivos de Proteo.* Prólogo de Raimundo Lazo. 30.00

88. **ROJAS, Fernando de:** *La Celestina.* Prólogo de Manuel de Ezcurdia. Con una cronología y dos glosarios. 25.00

650. **ROPS, Daniel:** *Jesús en su tiempo.* Jesús ante la crítica por Daniel Rops. 60.00

ROMANCERO DEL CID. Véase: **POEMA DE MIO CID**

ROSAS MORENO: Véase: **FABULAS**

328. **ROSTAND, Edmundo:** *Cyrano de Bergerac.* Prólogo, estudio y notas de Angeles Mendieta Alatorre. 25.00

440. **ROTTERDAM, Erasmo de:** *Elogio de la locura. Coloquios. Erasmo de Rotterdam,* por Johan Huizinga. 30.00

113. **ROUSSEAU, Juan Jacobo:** *El contrato social o principios de Derecho Político. Discurso sobre las ciencias y las artes. Discurso sobre el origen de la desigualdad.* Estudio preliminar de Daniel Moreno. 25.00

PRECIOS SUJETOS A VARIACION SIN PREVIO AVISO

159. **ROUSSEAU, Juan Jacobo:** *Emilio o de la educación.* Estudio preliminar de Daniel Moreno. .... $ 30.00

470. **ROUSSEAU, Juan Jacobo:** *Confesiones.* Prólogo de Jeanne Renée Becker. 50.00

265. **RUEDA, Lope de:** *Teatro completo. Eufemia. Armelina. De los engañados. Medora. Colloquio de Camelia. Colloquio de Tymbria. Diálogo sobre la invención de las Calcas. El deleitoso. Registro de representantes. Colloquio llamado prendas de amor. Colloquio en verso. Comedia llamada discordia y questión de amor. Auto de Naval y Abigail. Auto de los desposorios de Moisén. Farsa del sordo.* Introducción de Arturo Souto A. 35.00

10. **RUIZ DE ALARCON, Juan:** *Cuatro comedias. Las paredes oyen. Los pechos privilegiados. La verdad sospechosa. Ganar amigos.* Estudio, texto y comentarios de Antonio Castro Leal. 30.00

451. **RUIZ DE ALARCON, Juan:** *El examen de maridos. La prueba de las promesas. Mudarse por mejorarse. El tejedor de Segovia.* Prólogo de Alfonso Reyes. .. 30.00

RUIZ IRIARTE: Véase: **TEATRO ESPAÑOL CONTEMPORANEO**

51. *Sabiduría de Israel. Tres obras de la cultura judía.* Traducciones directas de Angel María Garibay K. 30.00

SABIDURIA DE JESUS BEN SIRAK: Véase: **PROVERBIOS DE SALOMON**

300. **SAHAGUN, Fr. Bernardino de:** *Historia general de las cosas de la Nueva España.* La dispuso para la prensa en esta nueva edición, con numeración, anotaciones y apéndices Angel María Garibay K. 90.00

299. **SAINT-EXUPERY, Antoine de:** *El principito.* Nota preliminar y traducción de María de los Angeles Porrúa. 18.00

322. **SAINT-PIERRE, Bernardino de:** *Pablo y Virginia.* Introducción de Arturo Souto A. 30.00

659. **SAINTE-BEUVE:** *Retratos literarios.* Prólogo de Gerard Bauer 40.00

456. **SALADO ALVAREZ, Victoriano:** *Episodios Nacionales: Santa Anna. La reforma. La intervención. El imperio: su alteza serenísima. Memorias de un Polizonte.* Prólogo biográfico de Ana Salado Alvarez. 30.00

460. **SALADO ALVAREZ, Victoriano:** *Episodios Nacionales: Santa Anna. La reforma. La intervención. El imperio: el golpe de Estado. Los mártires de Tacubaya.* 30.00

464. **SALADO ALVAREZ, Victoriano:** *Episodios Nacionales: Santa Anna. La reforma. La intervención. El imperio: la reforma. El plan de pacificación.* ... 30.00

466. **SALADO ALVAREZ, Victoriano:** *Episodios Nacionales: Santa Anna. La reforma. La intervención. El imperio: las ranas pidiendo rey. Puebla.* 30.00

468. **SALADO ALVAREZ, Victoriano:** *Episodios Nacionales: Santa Anna. La reforma. La intervención. El imperio: la Corte de Maximiliano. Orizaba.* 30.00

469. **SALADO ALVAREZ, Victoriano:** *Episodios Nacionales: Santa Anna. La reforma. La intervención. El imperio: Porfirio Díaz. Ramón Corona.* 30.00

471. **SALADO ALVAREZ, Victoriano:** *Episodios Nacionales: Santa Anna. La reforma. La intervención. El imperio: la emigración. Querétaro.* 30.00

477. **SALADO ALVAREZ, Victoriano:** *Memorias. Tiempo viejo. Tiempo Nuevo.* Nota preliminar de José Emilio Pacheco. Prólogo de Carlos González Peña. 35.00

220. **SALGARI, Emilio:** *Sandokan. La mujer del pirata.* Prólogo de María Elvira Bermúdez. 30.00

239. **SALGARI, Emilio:** *Los piratas de la Malasia. Los estranguladores.* Nota preliminar de María Elvira Bermúdez. 30.00

242. **SALGARI, Emilio:** *Los dos rivales. Los tigres de la Malasia.* Nota preliminar de María Elvira Bermúdez. 30.00

257. **SALGARI, Emilio:** *El rey del mar. La reconquista de Mompracem.* Nota preliminar de María Elvira Bermúdez. 30.00

264. **SALGARI, Emilio:** *El falso Bracman. La caída de un imperio.* Nota preliminar de María Elvira Bermúdez. 30.00

PRECIOS SUJETOS A VARIACION SIN PREVIO AVISO

267. **SALGARI, Emilio:** *En los junglares de la India. El desquite de Yáñez.* Nota preliminar de María Elvira Bermúdez. .... $ 30.00

292. **SALGARI, Emilio:** *El capitán Tormenta. El León de Damasco.* Nota preliminar de María Elvira Bermúdez. 30.00

296. **SALGARI, Emilio:** *El hijo del León de Damasco. La galera del Bajá.* Nota preliminar de María Elvira Bermúdez. 30.00

302. **SALGARI, Emilio:** *El corsario negro. La venganza.* Nota preliminar de María Elvira Bermúdez. 30.00

306. **SALGARI, Emilio:** *La reina de los caribes. Honorata de Wan Guld.* 30.00

312. **SALGARI, Emilio:** *Yolanda. Morgan.* 30.00

363. **SALGARI, Emilio:** *Aventuras entre los pieles rojas. El rey de la pradera.* Prólogo de María Elvira Bermúdez. 30.00

376. **SALGARI, Emilio.** *En las fronteras del Far-West. La cazadora de cabelleras.* Prólogo de María Elvira Bermúdez. 30.00

379. **SALGARI, Emilio:** *La soberana del campo de oro. El rey de los cangrejos.* Prólogo de María Elvira Bermúdez. 30.00

465. **SALGARI, Emilio:** *Las "Panteras" de Argel. El filtro de los Califas.* Prólogo de María Elvira Bermúdez. 30.00

517. **SALGARI, Emilio:** *Los náufragos del Liguria. Devastaciones de los piratas.* 30.00

533. **SALGARI, Emilio:** *Los mineros de Alaska. Los pescadores de ballenas.* 30.00

535. **SALGARI, Emilio:** *La campana de plata. Los hijos del aire.* 30.00

536. **SALGARI, Emilio:** *El desierto de fuego. Los bandidos del Sahara.* 30.00

537. **SALGARI, Emilio:** *Los barcos filibusteros.* 30.00

538. **SALGARI, Emilio:** *Los misterios de la selva. La Costa de Marfil.* 30.00

540. **SALGARI, Emilio:** *La favorita del Mahdi. El profeta del Sudán.* 30.00

542. **SALGARI, Emilio:** *El capitán de la "D'Juana". La montaña de luz.* 30.00

544. **SALGARI, Emilio:** *El hijo del corsario rojo.* 30.00

547. **SALGARI, Emilio:** *La perla roja. Los pescadores de perlas.* 30.00

553. **SALGARI, Emilio:** *El mar de las perlas. La perla del río rojo.* 30.00

554. **SALGARI, Emilio:** *Los misterios de la India.* 30.00

559. **SALGARI, Emilio.** *Los horrores de Filipinas.* 30.00

560. **SALGARI, Emilio:** *Flor de las perlas. Los cazadores de cabezas.* 30.00

561. **SALGARI, Emilio:** *Las hijas de los faraones. El sacerdote de Phtah.* 30.00

562. **SALGARI, Emilio:** *Los piratas de las Bermudas. Dos abordajes.* 30.00

563. **SALGARI, Emilio:** *Nuevas aventuras de cabeza de piedra. El castillo de Montecarlo.* 30.00

567. **SALGARI, Emilio:** *La capitana del Yucatán. La heroína de Puerto Arturo.* Nota preliminar de María Elvira Bermúdez. 30.00

579. **SALGARI, Emilio:** *Un drama en el Océano Pacífico. Los solitarios del Océano.* . 30.00

583. **SALGARI, Emilio:** *Al Polo Norte a bordo del "Taimyr".* 30.00

585. **SALGARI, Emilio:** *El continente misterioso. El esclavo de Madagascar.* 30.00

288. **SALUSTIO:** *La conjuración de Catilina. La guerra de Jugurta.* Estudio preliminar de Francisco Montes de Oca. 25.00

SAMANIEGO: Véase: **FABULAS**

393. **SAMOSATA, Luciano de:** *Diálogos. Historia verdadera.* Introducción de Salvador Marichalar. 35.00

59. **SAN AGUSTIN:** *La ciudad de Dios.* Introducción de Francisco Montes de Oca. 45.00

142. **SAN AGUSTIN:** *Confesiones.* Versión, introducción y notas de Francisco Montes de Oca. 30.00

40. **SAN FRANCISCO DE ASIS.** *Florecillas.* Introducción de Francisco Montes de Oca. 35.00

228. **SAN JUAN DE LA CRUZ:** *Obras completas. Subida del Monte Carmelo. Noche oscura. Cántico espiritual. Llama de amor viva. Poesías.* Prólogo de Gabriel de la Mora. 45.00

PRECIOS SUJETOS A VARIACION SIN PREVIO AVISO

199. **SAN PEDRO, Diego de:** *Cárcel de amor. Arnalde e Lucenda. Sermón. Poesías. Desprecio de la fortuna. Seguidas de questión de amor.* Introducción de Arturo Souto A. .... $ 30.00

SANCHEZ DE BADAJOZ: Véase: **AUTOS SACRAMENTALES**

655. **SAND, George:** *Historia de mi vida.* Prólogo de Ramón Arguita 35.00

50. **SANTA TERESA DE JESUS:** *Las moradas. Libro de su vida.* Biografía de Juana de Ontañón. 30.00

645. **SANTAYANA, George:** *Tres poetas filósofos. Lucrecio - Dante - Goethe. Diálogos en el Limbo.* Breve historia de mis opiniones de George Santayana. 40.00

49. **SARMIENTO, Domingo F.:** *Facundo. Civilización y Barbarie. Vida de Juan Facundo Quiroga.* Ensayo preliminar e índice cronológico por Raimundo Lazo. 25.00

SASTRE: Véase: **TEATRO ESPAÑOL CONTEMPORANEO**

138. **SCOTT, Walter:** *Ivanhoe o El Cruzado.* Introducción de Arturo Souto A. 25.00

409. **SCOTT, Walter:** *El monasterio.* Prólogo de Henry Thomas. 30.00

416. **SCOTT, Walter:** *El pirata.* Prólogo de Henry Thomas. 30.00

401. **SCHILLER, Federico:** *María Estuardo. La doncella de Orleans. Guillermo Tell.* Prólogo de Alfredo S. Barca. 25.00

434. **SCHILLER, Federico:** *Don Carlos. La conjuración de Fiesco. Intriga y amor.* Prólogo de Wilhelm Dilthey. 30.00

458. **SCHILLER, Federico:** *Wallenstein. El campamento de Wallenstein. Los Piccolomini. La muerte de Wallenstein. La novia de Mesina.* Prólogo de Wilhelm Dilthey. 30.00

419. **SCHOPENHAUER, Arturo:** *El mundo como voluntad y representación.* Introducción de E. Friedrick Sauer. 30.00

455. **SCHOPENHAUER, Arthur:** *La sabiduría de la vida. En torno a la filosofía. El amor, las mujeres, la muerte y otros temas.* Prólogo de Abraham Waismann. Traducción del alemán por Eduardo González Blanco. 30.00

603. **SCHWOB, Marcel:** *Vidas imaginarias. La cruzada de los niños.* Prólogo de José Emilio Pacheco. 30.00

281. **SENECA:** *Tratados filosóficos. Cartas.* Estudio preliminar de Francisco Montes de Oca. 30.00

653. **SERRANO MIGALLON, Fernando:** *El grito de Independencia. Historia de una pasión nacional.* Prólogo de Andrés Henestrosa 35.00

658. **SERRANO MIGALLON, Fernando:** *Toma de Posesión: el rito del Poder.* Presentación de Lorenzo Meyer 35.00

673. **SERRANO MIGALLÓN, Fernando:** *Isidro Fabela y la Diplomacia Mexicana.* Prólogo de Modesto Seara Vázquez 50.00

437. **SERTILANGES, A. D.:** *La vida intelectual.* **GUITTON, Jean:** *El trabajo intelectual.* 30.00

86. **SHAKESPEARE:** *Hamlet. Penas por amor perdidas. Los dos hidalgos de Verona. Sueño de una noche de verano. Romeo y Julieta.* Con notas preliminares y dos cronologías. 25.00

94. **SHAKESPEARE:** *Otelo. La fierecilla domada. Y vuestro gusto. El rey Lear.* Con notas preliminares y dos cronologías. 30.00

96. **SHAKESPEARE:** *Macbeth. El mercader de Venecia. Las alegres comadres de Windsor. Julio César. La tempestad.* Con notas preliminares y dos cronologías. 30.00

SHOLOJOV: Véase: **CUENTOS RUSOS**

160. **SIENKIEWICZ, Enrique:** *Quo vadis?* Prólogo de José Manuel Villalaz. 40.00

146. **SIERRA, Justo:** *Juárez: su vida y su tiempo.* Introducción de Agustín Yáñez. 30.00

515. **SIERRA, Justo:** *Evolución política del pueblo mexicano.* Prólogo de Alfonso Reyes. 30.00

81. **SITIO DE QUERETARO, EL:** Según sus protagonistas y testigos. Selección y notas introductorias de Daniel Moreno. 35.00

PRECIOS SUJETOS A VARIACION SIN PREVIO AVISO

14. **SOFOCLES:** *Las siete tragedias.* Versión directa del griego con una introducción de Angel María Garibay K. .... $ 25.00
89. **SOLIS Y RIVADENEIRA, Antonio de:** *Historia de la conquista de México.* Prólogo y apéndices de Edmundo O'Gorman. Notas de José Valero. 40.00
472. **SOSA, Francisco:** *Biografías de mexicanos distinguidos. (Doscientas noventa y cuatro).* 60.00
319. **SPINOZA:** *Etica. Tratado teológico-político.* Estudio introductivo, análisis de las obras y revisión del texto por Francisco Larroyo. 50.00
651. **STAVANS, Ilán:** *Cuentistas judíos.* Sforim. Schultz. Appelfeld. Perera. Kafka. Peretz. Bratzlav. Kis. Aleichem. Goldemberg. Ash. Oz. Goloboff. Yehoshua. Shapiro. Agnon. Amichai. Svevo. Singer. Paley. Szichman. Stavans. Babel. Gerchunoff. Bellow. Roth. Dorfman. Lubitch. Ozic. Scliar. Bleister. Roenmacher. Introducción *Memoria y literatura* por Ilán Stavans. 60.00
105. **STENDHAL:** *La cartuja de Parma.* Introducción de Francisco Montes de Oca. 25.00
359. **STENDHAL:** *Rojo y negro.* Introducción de Francisco Montes de Oca. 30.00
110. **STEVENSON, R. L.:** *La isla del tesoro. Cuentos de los mares del sur.* Prólogo de Sergio Pitol. 30.00
72. **STOWE, Harriet Beecher:** *La cabaña del tío Tom.* Introducción de Daniel Moreno. 30.00
525. **SUE, Eugenio:** *Los misterios de París.* Tomo I. 35.00
526. **SUE, Eugenio:** *Los misterios de París.* Tomo II. 35.00
628-629. **SUE, Eugenio:** *El judío errante.* 2 tomos. 144.00
355. **SUETONIO:** *Los doce Césares.* Introducción de Francisco Montes de Oca ... 25.00
SURGUCHOV. Véase: **CUENTOS RUSOS**
196. **SWIFT, Jonathan:** *Viajes de Gulliver.* Traducción, prólogo y notas de Monserrat Alfau. 30.00
291. **TACITO, Cornelio:** *Anales.* Estudio preliminar de Francisco Montes de Oca. 25.00
33. **TAGORE, Rabindranath:** *La luna nueva. El jardinero. El cartero del rey. Las piedras hambrientas y otros cuentos.* Estudio de Daniel Moreno. 30.00
647. **TAINE, Hipólito:** *Filosofía del arte.* Prólogo de Raymond Dumay. 40.00
232. **TARACENA, Alfonso:** *Francisco I. Madero.* 30.00
386. **TARACENA, Alfonso:** *José Vasconcelos.* 25.00
610. **TARACENA, Alfonso:** *La verdadera Revolución Mexicana. (1901-1911).* Prólogo de José Vasconcelos. 60.00
611. **TARACENA, Alfonso:** *La verdadera Revolución Mexicana. (1912-1914).* Palabras de Sergio Golwarz. 60.00
612. **TARACENA, Alfonso:** *La verdadera Revolución Mexicana. (1915-1917).* Palabras de Jesús González Schmal. 60.00
613. **TARACENA, Alfonso:** *La verdadera Revolución Mexicana. (1918-1921).* Palabras de Enrique Krauze. 60.00
614. **TARACENA, Alfonso:** *La verdadera Revolución Mexicana. (1922-1924).* Palabras de Ceferino Palencia. 60.00
615. **TARACENA, Alfonso:** *La verdadera Revolución Mexicana. (1925-1927).* Palabras de Alfonso Reyes. 60.00
616. **TARACENA, Alfonso:** *La verdadera Revolución Mexicana. (1928-1929).* Palabras de Rafael Solana, Jr. 60.00
617. **TARACENA, Alfonso:** *La verdadera Revolución Mexicana. (1930-1931).* Palabras de José Muñoz Cota. 60.00
618. **TARACENA, Alfonso:** *La verdadera Revolución Mexicana. (1932-1934).* Palabras de Martín Luis Guzmán. 60.00
619. **TARACENA, Alfonso:** *La verdadera Revolución Mexicana. (1935-1936).* Palabras de Enrique Alvarez Palacios. 60.00
620. **TARACENA, Alfonso:** *La verdadera Revolución Mexicana. (1937-1940).* Palabras de Carlos Monsiváis. 60.00

PRECIOS SUJETOS A VARIACION SIN PREVIO AVISO

TASIN: Véase: **CUENTOS RUSOS**

403. **TASSO, Torcuato:** *Jerusalén libertada.* Prólogo de M. Th. Laignel. .... $ 25.00

325. **TEATRO ESPAÑOL CONTEMPORANEO: BENAVENTE:** *Los intereses creados. La malquerida.* **MARQUINA.** *En Flandes se ha puesto el sol.* **HNOS. ALVAREZ QUINTERO:** *Malvaloca.* **VALLE INCLAN:** *El embrujado.* **UNAMUNO:** *Sombras de sueño.* **GARCIA LORCA:** *Bodas de sangre.* Introducción y anotaciones por Joseph W. Zdenek y Guillermo I. Castillo-Feliú. 35.00

330. **TEATRO ESPAÑOL CONTEMPORANEO: LOPEZ RUBIO:** *Celos del aire.* **MIHURA:** *Tres sombreros de copa.* **LUCA DE TENA:** *Don José, Pepe y Pepito.* **SASTRE:** *La mordaza.* **CALVO SOTELO:** *La muralla.* **PEMAN:** *Los tres etcéteras de Don Simón.* **NEVILLE:** *Alta fidelidad.* **PASO:** *Cosas de papá y mamá.* **OLMO:** *La camisa.* **RUIZ IRIARTE:** *Historia de un adulterio.* Introducción y anotaciones por Joseph W. Zdenek y Guillermo I. Castillo-Feliú. 35.00

350. **TEIXIDOR, Felipe:** *Viajeros mexicanos. (Siglos XIX y XX).* 50.00

37. **TEOGONIA E HISTORIA DE LOS MEXICANOS.** *Tres opúsculos del Siglo XVI.* Edición de Angel M. Garibay K. 25.00

253. **TERENCIO:** *Comedias: La andriana. El eunuco. El atormentador de sí mismo. Los hermanos. La suegra. Formión.* Estudio preliminar de Francisco Montes de Oca. 20.00

TIMONEDA: Véase: **AUTOS SACRAMENTALES**

201. **TOLSTOI, León:** *La guerra y la paz. De "La guerra y la paz"* por Eva Alexandra Uchmany. 80.00

205. **TOLSTOI, León:** *Ana Karenina.* Prólogo de Fedro Guillén. 40.00

295. **TOLSTOI, León.** *Cuentos escogidos.* Prólogo de Fedro Guillén. 25.00

394. **TOLSTOI, León:** *Infancia-Adolescencia-Juventud. Recuerdos.* Prólogo de Salvador Marichalar. 35.00

413. **TOLSTOI, León:** *Resurrección.* Prólogo de Emilia Pardo Bazán. 35.00

463. **TOLSTOI, León:** *Los Cosacos. Sebastopol. Relatos de guerra.* Prólogo de Jaime Torres Bodet. 25.00

479. **TORRE VILLAR, Ernesto de la:** *Los Guadalupes y la independencia.* Con una selección de documentos inéditos. 25.00

550. **TRAPE, Agostino:** *San Agustín. El hombre, el pastor, el místico.* Presentación y traducción de Rafael Gallardo García O.S.A. 35.00

290. **TUCIDIDES:** *Historia de la guerra del Peloponeso.* Introducción de Edmundo O'Gorman. 35.00

453. **TURGUENEV, Iván:** *Nido de Hidalgos. Primer amor. Aguas primaverales.* Prólogo de Emilia Pardo Bazán. 30.00

TURGUENEV: Véase: **CUENTOS RUSOS**

591. **TURNER, John Kenneth:** *México bárbaro.* 30.00

209. **TWAIN, Mark:** *Las aventuras de Tom Sawyer.* Introducción de Arturo Souto Alabarce. 25.00

337. **TWAIN, Mark:** *El príncipe y el mendigo.* Introducción de Arturo Souto A. .. 25.00

UCHMANY, Eva: Véase: **TOLSTOI, León**

UNAMUNO, Miguel de. Véase: **TEATRO ESPAÑOL CONTEMPORANEO**

384. **UNAMUNO, Miguel de:** *Cómo se hace una novela. La tía Tula. San Manuel bueno, o mártir y tres historias más.* Retrato de Unamuno por J. Cassou y comentarios de Unamuno. 30.00

388. **UNAMUNO, Miguel de.** *Niebla. Abel Sánchez. Tres novelas ejemplares y un prólogo.* 35.00

402. **UNAMUNO, Miguel de:** *Del sentimiento trágico de la vida. La agonía del cristianismo.* Introducción de Ernst Robert Curtius. 25.00

PRECIOS SUJETOS A VARIACION SIN PREVIO AVISO

408. **UNAMUNO, Miguel de:** *Por tierras de Portugal y España. Andanzas y visiones españolas.* Introducción de Ramón Gómez de la Serna. .... $ 30.00

417. **UNAMUNO, Miguel de:** *Vida de Don Quijote y Sancho. En torno al casticismo.* Introducción de Salvador de Madariaga. 45.00

523. **UNAMUNO, Miguel de:** *Antología poética.* Prólogo de Arturo Souto A. 50.00

480. **URBINA, Luis G. y otros:** *Antología del centenario.* Estudio documentado de la literatura mexicana durante el primer siglo de independencia 1800-1821. Obra compilada bajo la dirección de Don Justo Sierra. 40.00

237. **USIGLI, Rodolfo:** *Corona de sombra. Corona de fuego. Corona de luz.* 30.00

52. **VALDES, Juan de:** *Diálogo de la lengua.* Prólogo de Juan M. Lope Blanch. 25.00

VALDIVIELSO: Véase: **AUTOS SACRAMENTALES**

56. **VALERA, Juan:** *Pepita Jiménez y Juanita la Larga.* Prólogo de Juana de Ontañón. 25.00

190. **VALMIKI:** *El Ramayana.* Prólogo de Teresa E. Rohde. 20.00

135. **VALLE-INCLAN, Ramón del:** *Sonata de primavera. Sonata de estío. Sonata de otoño. Sonata de invierno. (Memorias del Marqués de Bradomín).* Estudio preliminar de Allen W. Phillips. 25.00

287. **VALLE-INCLAN, Ramón del:** *Tirano Banderas.* Introducción de Arturo Souto A. 25.00

VALLE-INCLAN, Ramón del. Véase: **TEATRO ESPAÑOL CONTEMPORANEO**

55. **VARGAS MARTINEZ, Ubaldo:** *Morelos: siervo de la nación.* 35.00

95. **VARONA, Enrique José:** *Textos escogidos.* Ensayo de interpretación, acotaciones y selección de Raimundo Lazo. 30.00

660. **VASARI, Giorgio:** *Vidas de grandes artistas.* Las artes plásticas renacentistas por Rodolfo Chadraba 40.00

425. **VEGA, Garcilaso de la y BOSCAN, Juan:** *Poesías completas.* Prólogo de Dámaso Alonso. 35.00

439. **VEGA, Garcilaso de la "El Inca":** *Comentarios reales.* Introducción de José de la Riva-Agüero. 50.00

217. **VELA, Arqueles:** *El modernismo. Su filosofía. Su ética. Su técnica.* 35.00

243. **VELA, Arqueles:** *Análisis de la expresión literaria.* 30.00

339. **VELEZ DE GUEVARA, Luis:** *El diablo cojuelo. Reinar después de morir.* Introducción de Arturo Souto A. 25.00

111. **VERNE, Julio:** *De la tierra a la luna. Alrededor de la luna.* Prólogo de María Elvira Bermúdez. 25.00

114. **VERNE, Julio:** *Veinte mil leguas de viaje submarino.* Nota de María Elvira Bermúdez. 25.00

116. **VERNE, Julio:** *Viaje al centro de la Tierra. El doctor Ox. Maese Zacarías. Un drama en los aires.* Nota de María Elvira Bermúdez. 25.00

123. **VERNE, Julio.** *La isla misteriosa.* Nota de María Elvira Bermúdez. 30.00

168. **VERNE, Julio:** *La vuelta al mundo en 80 días. Las tribulaciones de un chino en China.* 20.00

180. **VERNE, Julio:** *Miguel Strogoff.* Con una biografía de Julio Verne por María Elvira Bermúdez. 25.00

183. **VERNE, Julio:** *Cinco semanas en globo.* Prólogo de María Elvira Bermúdez. 25.00

186. **VERNE, Julio:** *Un capitán de quince años.* Prólogo de María Elvira Bermúdez. 25.00

189. **VERNE, Julio:** *Dos años de vacaciones.* Prólogo de María Elvira Bermúdez. 25.00

260. **VERNE, Julio:** *Los hijos del capitán Grant.* Nota preliminar de María Elvira Bermúdez. 30.00

361. **VERNE, Julio.** *El castillo de los Cárpatos. Las indias negras. Una ciudad flotante.* Nota preliminar de María Elvira Bermúdez. 30.00

404. **VERNE, Julio:** *Historia de los grandes viajes y los grandes viajeros.* 30.00

PRECIOS SUJETOS A VARIACION SIN PREVIO AVISO

445. **VERNE, Julio:** *Héctor Servadac.* Prólogo de María Elvira Bermúdez. .... $ 30.00
509. **VERNE, Julio:** *La Jangada. Ochocientas leguas por el Río de las Amazonas.* 30.00
513. **VERNE, Julio:** *Escuela de los Robinsones.* Nota preliminar de María Elvira Bermúdez. 25.00
539. **VERNE, Julio:** *Norte contra Sur.* 25.00
541. **VERNE, Julio.** *Aventuras del capitán Hatteras. Los ingleses en el Polo Norte. El desierto de hielo.* 30.00
543. **VERNE, Julio:** *El país de las pieles.* 30.00
551. **VERNE, Julio:** *Kerabán el testarudo.* 30.00
552. **VERNE, Julio:** *Matías Sandorf.* Novela laureada por la Academia Francesa. 30.00
569. **VERNE, Julio:** *El archipiélago de fuego. Clovis Dardentor. De Glasgow a Charleston. Una invernada entre los hielos.* 30.00
570. **VERNE, Julio:** *Los amotinados de la Bounty. Mistress Branican.* 30.00
571. **VERNE, Julio:** *Un drama en México. Aventuras de tres rusos y de tres ingleses en el Africa Austral. Claudio Bombarnac.* 30.00
575. **VERNE, Julio:** *César Cascabel.* 30.00
VIDA DEL BUSCON DON PABLOS: Véase: **LAZARILLO DE TORMES.**
163. **VIDA Y HECHOS DE ESTEBANILLO GONZALEZ.** Prólogo de Juana de Ontañón. 25.00
227. **VILLAVERDE, Cirilo:** *Cecilia Valdés. Novela de costumbres cubanas.* Estudio crítico de Raimundo Lazo. 24.00
147. **VIRGILIO.** *Eneida. Geórgicas. Bucólicas.* Edición revisada por Francisco Montes de Oca. 25.00
261. **VITORIA, Francisco de:** *Reelecciones. Del estado, de los indios y del derecho de la guerra.* Con una introducción de Antonio Gómez Robledo. 25.00
447. **VIVES, Juan Luis:** *Tratado de la enseñanza. Introducción a la sabiduría. Escolta del alma. Diálogos. Pedagogía pueril.* Estudio preliminar y prólogos por José Manuel Villalpando. 45.00
27. **VOCES DE ORIENTE.** *Antología de textos literarios del cercano Oriente.* Traducciones, introducciones, compilación y notas de Angel María Garibay K. 25.00
398. **VOLTAIRE:** *Cándido. Zadig. El ingenuo. Micrómegas. Memmon y otros cuentos.* Prólogo de Juan Antonio Guerrero. 25.00
634. **VON KLEIST, Heinrich.** *Michael Kohlhaas y otras narraciones. Heinrich Von Kleist* por Stefan Zewig. 35.00
170. **WALLACE, Lewis:** *Ben-Hur.* Prólogo de Joaquín Antonio Peñalosa. 30.00
WICKRAM, Jorge: Véase: **ANONIMO**
133. **WILDE, Oscar:** *El retrato de Dorian Gray. El príncipe feliz. El ruiseñor y la rosa. El crimen de Lord Arthur Saville. El fantasma de Canterville.* Traducción, prólogo y notas de Monserrat Alfau. 25.00
238. **WILDE, Oscar:** *La importancia de llamarse Ernesto. El abanico de Lady Windermere. Una mujer sin importancia. Un marido ideal. Salomé.* Traducción y prólogo de Monserrat Alfau. 25.00
161. **WISEMAN, Cardenal:** *Fabiola o la Iglesia de las Catacumbas.* Introducción de Joaquín Antonio Peñalosa. 40.00
90. **ZARCO, Francisco:** *Escritos literarios.* Selección, prólogo y notas de René Avilés. 22.00
546. **ZAVALA, Silvio:** *Recuerdo de Vasco de Quiroga.* 50.00
269. **ZEA, Leopoldo:** *Conciencia y posibilidad del mexicano. El occidente y la conciencia de México. Dos ensayos sobre México y lo mexicano.* 25.00
528. **ZEVACO, Miguel:** *Los Pardaillán. Tomo I: En las garras del monstruo. La espía de la Médicis. Horrible revelación.* 35.00

PRECIOS SUJETOS A VARIACION SIN PREVIO AVISO

529. **ZEVACO, Miguel:** *Los Pardaillán. Tomo II: El círculo de la muerte. El cofre envenenado. La cámara del tormento.* .... $ 35.00
530. **ZEVACO, Miguel:** *Los Pardaillán. Tomo III: Sudor en sangre. La sala de las ejecuciones. La venganza de Fausta.* 35.00
531. **ZEVACO, Miguel:** *Los Pardaillán. Tomo IV: Una tragedia en la Bastilla. Vida por vida. La crucificada.* 35.00
532. **ZEVACO, Miguel:** *Los Pardaillán. Tomo V: El vengador de su madre. Juan el Bravo. La hija del Rey Hugonote.* 35.00
548. **ZEVACO, Miguel:** *Los Pardaillán. Tomo VI: El tesoro de Fausta. La prisionera. La casa misteriosa.* 35.00
555. **ZEVACO, Miguel:** *Los Pardaillán. Tomo VII: El día de la justicia. El santo oficio. Ante el César.* 35.00
556. **ZEVACO, Miguel:** *Los Pardaillán. Tomo VIII: Fausta la diabólica. Pardaillán y Fausta. Tallo de lirio.* 35.00
558. **ZEVACO, Miguel:** *Los Pardillán. Tomo IX: La abandonada. La dama blanca. El fin de los Pardaillán.* 35.00
412. **ZOLA, Emilio:** *Naná.* Prólogo de Emilia Pardo Bazán. 35.00
414. **ZOLA, Emilio:** *La taberna.* Prólogo de Guy de Maupassant. 30.00
58. **ZORRILLA, José:** *Don Juan Tenorio. El puñal del Godo.* Prólogo de Salvador Novo. 18.00
681. **ZORRILLA, José:** *Recuerdos del tiempo viejo.* Prólogo de Emilia Pardo Bazán 60.00
153. **ZORRILLA DE SAN MARTIN, Juan:** *Tabaré.* Estudio crítico por Raimundo Lazo. 25.00
418. **ZWEIG, Stefan:** *El mundo de ayer.* 30.00
589. **ZWEIG, Stefan:** *Impaciencia del corazón.* 30.00

TENEMOS EJEMPLARES ENCUADERNADOS EN TELA

PRECIOS SUJETOS A VARIACION SIN PREVIO AVISO

EDITORIAL PORRUA

BIBLIOTECA JUVENIL PORRUA

LAS OBRAS MAESTRAS ADAPTADAS AL ALCANCE DE NIÑOS Y JOVENES CON ILUSTRACIONES EN COLOR

BIBLIOTECA JUVENIL PORRUA

1. CERVANTES SAAVEDRA, Miguel de: **Aventuras de Don Quijote.** Primera parte. Adaptadas para los niños por Pablo Vila. 2a. edición. 1994. 112 pp. Rústica .... $ 20.00
2. —**Aventuras de Don Quijote.** Segunda parte. Adaptadas para los niños por Pablo Vila. 2a. edición. 1994. 144 pp. Rústica 20.00
3. **Amadís de Gaula.** Relatada a los niños por María Luz Morales. 1a. edición. 1992. 103 pp. Rústica 20.00
4. **Historia de Guillermo Tell.** Adaptada a los niños por H. E. Marshall. 2a. edición. 1994. 82 pp. Rústica 20.00
5. MILTON, John: **El paraíso Perdido.** Adaptadas para los niños por Manuel Vallvé. 1a. edición. 1992. 77 pp. Rústica 20.00
6. **Hazañas del Cid Campeador.** Adaptación para los niños por María Luz Morales. 2a. edición. 1994. 113 pp. Rústica 20.00
7. CAMOENS, Luis de: **Los Lusiadas.** Poema épico. Adaptada para los niños por Manuel Vallvé. 1a. edición. 1992. 77 pp. Rústica 20.00
8. ALIGHIERI, Dante: **La Divina Comedia.** Adaptación a los niños por Mary MacGregor. 1a. edición. 1992. 101 pp. Rústica 20.00
9. **Aventuras del Barón de Munchhausen.** Relatadas a los niños. 1a. edición. 1992. 125 pp. Rústica 20.00
10. **La Ilíada o El Sitio de Troya.** Relatada a los niños por María Luz Morales. 2a. edición. 1994. 98 pp. Rústica 20.00
11. SCOTT, Walter: **Ivanhoe.** Adaptación para los niños por Manuel Vallvé. 1a. edición. 1992. 119 pp. Rústica 20.00
12. **Cantar de Roldán, El.** Adaptación para los niños por H. E. Marshall. 1a. edición. 1992. 93 pp. Rústica 20.00
13. TASSO, Torcuato: **La Jerusalén Libertada.** Adaptada para los niños por José Baeza. 1a. edición. 1992. 105 pp. Rústica 20.00
14. **Historias de Ruiz de Alarcón.** Relatadas a los niños por María Luz Morales. 1a. edición. 1992. 105 pp. Rústica 20.00
15. RODAS, Apolonio de: **Los Argonautas.** Adaptado a los niños por Carmela Eulate. 1a. edición. 1993. 101 pp. Rústica 20.00
16. **Aventuras de Gil Blas de Santillana.** Adaptado para los niños por María Luz Morales. 1a. edición. 1992. 115 pp. Rústica. 20.00
17. CERVANTES SAAVEDRA, Miguel de: **La Gitanilla. El Amante Liberal.** Adaptado a los niños por María Luz Morales. 1a. edición. 1992. 103 pp. Rústica. 20.00
18. **Cuentos de Hoffman.** Relatados a los niños por Manuel Vallvé. 1a. edición. 1992. 101 pp. Rústica. 20.00
19. HOMERO: **La Odisea.** Relatada a los niños por María Luz Morales. 2a. edición. 1994. 109 pp. Rústica. 20.00
20. **Cuentos de Edgar Allan Poe.** Relatados a los niños por Manuel Vallvé. 2a. edición. 1994. 78 pp. Rústica. 20.00
21. ARIOSTO, Ludovico: **Orlando Furioso.** Relatado a los niños. 1a. edición. 1993. 91 pp. Rústica. 20.00
22. **Historias de Wagner.** Adaptado a los niños por C. E. Smith. 1a. edición. 1993. 105 pp. Rústica. 20.00
23. **Tristán e Isolda.** Adaptado a los niños por Manuel Vallvé. 1a. edición. 1993. 87 pp. Rústica. 20.00
24. **Historias de Moliére.** Relatadas a los niños por José Baeza. 1a. edición. 1993. 73 pp. Rústica. 20.00

PRECIOS SUJETOS A VARIACION SIN PREVIO AVISO

25. **Historia de Lope de Vega.** Relatadas a los niños por Ma. Luz Morales. 1a. edición. 1993. 93 pp. Rústica. .... $ 20.00
26. **Mil y una Noches, Las.** Narradas a los niños por C. G. 1a. edición. 1993. 85 pp. Rústica. 20.00
27. **Historias de Tirso de Molina.** Relatadas a los niños. 1a. edición 1993. 95 pp. Rústica. 20.00
28. **Cuentos de Schmid.** Relatada a los niños por E. H. H. 1a. edición 1993. 124 pp. Rústica. 20.00
29. IRVING, Washington: **Cuentos de la Alhambra.** Relatada a los niños por Manuel Vallvé. 1a. edición. 1993. 78 pp. Rústica. 20.00
30. WAGNER, R.: **El Anillo del Nibelungo.** Relatada a la juventud por Manuel Vallvé. 1a. edición. 1993. 109 pp. Rústica. 20.00
31. **Historias de Juan Godofredo de Herder.** Adaptado a los niños por Leonardo Panizo. 1a. edición. 1993. 75 pp. Rústica. 20.00
32. **Historias de Plutarco.** Adaptado a los niños por Manuel Vallvé. 1a. edición. 1993. 93 pp. Rústica. 20.00
33. IRVING, Washington: **Más Cuentos de la Alhambra.** Adaptado a los niños por Manuel Vallvé. 1a. edición. 1993. 91 pp. Rústica. 20.00
34. **Descubrimiento del Perú.** Relatadas a los niños por Fray Celso García (Agustino). 1a. edición. 1993. 125 pp. Rústica. 20.00
35. **Más Historias de Hans Andersen.** Traducción y adaptación de Manuel Vallvé. 1a. edición. 1993. 83 pp. Rústica. 20.00
36. KINGSLEY, Charles: **Los héroes.** Relatado a los niños por Mary MacGregor. 1a. edición. 1993. 103 pp. Rústica. 20.00
37. **Leyendas de Peregrinos.** (Historia de Chaucer). Relatadas a los niños por Janet Harvey Kelma. 1a. edición. 1993. 89 pp. Rústica 20.00
38. **Historias de Goethe.** Relatado a los niños por María Luz Morales. 1a. edición. 1993. 107 pp. Rústica 20.00
39. VIRGILIO MARON, Publio: **La Eneida.** Relatada a los niños por Manuel Vallvé. 1a. edición. 1993. 81 pp. Rústica 20.00
40. **Los Caballeros de la Tabla Redonda.** Leyendas relatadas a los niños por Manuel Vallvé. 1a. edición. 1993. 95 pp. Rústica 20.00
41. **Historias de Shakespeare.** Explicadas a los niños por Jeanie Lang. 1a. edición. 1993. 127 pp. Rústica. 20.00
42. **Historias de Calderón de la Barca. El Alcalde de Zalamea. La Vida es Sueño.** Relatadas a los niños por Manuel Vallvé. 1a. edición. 1993. 87 pp. Rústica. 20.00
43. **Historias de Eurípides.** Narradas a los niños por María Luz Morales. 1a. edición. 1993. 103 pp. Rústica. 20.00
44. SWIFT, Jonathan: **Viajes de Gulliver a Liliput y Brobdingnang.** Relatados a los niños por John Lang. 1a. edición. 1993. 100 pp. Rústica. 20.00
45. **Historias de Rojas Zorrilla.** Adaptadas a la juventud por José Baeza. 1a. edición. 1994. 107 pp. Rústica. 20.00
46. **Más Historias de Shakespeare.** Relatadas a los niños por Jeanie Lang. 1a. edición. 1994. 101 pp. Rústica. 20.00
47. **Cuentos de Perrault.** Relatada a los niños por María Luz Morales. 1a. edición. 1994. 101 pp. Rústica. 20.00
48. **Historias de Lucano.** Relatadas a los niños por Francisco Esteve. 1a. edición. 1994. 100 pp. Rústica. 20.00
49. CERVANTES, Miguel de: **Entremeses.** Adaptación por José Baeza. 1a. edición. 1994. 97 pp. Rústica. 20.00
50. **La Cabaña del Tío Tom.** Relatada a los niños por H. E. Marshall. 1a. edición. 1994. 103 pp. Rústica. 20.00
51. **Ramayana de Valmiki, El.** Relatado a la juventud por Carmela Eulate. 1a. edición. 1994. 112 pp. Rústica. 20.00

PRECIOS SUJETOS A VARIACION SIN PREVIO AVISO

52. **Conde Lucanor, El.** Relatado a la juventud por Francisco Esteve. 1a. edición. 1994. 134 pp. Rústica. .... $ 20.00

53. FENELON, M. de. **Las Aventuras de Telémaco.** Adaptación por José Baeza. 1a. edición. 1994. 103 pp. Rústica. 20.00

54. CROCE, Della: **Bertoldo, Bertoldino y Cacaseno.** Adaptación por José Baeza. 1a. edición. 1994. 91 pp. Rústica. 20.00

55. **Historias de Hans Andersen.** Relatadas a los niños por Mary MacGregor. 1a. edición. 1994. 100 pp. Rústica. 20.00

56. **Historias de Esquilo.** Relatadas a la juventud por María Luz Morales. 1a. edición. 1994. 111 pp. Rústica. 20.00

57. **Más mil y una Noches.** Relatadas a la juventud por C. G. 1a. edición. 1994. 97 pp. Rústica. 20.00

58. **Fausto.** Célebre poema de Goethe. Adaptado para la juventud por Francisco Esteve. 1a. edición. 1994. Rústica. 20.00

59. **Tienda del anticuario, La.** Adaptación para la juventud por José Baeza. 1a. edición. 1994. 105 pp. Rústica. 20.00

60. **Sakuntala de Kalidasa.** Adaptación de Carmela Eulate. 1a. edición. 1994. 104 pp. Rústica. 20.00

61. **Trovas de otros Tiempos.** Leyendas españolas. Relatadas a los niños por María Luz Morales. 1a. edición. 1994. 83 pp. Rústica. 20.00

62. **Leyendas de Oriente.** Relatadas a los niños por María Luz Morales. 1a. edición. 1994. 121 pp. Rústica. 20.00

63. **Historias de Sófocles.** Adaptadas para los niños por María Luz Morales. 1a. edición. 1994. 97 pp. Rústica. 20.00

64. HURTADO DE MENDOZA, Diego. **El Lazarillo de Tormes.** Adaptación para los niños por José Escofet. 1a. edición. 1994. 93 pp. Rústica. 20.00

65. **Historias de Lord Byron.** Relatadas a la juventud por José Baeza. 1a. edición. 1994. 93 pp. Rústica. 20.00

66. **Historias de Plauto. Los Cautivos. La Aulularia. Gorgojo.** Adaptadas a la juventud por José Baeza. 1a. edición. 1994. 113 pp. Rústica. 20.00

67. **Cuentos de Grimm.** Adaptada a la juventud por María Luz Morales. 1a. edición. 1994. 107 pp. Rústica. 20.00

68. **Más Cuentos de Grimm.** Adaptada a la juventud por Manuel Vallvé. 1a. edición. 1994. 95 pp. Rústica. 20.00

69. DICKENS, Carlos: **El Canto de Navidad.** Adaptada a la juventud por Manuel Vallvé. 1a. edición. 1994. 81 pp. Rústica. 20.00

70. SCHLEMIHL, Pedro: **El hombre que vendió su sombra.** Adaptada a la juventud por Manuel Vallvé. 1a. edición. 1994. 89 pp. Rústica. 20.00

71. **Historias de Till Eulenspiegel.** Adaptada a la juventud por Manuel Vallvé. 1a. edición. 1994. 91 pp. Rústica. 20.00

72. **Beowulf.** Leyendas Heroicas. Relatado para la juventud por Manuel Vallvé. 1a. edición. 1994. 91 pp. Rústica. 20.00

73. **Fábulas de Samaniego.** Cuidadosamente elegidas y adaptadas para los niños. 1a. edición. 1994. 144 pp. Rústica. 20.00

74. HURTADO DE MENDOZA, Diego: **Los siete infantes de Lara.** Leyendas del Romancero Castellano por Manuel Vallvé. 1a. edición. 1994. 97 pp. Rústica. 20.00

75. **Fábulas de Esopo.** Relatadas a la juventud. 1a. edición. 1994. 120 pp. Rústica. 20.00

76. **Leyendas de Sigfrido, La.** Adaptada para la juventud por María Luz Morales. 1a. edición. 1994. 116 pp. Rústica. 20.00

77. DEFOE, Daniel: **Aventuras de Robinson Crusoe.** Relatadas a la juventud por Jeanie Lang. Versión española de Manuel Vallvé. 1a. edición. 1994. 92 pp. Rústica. 20.00

PRECIOS SUJETOS A VARIACION SIN PREVIO AVISO